HARIJS POTERS

UN FILOZOFU AKMENS

HARRY POTTER

AND THE PHILOSOPHER'S STONE

DRACO DORMIENS NUNQUAM TITILLANDUS

J.K.ROWLING

JUMAVA

HARIJS
POTERS

UN FILOZOFU AKMENS

DŽ.K.ROULINGA

JUMAVA

UDK 821.111 (73)–93–3
Ro 830

J. K. Rowling

HARRY POTTER AND THE PHILOSOPHER'S STONE

No angļu valodas tulkojis *Ingus Josts*

Atdzejotājs un redaktors *Pauls Bankovskis*

Agatas Muzes datorgrafiskais noformējums

ISBN 9984–05–385–7

Džesikai, kura mīl stāstus, Annai, jo arī viņa tos mīlēja,
un Di, kura šo stāstu dzirdēja pirmā.

PIRMĀ NODAĻA

PUISĒNS, KURŠ IZDZĪVOJA

Dērsliju ģimene dzīvoja Dzīvžogu ielas ceturtajā namā un ar lepnumu klāstīja, ka ir pilnīgi normāli cilvēki, protams, ja vien jūs tas interesē. Lai nu ko, bet viņus turēt aizdomās par kādām dīvainām vai noslēpumainām nodarbēm nebija ne mazākā pamata, jo viņiem no tādām blēņām vienkārši metās pumpas.

Dērslija kungs strādāja par direktoru firmā *Grunnings*, kas ražoja urbjus. Viņš bija pamatīgs, muskuļots vīrs, kura kaklu par kaklu īsti nevarēja saukt, pat par spīti varenajām ūsām. Dērslija kundze savukārt bija tieva blondīne. Viņas kakla garums reizes divas pārsniedza vidējo vispārcilvēcisko, un tas bija ļoti noderīgi, jo ne vienu vien stundu viņa mēdza pavadīt, kā dzērve staigājot gar žogiem un lūrot, ar ko nodarbojas kaimiņi. Dērsliju pāra atvasei bija dots Dūdija vārds, un vecāki nespēja iedomāties pasaulē jaukāku zēnu.

Dērslijiem nekā netrūka, tomēr pār viņu pavardu klājās kāds noslēpums. Vairāk par visu pasaulē viņi baidījās, ka šo nesmukumu kāds varētu atklāt. Viņiem likās, ka jaukā idille būtu izpostīta, kolīdz kāds izdibinātu Dērsliju radniecību ar Poteriem. Potera kundze bija Dērslija kundzes māsa, tomēr abas jau vairākus gadus nebija tikušās. Patiesībā Dērslija kundze izlikās, ka viņai nekādas māsas nemaz nav, jo šī māsa un viņas nekam nederīgais laulenis bija pats ne-dērslijiskākais pāris, kādu vien varēja iedomāties. Bailes no tā, ko teiktu kaimiņi, ja Poteri kaut vai tikai parādītos Dzīvžogu ielā, lika Dērslijiem nodrebēt. Dērsliji gan zināja, ka arī Poteriem ir mazs puisēns, tomēr radu atvasi viņi nebija pat redzējuši. Šis puika bija vēl viens iemesls, lai vairītos no tikšanās ar Poteriem, jo Dērsliji nevēlējās, lai viņu eņģelītis saskartos ar tādu vecāku bērnu.

Mūsu stāsts sākas kādā nemīlīgi pelēkā otrdienas rītā. Kad Dērsliju pāris pamodās, mākoņainajās debesīs nekas neliecināja par dīvainajām un noslēpumainajām parādībām, kuras teju teju pārpludinās zemi. Dērslija kungs dungodams izvēlējās visgarlaicīgāko kaklasaiti un posās uz darbu, bet Dērslija kundze kaut ko laimīgi tērgāja, pūlēdamās iestīvēt spiedzošo Dūdiju augstajā bērnu krēsliņā.

Neviens no klātesošajiem nepamanīja, kā gar logu aizplandīja liela meža pūce.

Pusdeviņos Dērslija kungs paņēma portfeli, nobučoja Dērslija kundzes vaigu un mēģināja atvadu skūpstu uzspiest arī Dūdijam, tomēr kļūdījās, jo tieši tajā brīdī Dūdijs niķojās un centās ar brokastu pārslām trāpīt pa sienu. — Ak tu, mans mazais briesmonīti! — nodūdoja Dērslija kungs, izejot no mājas. Iesēdies mašīnā, viņš atmuguriski izbrauca no ceturtā nama iebraucamā ceļa.

Tikai uz krustojuma viņš ievēroja pirmo neparasto ainu — kaķis pētīja karti. Vispirms Dērslija kungs īsti neaptvēra, ko redzējis, tomēr atskatījās, lai pārliecinātos, ka acis viņu nemāna. Patiešām, uz Dzīvžogu ielas stūra stāvēja strīpains runcis, tomēr karti nekur nemanīja. Kas gan viņam nāca prātā? Droši vien viņu pievīlis kāds gaismas zibsnis. Dērslija kungs samirkšķināja acis un turpināja blenzt uz kaķi. Kaķis blenza atpakaļ. Nogriezdamies ap stūri un dodamies tālāk, Dērslija kungs vēroja runci spogulī. Tagad tas lasīja plāksnīti ar uzrakstu "Dzīvžogu iela" — nē, protams, nelasīja, vienkārši *skatījās* uz to, kaķi taču nespēj pētīt kartes vai lasīt plāksnītes. Dērslija kungs noskurinājās un tūdaļ pat kaķi aizmirsa. Braucot uz pilsētu, viņš domāja tikai un vienīgi par lielu urbju partiju, kuru šodien viņš cerēja pārdot.

Tomēr pilsētas pievārtē redzētais lika viņam aizmirst par urbjiem. Gaidīdams dienišķajā rīta sastrēgumā, Dērslija kungs ievēroja neierasti daudz dīvaini tērptu ļaužu. Apmetņi, apmetņi, apmetņi. Dērslija kungs necieta cilvēkus, kuri nēsāja savādas drēbes — ko tik visu nenācās redzēt mugurā mūsdienu jaunatnei! Viņš nosprieda, ka tā ir kāda jauna mode. Viņš bungoja ar pirkstiem pa stūres ratu, bet acis klīda apkārt, līdz Dērslija kunga uzmanību piesaistīja dīvaiņu pulciņš vai rokas stiepiena attālumā. Savādnieki sparīgi sačukstējās. Dērslija kungu īpaši tracināja atklāsme, ka ne visi izrādījās jaunekļi! Lūk, tas vīrs likās vecāks par viņu pašu, bet klīda, ietinies smaragdzaļā paltrakā! Tam nu gan bija iekšas! Bet tad Dērslija kunga prātā iešāvās gaiša atklāsme — šī neldzīgā karnevāla dalībnieki droši vien vāca naudu kādam pasākumam... droši vien, droši vien. Mašīnu straume sakustējās, un drīz vien Dērslija kungs novietoja auto *Grunnings* stāvvietā, atkal gatavs doties pēdējā kaujā par urbjiem.

Savā desmitā stāva kabinetā Dērslija kungs vienmēr sēdēja ar muguru pret logu. Ja viņš sēdētu otrādi, nez vai urbju speciālistam torīt būtu izdevies sakopot domas uz urbjiem. *Viņš* neredzēja to, ko ievēroja cilvēki ielās — gaišā dienas laikā pāri pilsētai šaudījās pūces. Gājēji pavērtām mutēm blenza debesīs un paceltu pirkstu pavadīja katru putnu, kas pārlidoja pār galvu. Vairums no viņiem pūci nebija redzējuši pat naktī. Tikmēr Dērslija kungs turpināja izbaudīt pilnīgi normālu bezpūču rītu.

Vispirms viņš sakliedza uz pieciem darbiniekiem. Tad vairākas reizes svarīgi izrunājās pa tālruni un vēl mazliet pabļaustījās. Līdz pat pusdienlaikam viņš bija varen labā omā. Tad Dērslija kungs nolēma izlocīt kājas un pāriet pāri ielai, lai maiznīcā nopirktu sev svaigu veģi.

Tikai pagājis garām apmetņos tērptu ļaužu bariņam pie pašas maiznīcas, viņš atcerējās rīta piedzīvojumus. Dērslija kungs pikti nopētīja svešiniekus. Nezin kāpēc dīvaiņu klātbūtne lika viņam justies neomulīgi. Arī šie ļautiņi satraukti sačukstējās, tomēr ziedojumu traucviņus nekur nemanīja. Iedams atpakaļ un papīra turzā nesdams lielu, taukos vārītu pīrāgu, viņš beidzot saklausīja atsevišķus savādnieku čukstētos vārdus.

— Poteri, patiešām, tā man stāstīja...

— ...jā, viņu dēlēns, Harijs...

Dērslija kungs apstājās kā zemē iemiets. Viņu pārņēma nāves bailes. Viņš pavērās atpakaļ uz čukstētājiem, it kā gribēdams kaut ko teikt, tomēr nolēma ciest klusu.

Viņš pārmetās atpakaļ pāri ceļam, aizsteidzās uz savu kabinetu, nošņāca uz sekretāri, ka būšot aizņemts, paķēra klausuli, gandrīz jau uzgrieza mājas tālruņa numuru, bet pēdējā mirklī pārdomāja. Viņš nolika klausuli, noglāstīja ūsas un iegrima domās... nē, viņš uzvedās muļķīgi. Poters taču nebija nekāds neparastais uzvārds. Protams, Anglijā netrūka Poteru, kuru dēlēniem būtu Harijs vārdā. Ja tā padomāja, viņš pat nebija īsti pārliecināts, vai sievasmāsas puišeli *tiešām* sauca par Hariju. Zēnu viņš nekad nebija redzējis. Tikpat labi radinieku varēja saukt par Hārviju. Vai Haroldu. Kāpēc gan satraukt Dērslija kundzi? Viņa, nabags, tā pārdzīvoja ik reizes, kad tika pieminēts māsas vārds. Un Dērslija kungs sievai nepārmeta — ja *viņam* būtu tāda māsa... Jā, bet ko gan nozīmēja šie apmetņos tērptie cilvēki ielās?...

Pēcpusdienā saņemties, lai domātu par urbjiem, jau bija daudz grūtāk. Kad pulksten piecos Dērslija kungs izmetās no ēkas, viņš vēl arvien bija tik norūpējies, ka turpat durvju priekšā uzskrēja virsū kādam cilvēkam.

— Atvainojos! — viņš norūca, kad vecais, trauslais vīrs nozvārojās un gandrīz pakrita. Vēl pēc pāris acumirkļiem Dērslija kungs attapa, ka vecajam vīram ap pleciem ir violets apmetnis. Turklāt likās, ka cietušo pamatīgais trieciens nebūt neapbēdina. Gluži otrādi, večuka sejā atplauka plats smaids, un viņš čerkstīgā balsī, kas lika garāmgājējiem atskatīties, uzrunāja Dērslija kungu: — Dārgais kungs, jums nav par ko atvainoties, jo šodien mani nekas nespētu apbēdināt! Līksmojiet, jo Pats-Zināt-Kurš beidzot ir projām! Pat vientiešiem, pat jums būtu jāpriecājas šajā līksmes pilnajā dienā!

Večuks apskāva Dērslija kungu un projām bija.

Dērslija kungs sastinga kā stabs. Viņu tikko bija apskāvis pilnīgi svešs tips. Turklāt likās, ka viņu kāds nosaucis par vientiesi, lai ko tas nozīmētu. Satriecoši! Viņš aizsteidzās līdz savam auto un drāzās mājup, vēl klusībā cerēdams, ka viņam tikai rādās. Tiesa, šī bija pirmā reize Dērslija kunga dzīvē, kad viņa cerības saistījās ar rādīšanos, jo par iztēli, kas ir kuras katras rādīšanās pamatā, urbju direktors īpaši augstās domās vis nebija.

Piebraucot pie Dzīvžogu ielas ceturtā nama, Dērslija kungs vispirms ieraudzīja — un tas neuzlaboja viņa omu — jau rīta agrumā pamanīto strīpaino runci. Nu tas sēdēja uz viņa dārza mūra. Direktors bija pārliecināts, ka šis ir tas pats radījums, — viņš atcerējās īpatnējos plankumus ap acīm.

— Škic! — skaļi uzsauca Dērslija kungs.

Kaķis nepakustējās. Tikai cieši paskatījās uz dūšīgo vīrieti. Vai gan tā uzvedas normāli kaķi, pie sevis nodomāja Dērslija kungs. Pūlēdamies sakopot domas, viņš iegāja mājā. Viņš vēl arvien bija cieši apņēmies sievai nebilst ne vārda.

Dērslija kundze bija aizvadījusi vēl vienu jauku, normālu dienu. Vakariņu laikā viņa pavēstīja, ka kundzei kaimiņos ir problēmas ar meitas audzināšanu un ka Dūdijs apguvis jaunu vārdiņu ("Nedrīkst!"). Dērslija kungs centās izturēties, it kā nekas nebūtu noticis. Kad Dūdijs bija nolikts pie miera, viņš iegāja dzīvojamā istabā, lai noskatītos vakara ziņu pēdējo raidījumu.

— Un, visbeidzot, putnu novērotāji ziņo, ka šodien visā valstī neparasti uzvedušās pūces. Lai gan normāli pūces medī naktīs un dienasgaismā gandrīz nekad nav redzamas, jau kopš paša saullēkta bija manāmi simti naktsputnu, kuri lidoja šurpu turpu dažādos virzienos. Eksperti nevar paskaidrot, kāpēc pūces pēkšņi mainījušas gulēšanas paradumus. — Te ziņu lasītājs atļāvās greizu smīniņu. — Ļoti noslēpumaini. Un tagad vārds Džimam Makgafinam ar laika ziņām. Vai šonakt, Džim, atkal gaidāmas pūču lietavas?

— Paldies, Ted, — atteica laika ziņu vīrs. — Par to man nekas nav zināms, bet šodien dīvaini uzvedas ne vien pūces. Skatītāji no visiem valsts nostūriem — Kentas, Jorkšīras un Dandī — zvana un stāsta, ka vakar solīto slapjo nokrišņu vietā viņi piedzīvojuši īstu krītošo zvaigžņu lietu! Iespējams, cilvēki laikus sākuši svinēt Uguņošanas nakti* — mīļie, līdz tai atlikusi vēl vesela nedēļa! Šonakt debesis gan atkal sola lietu.

Dērslija kungs sastindzis sēdēja atzveltnī. Krītošās zvaigznes visās Britu salās? Pūces gaišā dienas laikā? Noslēpumaini ļaudis uz katra stūra? Un šis čuksts par Poteriem...

Dērslija kundze ienāca istabā ar divām tējas tasēm. Lieliski! Viņam tomēr nāksies kaut ko sacīt. Viņš nervozi nokrekšķinājās.

— Ē, Petūnija, dārgā, — vai beidzamā laikā tu neesi saņēmusi kādu ziņu no savas māsas?

Kā jau namatēvs bija paredzējis, Dērslija kundze likās pār-

---

*Arī Gaja Foksa nakts — Lielbritānijā šos svētkus svin 5. novembrī ar varenu uguņošanu un Gaja Foksa izbāzeņu dedzināšanu. Gajs Fokss 1605. gadā gribēja uzspridzināt Anglijas Parlamentu, bet tika atklāts un ņēma nelabu galu.

steigta un dusmīga. Galu galā, viņi parasti izlikās, it kā māsas viņai nemaz nebūtu.

— Neesmu gan, — viņa attrauca. — Kāpēc tu vaicā?

— Visādas muļķības ziņās, — Dērslija kungs nomurmināja.

— Pūces... krītošas zvaigznes... turklāt pilsētā šodien netrūka dīvaini ģērbušos ļaužu...

— *Un?* — pārtrauca Dērslija kundze.

— Es tikai iedomājos... varbūt... tam ir kāds sakars... tu jau zini... *ar viņai līdzīgajiem...*

Pastiepusi lūpas, Dērslija kundze iestrēba tēju. Dērslija kungs apsvēra, vai uzdrīkstēsies viņai nosaukt Poteru vārdu. Pēc brīža viņš nolēma, ka neuzdrīkstēsies. Tā vietā, cik iespējams nevainīgi, viņš apvaicājās: — Viņu dēlēns tagad varētu būt tikpat vecs kā Dūdijs, vai ne?

— Varbūt, — stīvi atteica Dērslija kundze.

— Kā viņu sauca? Hovards, vai?

— Harijs. Nepatīkams, prasts vārds, ja vien tu vēlies zināt manu viedokli.

— Ak, jā, — noteica Dērslija kungs, un juta kaklā iestrēgstam kamolu. — Es tev pilnībā piekrītu.

Kāpjot augšā uz guļamistabu, viņš vairs nebilda ne vārda. Kamēr kundze kavējās vannasistabā, Dērslija kungs pielavījās pie loga un pavērās uz dārziņu mājas priekšā. Runcis sēdēja turpat. Un vērās uz Dzīvžogu ielas pusi, it kā kādu gaidītu.

Vai viņam tiešām rādījās? Vai tam varēja būt kāds sakars ar Poteriem? Ja bija... ja visi uzzinātu, ka viņi ir rados ar Poteriem — nē, viņš, šķiet, to nepārdzīvotu.

Pāris devās pie miera. Dērslija kundze aizmiga zibenīgi, bet kungs trinās nomodā, pārcilādams prātā šīsdienas notikumus. Pirms pašas aizmigšanas prātā pazibēja mierinoša doma. Pat ja Poteriem ar to visu *bija* kāda saistība, tāpēc vien tie nemēģinās sastapt viņu un Dērslija kundzi. Poteri ļoti labi zināja, ko Dērslijs un Petūnija domāja par saviem radiņiem un viņu šlaku... Viņš nespēja iedomāties, kāds viņam vai Petūnijai varētu būt sakars ar notiekošo — ja kaut kas tiešām notika. Viņš nožāvājās un pagriezās uz otriem sāniem. Tas *viņus* nekādi nevarēja ietekmēt...

Au, kā viņš maldījās.

Lai arī Dērslija kungs laidās nemierīgā miegā, uz mūra sēdošā runča uzvedībā nevarēja manīt ne mazāko miegainuma pazīmi. Tas sēdēja stingi kā statuja, acis piekalis Dzīvžogu ielas tālākajam galam. Viņš pat nenotrīsēja, kad blakus ielā aizcirtās auto durvis, un arī tad, kad pāri galvai pāršalca divas pūces. Taisnību sakot, kaķis no savas vietas izkustējās tikai mazu brītiņu pirms pusnakts.

Uz stūra, ko tik cītīgi bija vērojis kaķis, parādījās vīrieša stāvs, parādījās tik pēkšņi un klusi, ka nejaušam skatītājam liktos, ka nācējs izlien no zemes. Kaķa aste nodrebēja un acis samiedzās šaurākas.

Dzīvžogu ielā nekad nebija redzēts tik dīvains tips. Viņš bija garš, kārns un ļoti vecs — par to lika domāt viņa garie, sudrabainie un aiz jostas aizbāztie mati un bārda. Mugurā viņam plandīja garš talārs, pa zemi nopakaļ vilkās purpurkrāsas apmetnis, kājās vīram bija augstpapēžu zābaki ar sprādzēm. Aiz pusmēneša formas brillēm mirdzēja gaišas, spožas un zilas acis, savukārt deguna kūkums lika domāt, ka tas bijis lauzts vismaz divās vietās. Šī vīra vārds bija Baltuss Dumidors.

Nelikās gan, ka Baltuss Dumidors aptvertu, ka viņš tikko spēris kāju ielā, kur itin viss — sākot no viņa vārda un beidzot ar zābakiem — neizpelnītos atzinību. Viņa kalsnās rokas kaut ko drudžaini meklēja drānu dzīlēs. Bet, ka viņu kāds novēro, to gan vīrs, šķiet, juta, jo pēkšņi paskatījās uz kaķi. Tas vēl arvien vērās uz dīvaini no ielas pretējā gala. Likās, ka nez kāda iemesla dēļ kaķa skats Baltusu Dumidoru uzjautrina. Viņš iespurdzās un pie sevis nomurmināja: — To taču man vajadzēja iedomāties.

Kādā no savām iekškabatām vīrs bija atradis meklēto. Tās likās esam sudraba šķiltavas. Viņš atmeta nieciņu vaļā, pacēla to un noklikšķināja. Ar klusu paukšķi izdzisa spuldze tuvākā apgaismes staba galā. Viņš noklikšķināja vēlreiz — izdzisa nākamā spuldze. Pavisam divpadsmit reižu Baltuss Dumidors noklikšķināja Izslēdzi, līdz visas ielas garumā varēja manīt tikai divas sīksīkas gaismiņas — tur viņā vēl arvien vērās kaķa acis. Ja kāds — kaut kreļļacainā Dērslija kundze — šajā brīdī palūkotos ārā pa logu, viņi nespētu saskatīt neko no lejā, uz ietves, notiekošā. Dumidors ieslidināja Izslēdzi atpakaļ drānu dziļumos un devās uz ceturtā nama pusi. Tur viņš apsēdās uz mūra līdzās kaķim. Uz kaķi nepaskatījies, pēc brīža viņš to uzrunāja.

— Dīvaini, ka satieku jūs šeit, profesore Maksūra.

Viņš pagriezās, lai uzsmaidītu strīpainim, bet kaķa tur vairs nebija. Radībiņas vietā Dumidora smaids tika diezgan skarba izskata dāmai, kuras brilles ar kvadrātveida stikliem ļoti atgādināja krāsu plankumus pie kaķa acīm. Arī viņa bija tērpusies apmetnī, tikai tas bija smaragdzaļš. Par profesori nosauktās melnie mati bija savilkti ciešā mezglā. Viņa izskatījās krietni saburzīta.

— Kā jūs zinājāt, ka tā esmu es? — dāma apvaicājās.

— Mīļā profesore, es nekad iepriekš nebiju redzējis tik stīvu kaķi.

— Arī jums piemestos stīvums, ja visu dienu nāktos nosēdēt uz ķieģeļu mūra, — atteica profesore Maksūra.

— Visu dienu? Tā vietā, lai līksmotos? Ceļā uz šejieni es manīju vismaz duci jautru kompāniju svinam priecīgo notikumu.

Profesore Maksūra dusmīgi nošņācās.

— Tas gan, visi svin, bet lai nu tā būtu, — viņa nepacietīgi sacīja. — Tomēr viņi varēja to darīt mazliet neuzkrītošāk, bet nē — pat vientieši ievērojuši, ka kaut kas lēcies. Par to stāstīja viņu ziņās. — Viņa pamāja uz tumšo Dērsliju dzīvojamās istabas logu. — Pati dzirdēju. Pūču kāši... krītošās zvaigznes... Viņi taču arī nav gluži stulbi. Kaut ko viņiem vajadzēja pamanīt. Krītošās zvaigznes Kentā — varu derēt, ka tur roku pielicis Dedals Digls. Viņam apdoma vienmēr mazliet trūcis.

— Jūs nedrīkstat tiesāt viņus pārāk bargi, — klusi iebilda Dumidors. — Pēdējo vienpadsmit gadu laikā mums nebija sevišķi daudz iemeslu priecāties.

— Es zinu, — aizkaitināti sacīja profesore Maksūra. — Bet tāpēc nedrīkst zaudēt galvu. Mūsējie kļuvuši pagalam nevērīgi — gaišā dienas laikā pļāpāt tieši uz ielām, pat nevīžojot pārģērbties vientiešu drānās!

Šajā brīdī profesore pameta asu sāņus skatu uz Dumidora pusi, it kā cerēdama, ka viņš kaut ko pavēstīs, tomēr viņš klusēja, tāpēc skarbā dāma turpināja: — Tie nu gan būtu prieki, ja dienā, kad Pats-Zināt-Kurš, liekas, beidzot pagaisis, vientieši uzzinātu visu par mūsu noslēpumiem. Cik noprotu, Dumidor, viņš tiešām *ir* projām?

— Visas zīmes par to liecina, — atbildēja Dumidors. — Mums par daudz ko jābūt pateicīgiem. Vai nevēlaties citronu ledeni?

— *Ko?*

— Citronu ledeni. Tas ir vientiešu saldums, kurš man tīri labi garšo.

— Nē, paldies, — profesore Maksūra atteica ledainā balsī, tā likdama noprast, ka, viņasprāt, šis nav citronu ledenēm īsti piemērots brīdis. — Kā jau minēju, pat ja Pats-Zināt-Kurš *ir* projām...

— Mīļā profesore, es domāju, ka tik prātīga persona kā jūs varētu saukt viņu vārdā? Visas šīs "Pats-Zināt-Kurš" blēņas — veselus vienpadsmit gadus esmu pūlējies ļaudīm iegalvot, lai sauc viņu īstajā vārdā, par *Voldemortu*.

Profesore Maksūra nodrebēja, bet Dumidors tobrīd mēģināja atlipināt divas ledenes un nelikās manām. — Tas ir tik mulsinoši, ja mēs turpinām daudzināt "Pats-Zināt-Kurš". Es nekad neesmu varējis saprast, kāpēc būtu jābaidās izteikt Voldemorta vārdu.

— Es zinu, ka neesat, — profesores Maksūras balsī varēja just gan aizkaitinājumu, gan apbrīnu. — Bet jūs esat citāds. Visi zina, ka jūs bijāt vienīgais, no kura Pats-Zināt — piedodiet, *Voldemorts* — baidījās.

— Jūs man glaimojat, — Dumidors lēnīgi atbildēja. — Voldemortam piemita tādi spēki, kādu man nekad nebūs.

— Tikai tāpēc, ka jūs esat — kā lai to pasaka — pārāk *cildens*, lai tos izmantotu.

— Cik labi, ka ir tumšs. Es neesmu tā sarcis kopš laika, kad Pomfrejas madāma uzteica manus jaunos auseņus.

Profesore Maksūra uzmeta Dumidoram pārmetošu skatienu un sacīja: — Pūces nav itin nekas, salīdzinot ar *baumām*, kuras dzird visapkārt. Vai zināt, ko runā? Kā izskaidro viņa nozušanu? Kas esot apturējis viņu?

Likās, ka profesore Maksūra nonākusi pie tēmas, ko apspriest vēlējās vairāk par visu, pie īstā iemesla, kāpēc viņa visu garo dienu bija gaidot nosēdējusi uz auksta, cieta mūra, jo ne kaķa, ne sievietes veidolā viņa vēl nebija vērusies Dumidorā ar tik caururbjošu skatienu. Bija skaidrs, ka viņa neticēs tam, ko runāja visa pasaule, līdz brīdim, kamēr Dumidors viņai neapliecinās, ka tā tas tiešām ir. Dumidors tikmēr paņēma vēl vienu citronu ledeni un klusēja.

— Visi *stāsta*, — viņa neatlaidās, — ka pagājušajā naktī Voldemorts pēkšņi parādījies Godrika gravā. Tad viņš sameklējis Poterus. Runā, ka Lilija un Džeimss Poteri esot... esot... ka viņi esot... *miruši*.

Dumidors novērsās. Profesorei Maksūrai aizrāvās elpa.

— Lilija un Džeimss... Es nespēju noticēt... Es negribu tam ticēt... Ak, Baltus...

Dumidors pastiepa roku un noglāstīja viņai plecu. — Zinu... Es zinu... — viņš smagi nopūtās.

Profesores Maksūras balss drebēja: — Tas vēl nav viss. Apgalvo, ka viņš mēģinājis nogalināt arī Poteru dēlu, Hariju.

Taču — nav spējis to izdarīt! Viņš nespēja nogalināt mazo puisēnu. Neviens nezina, kāpēc, neviens nezina, kā. Runā, ka tad, kad Voldemorts nav spējis nogalināt Hariju Poteru, viņa varenībā kaut kas ieplaisājis — un tāpēc viņam nācies izgaist.

Dumidors drūmi pamāja.

— Vai tas — tas ir *tiesa*? — profesore Maksūra aprāvās. — Pēc visa tā, ko viņš tika izdarījis... pēc visiem nogalinātajiem... viņš nespēja nonāvēt mazu zēnu? Neticami... lai nu kas viņu spētu apturēt... bet kā gan Harijs izdzīvoja, lai debesis viņam žēlīgas!

— To var tikai minēt, — Dumidors sacīja. — Iespējams, mēs to nekad neuzzināsim.

Profesore Maksūra izvilka mežģīņu kabatlakatiņu un, pacēlusi brilles, nosusināja acis. Izvilcis no kabatas zelta pulksteni un uzmetis tam acis, Dumidors pavīpsnāja. Tas bija diezgan savāds pulkstenis. Uz ciparnīcas bija divpadsmit rādītāju, bet trūka pašu ciparu. To vietā gar ciparnīcas malu kustējās mazas planētiņas. Tomēr Dumidoram tas laikam kaut ko nozīmēja, jo, ielicis pulksteni atpakaļ kabatā, viņš noteica: — Hagrids kavējas. Cik noprotu, tieši viņš jums pateica, ka būšu sastopams šeit?

— Jā, — atteica profesore Maksūra. — Bet es pieļauju, ka jūs man tā arī nepaskaidrosiet, *kāpēc* es jūs sastopu šeit, nevis kur citur?

— Esmu ieradies, lai nodotu Hariju mātesmāsas un viņas vīra gādībā. Tie tagad ir viņa vienīgie radinieki.

— Jūs domājat... vai *tiešām* jūs domājat ļautiņus, kas dzīvo *šeit*? — iesaucās profesore Maksūra, pielēkusi kājās un rādīdama uz Dzīvžogu ielas ceturto namu. — Dumidor, tas nav iespējams. Es vēroju viņus visu dienu. Jūs ar uguni neatradīsiet otrus divus cilvēkus, kuri tik ļoti atšķirtos no mums. Turklāt viņu dēlēns — es redzēju, kā viņš visas ielas garumā niķojās, pretojās mammai un spiedza, ka gribot konfektes. Lai Harijs Poters apmestos šeit uz dzīvi!

— Šī ir viņam piemērotākā vieta, — stingri sacīja Dumidors. — Tante un tēvocis pratīs viņam izskaidrot visu, kad viņš paaugsies. Es uzrakstīju viņiem vēstuli.

— Vēstuli? — vārgi atkārtoja profesore Maksūra, atkal apsēzdamās uz mūra. — Vai tiešām jūs, Dumidor, domājat, ka spējāt visu izskaidrot vēstulē? Šie ļautiņi viņu nekad nesapratīs! Viņš būs slavens, viņš kļūs leģendārs. Es nebrīnītos, ja šo dienu nākotnē atzīmēs kā Harija Potera dienu. Par Hariju sarakstīs grāmatas, un katrs bērns visā plašajā pasaulē zinās viņa vārdu!

— Tieši tā, — atzina Dumidors, ļoti nopietni paskatīdamies pāri briļļu pusmēnešiem. — Tas sagrozītu galvu jebkuram puikam. Slavens jau pirms tam, kad sācis staigāt vai runāt! Slavens par notikumu, kuru pats nemaz neatceras! Vai tad jūs nesaprotat, ka viņam daudz labāk būtu uzaugt projām no tā visa un atgriezties starp mums tad, kad viņš būs spējīgs tikt ar to galā?

Profesore Maksūra pavēra muti, lai iebilstu, bet pārdomāja un pēc mirkļa atzina: — Jā, jā, protams, jums taisnība. Bet, Dumidor, kā gan viņš šeit nokļūs? — Viņa nopētīja sarunu biedra apmetni tā, it kā Dumidora apģērba krokās varētu būt paslēpts Harijs.

— Viņu šurp atgādās Hagrids.

— Un jūs uzskatāt, ka tas ir — *prātīgi* — uzticēt Hagridam kaut ko tik svarīgu?

— Esmu gatavs Hagridam uzticēt savu dzīvību, — atteica Dumidors.

— Negribu teikt, ka viņam trūktu dūšas, — norūca profesore Maksūra, — tomēr nedrīkst aizmirst viņa paviršību. Viņš mēdz... kas tas bija?

Klusumā tagad varēja saklausīt zemu, dunošu skaņu. Tā kļuva arvien skaļāka, bet abi sarunbiedri tikmēr vēroja ielas abus galus, gaidīdami, kad parādīsies lukturu gaismas atblāzma. Kad beidzot skaņa kļuva neizturami skaļa, viņi abi palūkojās augšup debesīs — un tajā brīdī no gaisa nokrita milzīgs motocikls un piezemējās uz ielas viņiem tieši priekšā.

Pats par sevi motocikls likās ļoti liels, tomēr zem vīra, kurš uz tā sēdēja, tas izskatījās drīzāk pēc rotaļlietas. Braucējs bija reizes divas garāks un reizes piecas platāks par vidēja auguma vīrieti. Viņš vienkārši likās pārāk liels, lai būtu iespējams, turklāt šo iespaidu vēl pastiprināja viņa ārienes *mežonīgums* — sejas lielāko daļu slēpa melnu, izspūrušu matu un bārdas šķipsnas, viņa plauksta atgādināja atkritumu konteinera vāku, bet pēda ādas zābakā drīzāk līdzinājās nelielam delfīnam. Un viņa milzīgajā azotē atradās segās satīts vīstoklītis.

— Hagrid, — ieteicās Dumidors, un viņa balsī izskanēja atvieglojums. — Beidzot. Un kur tu rāvi motociklu?

— Aizņēmos, profesor Dumidor, kungs, — uzmanīgi kāpdams nost no motocikla, atbildēja milzis. — Man to aizdeva jaunais Sīriuss Melns. Esmu atgādājis, ko lūdzāt.

— Bez problēmām?

— Nē, kungs, māja gandrīz pilnīgi nopostīta, bet es mūsu acuraugu savācu, vēl pirms vientieši sāka pulcēties ap krāsmatām. Viņš aizmiga, kad lidojām pāri Bristolei.

Dumidors un profesore Maksūra noliecās pār vīstokli. Tā dziļumos tik tikko varēja saskatīt mazu, cieši aizmigušu puisēnu. Zem kraukļa spārna melnuma matu cekula uz viņa pieres varēja redzēt dīvainas formas brūci — tā atgādināja zibens šautru.

— Vai tas ir no?... — čukstus jautāja profesore Maksūra.

— Jā, — atbildēja Dumidors. — Rēta paliks uz mūžu.

— Un jūs, Dumidor, nevarat neko labot?

— Pat ja spētu, es to nedarītu. Reizēm rētas izrādās gluži noderīgas. Man pašam virs kreisā ceļa ir rēta, kura bieži noder kā Londonas metro karte. Labi, padod viņu man, Hagrid, labāk tiksim galā ar to, kas jāizdara.

Dumidors paņēma Hariju uz rokām un pagriezās pret Dērsliju namu.

— Vai es, kungs, vai es drīkstu atvadīties no viņa? — ievaicājās Hagrids.

Viņš nolieca savu lielo, pinkaino galvu pāri Harijam un nobučoja puisēnu. Tai gan vajadzēja būt diezgan skrāpīgi ūsainai bučai. Tad pēkšņi Hagrids iekaucās kā ievainots suns.

— Kuššš! — nošņācās profesore Maksūra. — Tu pamodināsi vientiešus!

— Piedodiet! — šņukstēdams atsaucās Hagrids, izvilkdams no kabatas lielu, punktotu kabatlakatu un paslēpdams tajā seju. — Bet es nespēju valdīties... Lilija un Džeimss pagalam... un mazajam nabaga Harijam jāiet dzīvot pie vientiešiem...

— Jā, jā, Hagrid, tomēr tev jāsaņemas, citādi kāds mūs pamanīs, — čukstēja profesore Maksūra, nedroši glāstīdama Hagrida plecu, bet Dumidors tikmēr pārkāpa pāri zemajam dārza mūrim un aizgāja līdz nama durvīm. Dumidors uzmanīgi nolika segu vīstokli uz sliekšņa, izņēma no savām drānām vēstuli, paslēpa aploksni Harija segās un atgriezās pie pārējiem. Vai veselu minūti trijotne stāvēja, acis piekalusi mazajam vīstoklītim. Hagridam raustījās pleci, profesore Maksūra bieži un nikni mirkšķināja acis, bet spožā liesmiņa, kuru parasti varēja manīt Dumidora acīs, tajā brīdī likās apdzisusi.

— Tad nu tā, — pēc klusuma brīža ierunājās Dumidors, — tas nu būtu paveikts. Te mums vairāk nav ko darīt. Varam doties projām un pievienoties svinētājiem.

— Skaidrs, — pagalam aizsmakušā balsī noteica Hagrids. — Es aizvedīšu motociklu atpakaļ Sīriusam. Labnakt', profesore Maksūra, profesor Dumidor, kungs.

Slaucīdams pludojošās acis kamzoļa piedurknē, Hagrids pārsvieda kāju pāri motociklam un ierūcināja motoru, ar varenu rēcienu motocikls pacēlās gaisā un izgaisa tumsā.

— Ceru jūs drīz satikt atkal, profesore Maksūra, — sacīja Dumidors un viegli paklanījās. Atbildes vietā profesore Maksūra skaļi izšņauca degunu.

Dumidors pagriezās un devās projām. Uz ielas stūra viņš apstājās un vēlreiz izņēma sudraba Izslēdzi. Viņš to uzklikšināja, un divpadsmit gaismas ložu aizšāvās atpakaļ uz lukturiem. Dzīvžogu iela pēkšņi izgaismojās oranžā krāsā, un Dumidors vēl paguva pamanīt, kā ielas otrā galā ap stūri nozūd strīpains kaķis. Segu vīstoklis pie ceturtā nama durvīm bija tikko saskatāms.

— Lai tev, Harij, veicas, — nomurmināja Dumidors. Tad viņš pagriezās, nošvīkstēja garais apmetnis — un profesors izgaisa.

Dzīvžogu ielas glīti apcirptie dzīvžogi viegli iečabējās vējā. Visā sakoptās ielas garumā valdīja klusums, pāri tai klājās tintes krāsas debesis, un kuram gan ienāktu prātā, ka te iespējams jelkas neparasts? Harijs Poters sagrozījās segu vīstoklī, bet nepamodās. Viena roķele piespieda pie krūtīm vēstuli, kas atradās turpat līdzās, un viņš turpināja sapņot, nemaz neapzinādamies, ka ir īpašs, neapzinādamies, ka ir slavens, neapzinādamies, ka pēc pāris stundām viņu pamodinās Dērslija kundzes spiedziens, kad viņa pavērs ārdurvis, lai izliktu uz lieveņa piena pudeles. Viņš nezināja arī to, ka nākamās pāris nedēļas brālēns Dūdijs visvisādi bakstīs un knaibīs viņu... Un viņš nenojauta, ka tieši šajā brīdī visā zemē slepus sapulcējušies cilvēki pacēla glāzes un čukstus uzsauca vienu vienīgu tostu: "Par Hariju Poteru — puisēnu, kurš izdzīvoja!"

OTRĀ NODAĻA

IZGAISUŠAIS
STIKLS

Bija pagājuši gandrīz desmit gadi kopš brīža, kad Dērsliji pamodās un atrada uz sava nama lieveņa segās ietīto radinieku, tomēr Dzīvžogu ielā gandrīz nekas nebija mainījies. Saule uzausa pār tiem pašiem labi koptajiem dārziņiem un uzmirdzēja uz varā kaltā četrinieka, kas greznoja Dērsliju nama durvis. Saules stari iezagās dzīvojamā istabā, kura izskatījās gandrīz tāda pati kā naktī, kad Dērslija kungs vēroja liktenīgas ziņas par pūcēm. Vienīgi fotogrāfijas uz kamīna dzegas rādīja, cik daudz laika īstenībā pagājis. Pirms desmit gadiem daudzajos rāmīšos gozējās liela rozā pludmales bumba dažādu krāsu cepurītēs ar bumbuļiem. Taču tagad Dūdijs Dērslijs vairs nebija zīdainis — un attēli demonstrēja, kā dūšīgs, blonds puika brauc ar pirmo divriteni, kā viņš izklaidējas karuselī, kā spēlē datorspēli kopā ar tēvu, kā savu mīlulīti apskauj un bučo māmiņa. Tiesa, istabā nebija ne mazāko pazīmju, kas liecinātu, ka namā dzīvo arī otrs zēns.

Tomēr Harijs Poters vēl arvien mita zem šī jumta. Viņš vēl gulēja, taču miegam vairs nebija atlicis daudz laika. Harija tante

Petūnija jau bija nomodā, un dienas pirmais troksnis izrādījās viņas caururbjošā balss.

— Celies! Tūlīt celies!

Harijs satrūcies pamodās. Tante vēlreiz iezvēla pa durvīm.

— Mosties taču! — nočīkstēja viņas balss. Harijs dzirdēja, kā viņa dodas uz virtuves pusi, un tad uz plīts riņķiem nograbēja panna. Viņš apvēlās uz muguras un mēģināja atcerēties tikko redzēto sapni. Jauks sapnis. Par lidojošu motociklu. Turklāt likās, ka šo sapni viņš kādreiz jau sapņojis.

Tante atkal bija pienākusi pie viņa kābūzīša durvīm.

— Vai tu jau piecēlies? — viņa uzstājīgi jautāja.

— Gandrīz, — atbildēja Harijs.

— Kusties, kusties! Es gribu, lai tu pieskati speķīti. Tā lai tas nepiedegtu. Es vēlos, lai Dūdija dzimšanas dienā viss izdodas nevainojami.

Harijs novaidējās.

— Ko tu teici? — aiz durvīm norībēja tantes balss.

— Neko, neko...

Kā gan viņš varēja aizmirst par Dūdija dzimšanas dienu? Harijs lēnām izkūņojās no gultas un sāka meklēt zeķes. Atradis pāri zem gultas, viņš vispirms no vienas izkratīja zirnekli, tad uzvilka tās kājās. Harijs bija pieradis pie zirnekļiem, jo pieliekamajā zem kāpnēm, kur viņam bija ierādīta guļvieta, zirnekļi čumēja un mudžēja.

Saģērbies viņš cauri hallei devās uz virtuvi. Galds vai lūza no Dūdija dzimšanas dienas dāvanām. Likās, Dūdiju gaidīja jaunais dators, ko viņš tā bija kārojis, kā arī otrs televizors un sacīkšu divritenis. Tas, kāpēc Dūdijs bija kārojis tieši sacīkšu divriteni, Harijam nebija īsti skaidrs, jo Dūdijs bija ļoti resns un nīda jebkāda veida vingrinājumus — ja vien runa nebija par kāda iekaustīšanu. Dūdija iecienītākais boksa maiss bija Harijs, tomēr šo zeperi tusnim ne vienmēr izdevās noķert. Harijs neizskatījās īpaši žigls zēns, tomēr, vajadzības spiests, spēja veiksmīgi paglābties no nepatikšanām.

Harijs mūždien izskatījās par sīku un kaulainu savam vecumam — iespējams, tāpēc ka dzīves lielāko daļu pavadīja tumšajā pieliekamajā. Vēl sīkāku un kaulaināku viņu darīja četrreiz resnākā Dūdija vecās drēbes. Harijam bija šaura seja, stūraini ceļgali, melni mati un spoži zaļas acis. Viņš nēsāja apaļas brilles, kuras kopā saturēja kārtīgs līmlentes vīstoklis. Brilles ne visai labi panesa Dūdija belzienus, kurus resnis parasti mērķēja uz Harija degunu. Vienīgais, kas paša izskatā Harijam patika, bija šaurā rēta uz pieres. Rēta atgādināja zibens šautru. Tā rotāja pieri, kopš viņš sevi atcerējās, un pirmais jautājums, kuru viņš atcerējās uzdevis Petūnijas tantei, bija par to, kā viņš ieguvis šo rētu.

— Avārijā, kad gāja bojā tavi vecāki, — viņa atbildēja. — Un neuzbāzies ar jautājumiem.

Neuzbāzties ar jautājumiem — tas bija pirmais noteikums mierīgai līdzāspastāvēšanai Dērsliju namā.

Tēvocis Vernons ieradās virtuvē brīdī, kad Harijs grieza speķi uz otru pusi.

— Saķemmējies! — viņš uzrēja labrīta vietā.

Apmēram reizi nedēļā tēvocis Vernons mēdza palūkoties pāri avīzes augšmalai un uzkliegt Harijam, ka vajagot nogriezt matus. Visticamāk, Harijam mati bija griezti biežāk nekā visiem pārējiem klases zēniem kopā, bet tas neko daudz nelīdzēja, viņa mati vienkārši tā auga — katrs uz savu pusi.

Kad virtuvē kopā ar māti parādījās Dūdijs, Harijs cepa olas. Dūdijs bija visai līdzīgs tēvocim Vernonam. Dēls bija mantojis platu, rožainu ģīmi, strupu kaklu, mazas, ūdeņaini zilas acis un biezus, gaišus matus, kas līdzeni klāja stulbo, trekno galvu. Petūnijas tante mēdza daudzināt, ka Dūdijiņš izskatoties pēc eņģeļu bēbja, bet Harijs brālēnu dēvēja par cūku parūkā.

Harijs novietoja uz galda šķīvjus ar olām un speķi. Tas nebūt nebija tik viegli daudzo dāvanu dēļ. Dūdijs tikmēr skaitīja dāvanas. Un saskāba.

— Trīsdesmit sešas, — viņš novilka, lūkodamies uz māti un tēvu. — Par divām mazāk nekā pagājušajā gadā.

— Mīļumiņ, tu nepieskaitīji Mārdžas tantes dāvanu, redzi, tā guļ zem tēta un māmiņas lielās dāvanas!

— Nu, labi, tad trīsdesmit septiņas, — briesmīgi piesarkdams atzina Dūdijs. Juzdams, ka tuvojas kārtējais grandiozais Dūdija kašķis, Harijs sāka ēst straujāk, lai nepaliktu bez brokastīm, ja Dūdijam ienāktu prātā kārtējo reizi apgāzt galdu.

Acīmredzot arī Petūnijas tante nojauta ko nelāgu, jo viņa aši piebilda: — Un mēs tev šodien pilsētā nopirksim vēl *divas* dāvanas. Nu, kā, bumbulīt? Vēl *divas* dāvanas. Vai būs labi?

Dūdijs brīdi apsvēra priekšlikumu. Nelikās, ka tas būtu vienkāršs process. Visbeidzot viņš lēni izmocīja: — Tātad man būs trīsdesmit... trīsdesmit...

— Trīsdesmit deviņas, saldumiņ, — iečiepstējās Petūnijas tante.

— Ak tā. — Dūdijs smagi atkrita krēslā un paķēra nākošo dāvanu. — Lai būtu.

Tēvocis Vernons iesmējās.

— Mazais negantnieks zina, kas viņam pienākas, nu gluži kā tēvs. Malacis, Dūdij! — to teicis, tēvocis pabužināja dēla matus.

Tajā brīdī iezvanījās tālrunis un Petūnijas tante devās pacelt klausuli. Tikmēr Harijs un tēvocis Vernons vēroja, kā Dūdijs izsaiņo sacīkšu riteni, kameru, lidmašīnu ar tālvadības pulti, sešpadsmit jaunas datorspēles un videomagnetofonu. Kad Dūdijs plēsa iesaiņojumu nost no kārbiņas ar zeltītu rokas pulksteni, atgriezās Petūnijas tante. Tālruņa zvana iespaidā viņa likās dusmīga un norūpējusies.

— Nelāgas ziņas, Vernon, — Figa kundze salauzusi kāju. Puika nevarēs palikt pie viņas. — Namamāte pamāja uz Harija pusi.

Dūdijam šausmās atkārās žoklis, bet Harija sirds atplauka cerībā. Katru gadu Dūdija dzimšanas dienā gādīgie vecāki jubilāru un kādu no viņa draugiem uz visu dienu veda izklaidēties — programma ietvēra atrakciju parkus, hamburgeru ēstuves vai kinoteātrus. Katru gadu Hariju atstāja pie Figa kundzes, vecas, prātu zaudējušas dāmas, kura dzīvoja pāris kvartālu tālāk. Harijam tur riebās. Visa māja oda pēc kāpostiem, turklāt Figa kundze uzstāja, lai viņš atkal un atkal aplūko visu viņas bijušo un esošo kaķu fotogrāfijas.

— Ko tagad darīsim? — vaicāja Petūnijas tante, nikni blenzdama uz Hariju, it kā viņš būtu pasūtījis šo negadījumu. Harijs apzinājās, ka viņam pieklātos žēlot Figa kundzi salauztās kājas dēļ, tomēr tas nenācās viegli, īpaši tad, ja viņš atgādināja pats sev, ka viņam dāvāts vesels gads līdz brīdim, kad atkal būs jāaplūko Sniedziņš, Muris, Pekaiņa kungs un Pūkainītis.

— Mēs varam piezvanīt Mārdžai, — ieminējās tēvocis Vernons.

— Nemuļķojies, Vernon, viņa puišeli nevar ciest.

Dērsliji bieži mēdza runāt par Hariju tā, it kā zēna telpā nemaz nebūtu — vai drīzāk, it kā viņš būtu nejaucība, kas cilvēku valodu nesaprot, teiksim, gliemezis.

— Un kā ar to tavu draudzeni, kā viņu sauca? Ivonna?

— Bauda atvaļinājumu Maljorkā, — noskaldīja tante.

— Jūs varat atstāt mani tepat, — iestarpināja cerību spārnotais Harijs (viņš pārmaiņas pēc varētu noskatīties paša izvēlēto raidījumu televīzijā vai pat paņemties ap Dūdija datoru).

Petūnijas tante izskatījās tā, it kā tikko būtu norijusi citronu.

— Lai pārrastos mājās un atrastu tās vietā drupu kaudzi, ko? — viņa nošņāca.

— Es māju neuzspridzināšu, — sacīja Harijs, bet neviens neklausījās.

— Varbūt mēs varētu viņu aizvest līdz zooloģiskajam dārzam, — lēni iesāka Petūnijas tante, — ...un tad atstāt mašīnā...

— Mašīna ir jauna, viens viņš tajā nepaliks...

Dūdijs sāka skaļi raudāt. Īstenībā gan viņš nemaz neraudāja. Jau kur tie gadi, kopš luteklītis nebija raudājis pa īstam, tomēr viņš zināja, ka, saverkšķījot seju un sākot smilkstēt, viņš no māmiņas panāks jebko.

— Dūdijiņ, puisīt, neraudi, māmiņa neļaus viņam izmaitāt tavus svētkus! — iesaucās Petūnijas tante un apskāva dēlu.

— Es... negribu... lai... viņš... b-b-brauc līdzi! — Dūdijs bļāva starp pārspīlēti izjustiem šņukstiem. — Viņš visu izm-izmaitā!

Pa spraugu mātes tvērienā Dūdijs uzmeta Harijam ņirdzīgu skatu.

Tieši tajā brīdī atskanēja zvans pie durvīm...

— Ak Dievs, viņi jau klāt! — satraukti iesaucās Petūnijas tante, un mirkli vēlāk ienāca Dūdija labākais draugs Pīrss Polkiss kopā ar savu māti. Pīrss bija kaulains puika ar žurkas purniņam līdzīgu seju. Viņa galvenais uzdevums bija turēt Dūdija upuriem rokas, kad resnis tos iekaustīja. Acumirklī Dūdija šņuksti apklusa.

Pēc pusstundas Harijs, vēl arvien nespēdams noticēt veiksmei, sēdēja Dērsliju mašīnas aizmugures sēdeklī kopā ar Pīrsu un Dūdiju. Harijs pirmo reizi dzīvē brauca uz zooloģisko dārzu. Tantei un tēvocim nebija izdevies izdomāt neko citu, tomēr pirms došanās ceļā tēvocis Vernons pasauca viņu sānis.

— Es tevi brīdinu, — viņš pasludināja, ar milzīgo purpurkrāsas seju teju vai pieplacis pie Harija kalsnā vaiga. — Es tevi brīdinu, puis, — kaut mazākais dīvainais izlēciens, kaut pats, pats mazākais — un tu sēdēsi pieliekamajā līdz pašiem Ziemassvētkiem!

— Es neko nedarīšu, — Harijs taisnojās, — goda vārds...

Taču tēvocis Vernons viņam neticēja. Neviens nekad neticēja.

Jo, Harijam klātesot, visai bieži notika dīvainas lietas, un bija velti pūlēties Dērslijiem iegalvot, ka tas nebija viņa, Harija, roku darbs.

Reiz, kad Petūnijas tantei apskrējās dūša, ieraugot, ka Harijs atgriezies no friziera tāds, it kā viņš nekur nebūtu bijis, viņa, paķērusi virtuves grieznes, nocirpa zēna matus gandrīz līdz ādai, tikai priekšpusē atstājot šķipsnu, lai tā "noslēptu to briesmīgo rētu". Dūdijs visu vakaru rēca par Harija izskatu, bet Harijs naktī nespēja aizvērt ne acu, prātodams, kā izvērtīsies nākamā diena skolā, kur jau tā smējās par viņa maisīgajām drānām un salīmētajām brillēm. Taču, nākamajā rītā piegājis pie spoguļa, viņš atklāja, ka mati atauguši, it kā Petūnijas tante tos nebūtu aiztikusi. Par to zēnam piesprieda nedēļu pieliekamajā, kaut arī viņš centās izskaidrot, ka viņam nav ne jausmas, kā mati varēja ataugt tik ātri.

Kādā citā reizē Petūnijas tante pūlējās viņam uzspiest vecu, pretīgu Dūdija džemperi (brūnu ar oranžiem aplīšiem). Jo niknāk viņa pūlējās dabūt to pāri Harija galvai, jo mazāks tas rāvās, līdz beidzot džemperis kļuva tik sīks, ka varbūt derētu Bārbijas Kenam, bet ne Harijam. Petūnijas tante nosprieda, ka apģērba gabals sarāvies, to mazgājot, un, viņam par lielu atvieglojumu, Hariju nesodīja.

Tiesa gan, pamatīgās nepatikšanās viņš iekūlās toreiz, kad viņu atrada uz skolas virtuves jumta. Mūkot no tradicionālās Dūdija bandas vajāšanas, Harijs par pārsteigumu pats sev un arī pārējiem, pēkšņi atjēdzās korē līdzās skurstenim. Dērsliji saņēma pagalam niknu vēstuli no skolas direktrises, kura apgalvoja, ka Harijs ložņājot pa skolas ēku jumtiem. Bet viņš bija mēģinājis (un to viņš sauca tēvocim Vernonam, kad tas slēdza ciet pieliekamā durvis) tikai paslēpties aiz lielajām atkritumu tvertnēm pie virtuves durvīm. Harijs pieļāva iespēju, ka lēcienā viņu uztvērusi augšupejoša gaisa strāva.

Taču šodien nekas nesaies grīstē! Bija pat vērts paciest Dūdiju un Pīrsu, ja radās iespēja dienu pavadīt kaut kur citur, ne skolā, pieliekamajā vai Figa kundzes kāpostu smakas greznotajā viesistabā.

Visu ceļu tēvocis Vernons žēlojās Petūnijas tantei. Viņam patika žēloties, un viņš žēlojās par darba kolēģiem, Hariju, padomi, Hariju, banku un Hariju, turklāt šīs bija tikai dažas no viņa iemīļotākajām tēmām. Tā rīta lāsti tika motociklistiem.

— ...drāžas rēkdami, maniaki tādi, pienapuikas, huligāni, — viņš nobēra, kad mašīnu apdzina motocikls.

— Es sapņoju par motociklu, — Harijs pēkšņi atcerējās nakti. — Tas lidoja.

Tēvocis Vernons gandrīz ietriecās priekšā braucošajā auto. Viņš apmetās otrādi, un no ūsainai bietei līdzīgās sejas izšāvās Harijam veltīts kliedziens: — MOTOCIKLI NELIDO!

Dūdijs un Pīrss ļaunā priekā sasmaidījās.

— Es zinu, ka nelido, — Harijs atzina. — Tas bija tikai sapnis.

Zēns vēlējās, kaut viņš neko nebūtu teicis. Vēl vairāk par Harija jautājumiem Dērsliji neieredzēja viņa stāstus par neparastiem notikumiem vai parādībām, kaut arī tie atainotu sapni vai pat multiplikācijas filmu — nez kādēļ audžuvecākiem likās, ka neparastais varētu viņam iedvest bīstamas domas.

Sestdiena bija jauka un saulaina, tāpēc zooloģiskajā dārzā bija pilns ar ģimenēm. Dērsliji pie ieejas nopirka Dūdijam un Pīrsam pa pamatīgam šokolādes saldējumam, un tikai tāpēc, ka smaidošā saldējuma pārdevēja paguva pavaicāt Harijam, ko vēlas viņš, pirms audžuvecāki paguva viņu aizvadīt no saldējuma busiņa, arī Harijs tika pie lētas citronu saldējuma turziņas. Nekādas vainas tam nebija, nosprieda Harijs, līdztekus saldējuma ēšanai vērodams, kā gorilla kasa sev galvu. Lielais pērtiķis likās ļoti līdzīgs Dūdijam, vienīgi tas nebija blonds.

Harijam tas likās jaukākais rīts krietni garā laika sprīdī. Viņš apdomīgi centās iet mazliet nostu no Dērslijiem, lai Dūdijam un Pīrsam, kurus ap pusdienlaiku sāka garlaikot dzīvnieki, neiešautos prātā ķerties pie iemīļotākās izklaides — Harija iekaustīšanas. Kompānija pusdienoja zooloģiskā dārza restorānā, bet, kad Dūdijam uznāca kārtējā niķu lēkme, jo viņam likās, ka atnestajā deserta porcijā ir pārāk maz saldējuma, tēvocis Vernons pasūtīja dēlam vēl vienu porciju, un iesākto drīkstēja apēst Harijs.

Harijs pēc tam saprata — vajadzēja laikus apjaust, ka viss norisinās pārāk jauki, lai jauki arī beigtos.

Pēc pusdienām viņi devās uz rāpuļu māju. Telpās valdīja dzestrums un tumsa, bet gar sienām gaismojās logi. Aiz stikla pa koka un akmens drumslām negribīgi ložņāja vai rāpoja dažnedažādas ķirzakas un čūskas. Dūdijs un Pīrss vēlējās redzēt milzīgās, indīgās kobras un resnos pitonus, kuri spējot nožņaugt pat cilvēku. Dūdijs ātri vien sameklēja lielāko čūsku, kāda te bija atrodama. Tā bija tik gara, ka varētu divreiz apvīties ap tēvoča Vernona mašīnu un pārvērst to miskastē — tikai šobrīd, kā likās, tai nebija noskaņojuma ar to nodarboties. Jo čūska gulēja.

Dūdijs stāvēja, degunu cieši piespiedis stiklam, un blenza uz valgi spīdošajiem brūnajiem līkumiem.

— Es gribu, lai tā kustētos, — viņš iečinkstējās, pievērsies tēvam. Tēvocis Vernons pieklauvēja pie stikla, bet čūskas ķermenī nenoraustījās ne muskulis.

— Izdari tā vēlreiz, — Dūdijs pavēlēja. Tēvocis Vernons uzmanīgi pieklauvēja vēlreiz, tomēr čūska mierīgi snauda tālāk.

— Tāda garlaicība, — Dūdijs novaidējās un aizšļūca pie nākamā loga.

Harijs pienāca pie čūskas namiņa un cieši paskatījās uz iemītnieci. Par ko gan brīnīties — iespējams, čūska tiešām bija nomirusi no garlaicības. Galu galā, nekādas sabiedrības, tikai stulbi cilvēki, kas cauru dienu rībina pa stiklu un grib no tevis kaut ko sagaidīt. Tas bija pat ļaunāk, nekā gulēt pieliekamajā, kur vienīgais rībinātājs bija Petūnijas tante, turklāt arī tikai rītos, lai tevi pamodinātu. Pie tam Harijs varēja staigāt pa visu māju.

Čūskas stiklainās acis pēkšņi pavērās. Lēnām, ļoti lēnām tā pacēla galvu, līdz tās acis atradās vienā augstumā ar Harija brillēm.

Tā piemiedza aci.

Harijs apstulbis blenza uz čūsku. Tad aši pagriezās, lai pārliecinātos, ka viņu neviens nevēro. Nē, neviens neskatījās. Harijs atkal pievērsās čūskai un arī piemiedza aci.

Čūska pameta galvu uz tēvoča Vernona un Dūdija pusi un dziļdomīgi paskatījās uz griestiem. Šāds skatiens varēja nozīmēt tikai vienu — *"Un tā katru mīļu dienu."*

— Saprotu, — nomurmināja Harijs, kaut arī nebija pārliecināts, vai čūska spēj viņu sadzirdēt. — Tas droši vien ir ļoti kaitinoši.

Čūska sparīgi pamāja.

— Starp citu, no kurienes tu esi? — Harijs apvaicājās.

Čūska ar astes galiņu norādīja uz mazu plāksnīti zem loga. Harijs izlasīja:

"Milzu žņaudzējčūska, Brazīlija."

— Vai tā ir jauka vietiņa?

Čūska vēlreiz norādīja uz plāksnīti, un Harijs turpināja lasīt: *"Šis eksemplārs ir dzimis zooloģiskajā dārzā."* — Ak, tā, tad jau tu nemaz neesi bijusi Brazīlijā?

Kad čūska papurināja galvu, apdullinošs Pīrsa kliedziens aiz Harija muguras lika abiem sarunbiedriem salēkties. — DŪDIJ! DĒRSLIJA KUNGS! PANĀCIET ŠURPU UN PASKATIETIES UZ ŠITO ČŪSKU! JŪS *NETICĒSIET* SAVĀM ACĪM!

Dūdijs vēlās uz Harija pusi iespējami lielākā ātrumā.

— Pavācies nost! — tusnis uzsauca Harijam un skaidrības labad iegrūda dunku sānos. Negaidītā pavērsiena pārsteigts, Harijs pakrita uz cietās betona grīdas. Turpmākie notikumi risinājās tik strauji, ka pēcāk neviens nespēja atcerēties, kā īsti viss noticis — te Dūdijs ar Pīrsu stāvēja, cieši piespiedušies pie stikla, te abi, šausmās spiedzot, atlēca nost.

Harijs piecēlās sēdus. Arī viņam aizrāvās elpa — žņaudzējčūskas mītnes priekšējais stikls bija izgaisis. Varenā čūska, aši atritinājusi daudzos līkumus, slīdēja ārā uz grīdas — vai visi cilvēki, kas atradās rāpuļu celtnē, nobijušies kliedza un meklēja izejas.

Harijs varēja apzvērēt, ka brīdī, kad čūska ātri locījās garām, viņš izdzirda zemu, šņācošu balsi: — Brazīlija, es dodos pie tevis... Paldiesss, amigo.

Rāpuļu mājas uzraugs bija satriekts.

— Bet stikls, — viņš atkal un atkal atkārtoja, — kur tad palika stikls?

Zooloģiskā dārza direktors, arvien no jauna atvainodamies, pats personīgi pagatavoja Petūnijas tantei tasi stipras, saldas tējas. Pīrss un Dūdijs tikai nesakarīgi šļupstēja. Cik nu Harijs manīja, čūska, garām slīdot, bija rotaļīgi paklabinājusi zobus pie nabagu papēžiem, bet, kad visi nokļuva līdz tēvoča Vernona mašīnai, Dūdijs klāstīja, kā nezvērs viņam gandrīz nokodis kāju, bet Pīrss zvērēja, ka briesmonis mēģinājis viņu nožņaugt. Taču Harijam nepatīkamākie vārdi izskanēja no Pīrsa mutes — kad viņš bija kaut cik nomierinājies, Dūdija draudziņš pavēstīja: — Harijs sarunājās ar čūsku, vai ne, Harij?

Pirms mesties virsū Harijam, tēvocis Vernons mīļi izvadīja no mājas Pīrsu. Dērslija kungs bija tik nikns, ka tikko spēja parunāt. Viss, ko viņš izdvesa, bija: — Uz — pieliekamo — nenāc ārā — ēst nedabūsi!

Tad viņš sabruka klubkrēslā, un Petūnijas tantei nācās žigli ieliet viņam lielo brendiju.

* * *

Harijs gulēja pieliekamā tumsā un prātoja, cik ļoti viņam derētu pulkstenis — tad viņš zinātu, vai Dērsliji jau devušies pie miera. Tikai tad viņam bija iespēja aizlavīties uz virtuvi un sarūpēt sev kaut ko ēdamu.

Kopā ar Dērslijiem bija nodzīvoti gandrīz desmit gadi, desmit nožēlojami gadi. Neko citu viņš neatminējās. Dzīvžogu ielā viņš dzīvoja visu mūžu kopš brīža, kad vecāki gāja bojā avārijā un viņš, vēl zīdainis būdams, nokļuva te. To, ka vecāku nāves brīdī viņš būtu bijis mašīnā, Harijs neatcerējās. Reizēm, kad viņš saspringdzināja atmiņu, kavēdams sev laiku pieliekamajā, acu priekšā parādījās dīvaina vīzija — apžilbinošs zaļas gaismas uzliesmojums un dedzinošas sāpes pierē. Tā, viņš sprieda, bija avārija, tikai zēns nekādi nespēja iztēloties, no kurienes varēja rasties zaļā gaisma. Vecākus viņš neatcerējās. Ne tante, ne tēvocis par saviem bojā gājušajiem radiem nekad nerunāja, bet uzdot jautājumus viņam bija aizliegts. Arī vecāku fotogrāfiju Dzīvžogu ielas namā nebija.

Senāk Harijs mēdza atkal un atkal sapņot, ka ieradīsies kāds nezināms radinieks un aizvedīs viņu, tomēr velti. Dērsliji bija viņa vienīgie radi. Tomēr reizēm uz ielas zēnam likās (vai varbūt tā bija cerību radīta ilūzija?), ka viņu ievēro svešinieki. Turklāt visai dīvaini svešinieki. Reiz, kad Harijs kopā ar Petūnijas tanti un Dūdiju iepirkās, mazītiņš vīriņš violetā cilindrā paklanījās viņa priekšā. Nopratinājusi Hariju, vai viņš sveicinātāju pazīstot, Petūnijas tante žigli izveda zēnus no veikala, tā arī neko nenopirkusi. Citā reizē, kad viņš brauca autobusā, Harijam jautri pamāja veca, mežonīga izskata kundze zaļās drānās. Kāds plikpaurains vīrs ļoti garā purpurkrāsas mētelī reiz bija pienācis viņam uz

ielas, pat paspiedis roku un tad, ne vārda nesakot, aizgājis. Vis-
dīvainākais, šos cilvēkus vienoja kopīga īpašība — tie pagaisa kā
nebijuši, tikko Harijs mēģināja viņus izpētīt rūpīgāk.

Skolā Harijs ne ar vienu nedraudzējās. Visi zināja, ka Dūdija
banda neieredz to dīvaini, Hariju Poteru lumpacīgajās, apnēsāta-
jās drānās un salauztajās brillēs, un nevienam nebija ne mazākās
patikas sakašķēties ar dūdijiešiem.

TREŠĀ NODAĻA

VĒSTULES NO NEVIENA

Brazīlijas milzu žņaudzējčūskas brīvlaišana Harijam beidzās ar līdz šim ilgāko mājas arestu. Kad viņam atkal atļāva uzturēties ārpus pieliekamā, jau bija sācies vasaras brīvlaiks, Dūdijs jau bija salauzis savu jauno kameru, ietriecis vadāmo lidmašīnu sienā un, pirmo reizi braucot ar sacīkšu divriteni, nogāzis veco Figa kundzi, kad tā ar kruķiem kleberējusi pāri Dzīvžogu ielai.

Harijs priecājās, ka mācību gads ir galā, tomēr no Dūdija bandas glābiņa nebija, jo katru mīļu dienu viņi pie sava barveža nāca ciemos. Pīrss, Deniss, Malkolms un Gordons visi kā viens bija gan raženi, gan stulbi, bet, tā kā Dūdijs bija vēl raženāks un vēl stulbāks, pārējie atzina viņu par vadoni. Turklāt arī viņi labprāt spēlēja Dūdija mīļāko spēli — Harija medības.

Tāpēc Harijs pēc iespējas vairāk laika centās pavadīt ārpus mājas, klīzdams apkārt un prātodams par brīvdienu beigām. Skolas atsākšanos viņš gaidīja ar sīku cerību stariņu sirdī. Septembrī viņš sāks mācīties vidusskolā, turklāt pirmo reizi dzīvē skolā, kurā nemācīsies Dūdijs. Dūdijam bija paredzēta vieta tēvoča Vernona vecajā skolā, Piedvakā. Arī Pīrss Polkiss turpinās mācības šajā skolā. Harijs turpretī dosies uz vietējo Stounvolas vidusskolu. Dūdijam tas likās ļoti smieklīgi.

— Pirmajā dienā Stounvolas skolas jauniņos bāž ar galvu podā, — viņš paziņoja Harijam. — Vai nevēlies uzkāpt otrajā stāvā un patrenēties?

— Nē, paldies, — atbildēja Harijs. — Iespējams, nabaga pods nebūs piedzīvojis neko tik briesmīgu kā tava galva, un tam var palikt slikti.

Tad viņš metās bēgt, negaidīdams, kamēr Dūdijs aptvers komplimentu.

Jūlijā Petūnijas tante aizveda Dūdiju uz Londonu, lai nopirktu dēlam Piedvakas formas tērpu, bet Hariju atstāja pie Figa kundzes. Šī reize nebija tik neciešama kā iepriekšējās. Izrādījās, kāju viņa salauzusi, klūpot pār vienu no saviem kaķiem, un kopš tā laika pūkaino mājdzīvnieku vieta viņas vērtību sarakstā bija krietni vien zemāka. Viņa ļāva Harijam paskatīties televizoru un uzcienāja zēnu ar šokolādes tortes gabaliņu. Tas gan garšoja savādi — it kā torte būtu vismaz pāris gadu veca.

Tovakar Dūdijs viesistabā sniedza ģimenei jaunās formas paraugdemonstrējumus. Piedvakas zēni valkāja kastaņbrūnas frakas, oranžas pusgarās bikses un plakanas salmu cepures. Vēl pie formas piederējās spieķis ar apaļu rokturi galā, ko skolas audzēkņi izmantoja, lai belztu cits citam, kad skolotājs uzgrieza muguru. To skolā uzskatīja par teicamu gatavošanos turpmākai dzīvei.

Aplūkodams Dūdiju jaunajās biksēs, tēvocis Vernons aizsmacis paziņoja, ka šis brīdis pildot viņa sirdi ar bezgalīgu lepnumu. Petūnijas tante apraudājās un izdvesa, ka nespējot noticēt — šis esot viņas nerātnis Dūdiņš, tik vīrišķīgs un pieaudzis. Harijs darīja visu iespējamo, lai arī viņam nepaspruktu kāds vārds. Viņš jutās tā, it kā divas ribas smieklu valdīšanas procesā jau būtu salūzušas.

Nākamajā rītā brokastīs atnākušo Hariju virtuvē sagaidīja negants smārds. Tas, šķiet, cēlās no lielas metāla vannas, kas bija iecelta izlietnē. Harijs piegāja, lai palūkotos, kas tur smird. Vannas pelēkajā ūdenī peldēja krietns netīru lupatu vīkšķis.

— Kas tas ir? — viņš jautāja. Petūnijas tante saknieba lūpas, bet viņa to darīja ikreiz, kad Harijs atļāvās uzdot kādu jautājumu.

— Tava jaunā skolas forma, — viņa atbildēja.

Harijs vēlreiz ieskatījās traukā.

— Ak, tā, — viņš novilka, — es nezināju, ka tai jābūt tik slapjai.

— Neizliecies par muļķi, — nošņācās Petūnijas tante. — Es vienkārši nokrāsošu šo to no Dūdija vecajām drēbēm pelēkā krāsā. Beigās izskatīsies tāpat kā visiem citiem.

Par to gan Harijs īpaši pārliecināts nebija, tomēr nolēma neizaicināt likteni un nestrīdēties. Viņš apsēdās pie galda, cenzdamies neďomāt par to, kā izskatīsies pirmajā dienā Stounvolas vidusskolā, — iespējams, it kā viņam mugurā būtu vecas ziloņādas skrandas.

Dūdijs un tēvocis Vernons ienāca virtuvē, saraukuši degunus — arī viņus nesajūsmināja Harija jaunās uniformas smaka. Tēvocis Vernons, kā jau ierasts, izplāja savu avīzi, bet Dūdijs sāka dauzīt pa galdu ar savu Piedvakas spieķi, no kura vairs nešķīrās.

Aizkrita pastkastītes vāciņš, un bija dzirdams, kā uz kājslauķa nokrīt vēstules.

— Dūdij, aizej un atnes pastu, — nenolaidis avīzi, sacīja tēvocis Vernons.

— Lai Harijs atnes.

— Harij, aizej un atnes pastu.

— Lai Dūdijs atnes.

— Dūdij, pabiksti viņu ar savu Piedvakas spieķi.

Harijs izlocījās no Piedvakas spieķa un devās pakaļ pastam.

Uz kājslauķa bija trīs sūtījumi: pastkartīte no tēvoča Vernona māsas Mārdžas, kura tobrīd atpūtās Vaita salā, brūna aploksne, kurā visdrīzāk bija kāds rēķins, un *vēstule Harijam.*

Harijs pacēla to tuvāk acīm un, sirdij sitoties kā lielai gumijas bumbai, aplūkoja aploksni. Neviens nekad viņam nebija rakstījis. Un kurš gan tas varētu būt? Draugu viņam nebija, citu radinieku — arī ne. Viņš pat nebija pierakstījies bibliotēkā, tā kā šis nevarēja būt rupjš atgādinājums atdot grāmatas. Tomēr te nu tā bija — tik skaidri adresēta vēstule, ka pārpratums vienkārši nebija iespējams.

H. Potera kungam
Pieliekamajā zem kāpnēm
Dzīvžogu ielā 4
Mazčīkstē
Sarijā

Aploksne bija bieza un smaga, pagatavota no dzelteṇīga pergamenta, un adrese uz tās bija rakstīta ar zaļu tinti. Markas uz vēstules nebija.

Drebošām rokām apgriezis vēstuli otrādi, Harijs ieraudzīja purpurkrāsas vaska zīmogu ar ģerboni, kurā apkārt lielam "C" burtam bija attēlots lauva, ērglis, āpsis un čūska.

— Pasteidzies, puis, — no virtuves atskanēja tēvoča Vernona sauciens. — Ko tu tur dari, meklē vēstuļbumbas?

Tad viņš iespurdzās pats par savu joku.

Harijs atgriezās virtuvē, vēl arvien blenzdams uz savu vēstuli. Viņš pasniedza tēvocim Vernonam rēķinu un pastkarti, apsēdās un lēnām sāka plēst vaļā dzelteno aploksni.

Tēvocis Vernons atšņāpa vaļā rēķinu, nepatikā nosprauslojās un sāka lasīt pastkarti.

— Mārdža apslimusi, — viņš paziņoja Petūnijas tantei. — Ieēdusi kaut kādas jocīgas gliemenes...

— Tēt! — pēkšņi atskanēja Dūdija balss. — Tēt, Harijam kaut kas pienācis!

Tajā brīdī, kad Harijs grasījās atlocīt savu vēstuli, kas bija rakstīta uz tāda paša pergamenta, no kāda bija pagatavota aploksne, pašāvās tēvoča Vernona roka un bezceremoniāli izrāva sūtījumu zēnam no rokām.

— Tā ir *mana!* — iesaucās Harijs, mēģinādams vēstuli atgūt.

— No kā tad tu saņem sūtījumus? — ņirdzīgi apvaicājās tēvocis Vernons, ar strauju rokas kustību atsizdams vēstuli vaļā un uzmezdams tai skatienu. Viņa seja no sarkanas pārvērtās zaļā ātrāk, nekā luksoforā nomainās gaismas. Turklāt tas vēl nebija viss. Vēl pēc dažām sekundēm seja ieguva saskābušas biezputras pelēcīgi balto krāsu.

— P-P-Petūnij! — viņš noelsās, cīnīdamies pēc elpas.

Dūdijs mēģināja pagrābt vēstuli, lai to izlasītu, taču tēvocis Vernons turēja to neaizsniedzami augstu. Petūnijas tante izbrīnījusies paņēma sūtījumu un izlasīja pirmo rindiņu. Izskatījās, ka viņa varētu noģībt. Viņa satvēra kaklu un iegārdzās.

— Vernon! Apžēlojies, Vernon!

Viņi blenza viens uz otru, it kā nemanītu, ka Harijs un Dūdijs vēl arvien atrodas virtuvē. Dūdijs nebija pieradis, ka par viņu neliekas zinis. Viņš viegli iesita tēvam pa galvu ar Piedvakas spieķi.

— Es gribu lasīt vēstuli, — viņš skaļi paziņoja.

— *Es* gribu to izlasīt, — pārskaities sacīja Harijs, — jo tā ir *manējā.*

— Jūs abi, vācieties ārā no šejienes, — noķērcās tēvocis Vernons, stūķējot lapas atpakaļ aploksnē.

Harijs nepakustējās no vietas.

— ATDODIET MANU VĒSTULI! — viņš iekliedzās.

— Parādi to *man!* — pieprasīja Dūdijs.

— ĀRĀ! — atskanēja tēvoča Vernona rēciens. Tad viņš sagrāba gan Hariju, gan Dūdiju aiz skausta, izmeta abus priekšnamā un aizcirta virtuves durvis. Harijs un Dūdijs nekavējoties metās niknā, bet mēmā cīņā par vietu pie atslēgas cauruma. Dūdijs, protams, guva virsroku, tāpēc Harijs, brillēm nokarājoties no vienas auss, nometās guļus uz vēdera un piespieda ausi pie spraugas starp durvīm un grīdu.

— Vernon, — drebošā balsī ierunājās Petūnijas tante, — paskaties uz adresi — kā gan viņi zina, kur viņš guļ? Varbūt viņi novēro mūsu māju?

— Novēro... izspiego... varbūt izseko mūs, — apstulbis murmināja tēvocis Vernons.

— Bet ko mums, Vernon, tagad darīt? Rakstīt atbildi? Paziņot, ka mēs nevēlamies...

Harijs redzēja tēvoča Vernona spoži melnās kurpes, kas maršēja no viena virtuves kakta uz otru.

— Nē, — viņš beidzot noskaldīja. — Nē, mēs neliksimies ne zinis par šo vēstuli. Ja viņi nesaņems atbildi... jā, tas būtu labākais risinājums... mēs nedarīsim neko...

— Bet...

— Manā mājā izdzimteņu nebūs, Petūnija! Vai tad mēs, viņu pieņemot, nezvērējām paši sev, ka izravēsim viņā šīs bīstamās blēņas ar visu sakni?

Tovakar, atgriezies no darba, tēvocis Vernons izdarīja ko tādu, ko iepriekš nekad nebija darījis — viņš ienāca Harija pieliekamajā.

— Kur ir mana vēstule? — uzstāja Harijs, tikko tēvocis Vernons iespraucās pa durvīm. — Kurš to rakstījis?

— Neviens. Tā bija pienākusi kļūdas pēc, — strupi atteica tēvocis Vernons. — Es to sadedzināju.

— Tā *nebija* kļūda, — dusmīgi sacīja Harijs. — Uz tās bija norādīts mans pieliekamais.

— KLUSU! — uzkliedza tēvocis Vernons, un no griestiem novēlās vairāki zirnekļi. Vairākas reizes dziļi ieelpojis, tēvocis izmocīja smaidu, kurā gan jautās dziļas sāpes.

— Ak, jā, Harij... par to pieliekamo. Mēs apspriedāmies ar tavu tanti un nolēmām... tu jau esi pārāk liels, lai nakšņotu šeit... iespējams, tu varētu pārcelties uz Dūdija otro guļamistabu.

— Kāpēc? — vaicāja Harijs.

— Neuzdod jautājumus! — noskaldīja tēvocis. — Savāc savas mantiņas un, marš, augšā pa trepēm!

Dērsliju namā bija četras guļamistabas: viena tēvocim Vernonam un Petūnijas tantei, viena ciemiņiem (visbiežāk te viesojās namatēva māsa Mārdža), viena, kurā nakšņoja Dūdijs, un vēl viena, kurā viņš glabāja rotaļlietas un mantas, kas nesatilpa viņa pirmajā guļamistabā. Lai pārnestu visas savas mantas uz jauno istabu, Harijam bija nepieciešams tikai viens gājiens. Viņš apsēdās uz gultas un palūkojās visapkārt. Gandrīz viss bija salauzts. Mēnesi vecā kamera bija nomesta uz maza tanciņa, ar kuru Dūdijs reiz pārbrauca pāri kaimiņu sunim. Stūrī izsistu aci blisināja Dūdija pirmais televizors, kurš likteņīgo spērienu saņēma vakarā, kad pārtrauca rādīt Dūdija iemīļoto seriālu. Vēl te mētājās milzīgs putnu būris, kurā reiz dzīvoja papagailis, ko Dūdijs reiz skolā samainīja pret īstu gaisa šauteni. Tā tagad mētājās uz plaukta ar saliektu stobru — kādu dienu Dūdijs uz tās uzsēdās. Vēl citi plaukti vai lūza no grāmatām. Tās vienīgās izskatījās kā jaunas, it kā neviens tām nekad nebūtu pieskāries.

Varēja dzirdēt, kā pirmajā stāvā Dūdijs auro uz māti:

— Es *negribu*, lai viņš tur dzīvotu... Man tā istaba ir *vajadzīga*... lai viņš vācas...

Harijs nopūtās un izstiepās gultā. Vēl vakar viņš atdotu visu, lai nokļūtu šajā istabā. Šodien zēnam likās, ka viņš labprātāk atrastos pieliekamajā ar vēstuli, nekā te — bez tās.

Nākamajā rītā pie brokastu galda visi klusēja. Dūdijs bija satriekts. Viņš tika kliedzis, kaustījis tēvu ar Piedvakas spieķi, tēlojis sliktu dūšu, spēris mātei un ietriecis savu bruņrupuci siltumnīcas jumtā, bet viss velti — istabu viņš neatguva. Harijs prātoja par šo pašu laiku vakardien un ar rūgtumu sirdī sevi strostēja, ka nebija atplēsis savu vēstuli jau priekšnamā. Tēvocis Vernons un Petūnijas tante pārmija drūmus skatienus.

Kad pienāca pasts, tēvocis Vernons, kurš, šķiet, centās izturēties laipnāk pret Hariju, pēc sūtījumiem aizsūtīja Dūdiju. Bija dzirdams, kā viņa Piedvakas spieķis sitas pret sienām cauri visam priekšnamam. Tad atskanēja Dūdija sauciens: — Te ir vēl viena! *H. Potera kungam, Visniecīgākajā guļamistabā, Dzīvžogu ielā 4...*

Ar apslāpētu gārdzienu tēvocis Vernons pielēca kājās un aizdrāzās uz priekšnama viņu galu, bet Harijs neatpalika ne par soli. Lai atgūtu vēstuli, tēvocim Vernonam nācās nogāzt Dūdiju zemē, bet šo darbību apgrūtināja Harijs, kas tikmēr aizžņaudza tēvoča kaklu, apķēries tam no aizmugures. Pēc minūti ilga jampadrača, kurā katrs no dalībniekiem dabūja izjust Piedvakas spieķa belzienus, tēvocis Vernons piecēlās ar Harija vēstuli rokā un smagi atvilka elpu.

— Marš, uz savu pieliekamo — es gribēju teikt, guļamistabu! — viņš nogārdzās uz Hariju. — Dūdij, marš uz — vienkārši marš!

Harijs soļoja šurpu turpu pa savu jauno istabu. Kāds zināja, ka viņš pārcēlies no pieliekamā uz istabu, turklāt likās, ka rakstītāji zina arī to, ka viņš nav saņēmis pirmo vēstuli. Tātad viņi mēģinās vēlreiz? Un šoreiz viņš nolēma izdarīt visu, lai nezināmie savu nodomu īstenotu. Harijs zināja, kā rīkosies.

* * *

Nākamajā rītā saķimerētais modinātājpulkstenis nozvanīja sešos. Harijs aši nospieda zvana pogu un klusiņām apģērbās. Nedrīkstēja pamodināt Dērslijus. Neiededzis gaismu, viņš nozagās lejā pa kāpnēm.

Viņš nolēma sagaidīt pastnieku uz Dzīvžogu ielas stūra un palūgt ceturtā nama vēstules. Lavīdamies cauri priekšnamam uz ārdurvju pusi, viņš skaidri dzirdēja, kā krūtīs sitas sirds...

— ĀĀĀĀĀ!

Harijs salēcās — uz kājslauķa viņš bija uzminis kaut kam lielam un mīkstam, un, kas bija vēl briesmīgāk, kaut kam dzīvam!

Augšējā kāpņu laukumiņā iedegās gaisma, un sev par lielām šausmām Harijs aptvēra, ka lielais, mīkstais kaut kas bija tēvoča seja. Tēvocis Vernons gulēja šķērsām ārdurvīm, ietinies guļammaisā un nodrošinājies pret iespēju, ka Harijs varētu izdarīt to, ko viņš nupat bija grasījies izdarīt. Tēvocis kliedza uz Hariju veselu pusstundu, līdz beidzot aizsūtīja zēnu uzliet tēju. Harijs sašļucis aizvilkās uz virtuvi, bet, kad viņš atgriezās, pasta sūtījumi sabira tēvocim Vernonam tieši klēpī. Trīs aploksnes greznoja zaļas tintes uzraksti.

— Es gribu... — zēns iesāka, bet tēvocis Vernons jau plēsa vēstules sīksīkos gabaliņos turpat viņa acu priekšā.

Todien tēvocis Vernons neaizgāja uz darbu. Viņš palikā mājās un aiznagloja pastkastīti.

— Redzi, — viņš naglu pilnu muti skaidroja Petūnijas tantei, — ja nebūs iespējams vēstules iedabūt pastkastītē, viņi vienkārši atmetīs ar roku.

— Es gan, Vernon, neticu, ka ar to būs līdzēts.

— Nu, tiem ļautiņiem ir īpatnējs domu gājiens, viņi nelīdzinās mums ar tevi, — sprieda tēvocis Vernons, mēģinādams iesist naglu ar augļu tortes gabalu, kuru viņam tikko bija atnesusi Petūnijas tante.

* * *

Piektdien pienāca vismaz piecpadsmit Harijam adresētu vēstuļu. Tā kā pastkastīte bija aiznaglota, vēstules tika pabāztas zem durvīm, iespiestas mājā pa spraugām durvju sānos, bet pāris caur mazo lodziņu bija iedabūtas pirmā stāva tualetē.

Tēvocis Vernons atkal palika mājās. Sadedzinājis visas vēstules, viņš ķērās pie āmura un naglām un aiznagloja visas spraugas gan ap galvenajām durvīm, gan ap durvīm, kas veda uz dārziņu mājas aizmugurē. Ārā no mājas tagad neviens nevarēja tikt. Strādādams viņš dungoja pie sevis "Uz pirkstgaliem pa puķu dobēm" un salēcās, ja atskanēja kaut mazākais troksnītis.

∗ ∗ ∗

Sestdien kļuva vēl ļaunāk. Divdesmit četras Harijam adresētas vēstules izrādījās paslēptas divos dučos olu, kuras pagalam apjukušais piena piegādātājs pasniedza Petūnijas tantei pa dzīvojamās istabas logu. Kamēr tēvocis Vernons ar putām uz lūpām zvanīja uz pastu un pienotavu, meklēdams kādu, kam varētu izsūdzēt savas bēdas, Petūnijas tante kapāja vēstules virtuves kombainā.

— Kurš gan tik izmisīgi vēlas runāt ar tevi? — pārsteigtais Dūdijs jautāja Harijam.

∗ ∗ ∗

Svētdien no rīta tēvocis Vernons sēdās pie brokastu galda visai noguris un pat tāds kā apslimis, tomēr laimīgs.

— Svētdienās pastu nepiegādā, — smērēdams ievārījumu uz avīzes, viņš priecīgs klātesošajiem atgādināja. — Šodien nevienas nolādētas vēstules nebūs...

Tikko viņš izteica šos vārdus, skurstenī kaut kas nočabēja. Vēl pēc mirkļa šis kaut kas izlidoja no pavarda un trāpīja namatēvam pa pakausi. Vēl pēc brīža no kamīna kā no ložmetēja stobra izšāvās trīsdesmit vai četrdesmit vēstuļu. Dērsliji pieliecās, bet Harijs mēģināja vismaz vienu no vēstulēm noķert...

— Ārā! ĀRĀ!

Tēvocis Vernons satvēra Hariju ap vidukli un izmeta zēnu priekšnamā. Kad Petūnijas tante un Dūdijs, aizseguši seju ar rokām, izskrēja no virtuves, tēvocis Vernons aizcirta durvis. Varēja dzirdēt, kā vēstules, sizdamās pret sienām un grīdu, turpina gāzties virtuvē.

— Nu man vienreiz pietiek, — paziņoja tēvocis Vernons. Viņš centās runāt mierīgi, tomēr roka no virslūpas tikmēr plūca pamatīgas ūsu skupsnas. — Lai pēc piecām minūtēm visi būtu šeit, gatavi aizbraukšanai. Mēs dodamies projām. Paņemiet šādas tādas drēbes. Bez ierunām!

Ar izpluinītajām ūsām viņš izskatījās tik bīstams, ka neviens neuzdrošinājās iebilst. Vēl pēc desmit minūtēm viņiem izdevās izlauzties no aiznaglotās mājas. Viņi sēdās mašīnā un drāzās uz šosejas pusi. Dūdijs šņukstēja, ieritinājies pakaļējā sēdeklī. Tēvs bija sadevis viņam pa kaklu, jo Dūdijs kavēja pagastu, pūlēdamies iestūķēt lielajā sporta somā televizoru, videomagnetofonu un datoru.

Viņi brauca. Un brauca. Pat Petūnijas tante neuzdrošinājās pavaicāt, kurp viņi brauc. Laiku pa laikam tēvocis Vernons apgriezās un kādu laiku brauca pretējā virzienā.

— Nojauksim viņiem pēdas... nojauksim pēdas, — šādās reizēs viņš murmināja pie sevis.

Visu dienu viņi ne reizes neapstājās, lai paēstu vai padzertos. Kad sāka krēslot, Dūdijs jau kauca. Šī bija nelāgākā diena visā viņa mūžā. Viņš bija izsalcis, viņš bija izlaidis piecus iecienītus televīzijas raidījumus un veselas divpadsmit stundas datora ekrānā nebija gājis bojā neviens citplanētietis.

Beigu beigās tēvocis Vernons apstājās pie padrūma izskata viesnīciņas lielas pilsētas nomalē. Dūdiju un Hariju nometināja vienā istabā ar dubultgultu un mikliem palagiem, kas oda pēc pelējuma. Dūdijs drīz vien sāka krākt, bet Harijs nespēja aizmigt, tāpēc palika, sēžot uz palodzes, vērojot garāmbraucošās mašīnas un prātojot...

* * *

Nākamajā rītā brokastīs viņi ēda piesmakušas kukurūzas pārslas un grauzdētas maizītes ar aukstiem konservētiem tomātiem. Kad viņi beidza brokastot, pie viņu galdiņa pienāca viesnīcas īpašniece.

— Atvainojiet, vai kāds no jums ir H. Potera kungs? Esmu saņēmusi kādas simts šitās priekš viņa.

Saimniece pacēla vēstuli tā, lai viņi varētu redzēt ar zaļu tinti rakstīto adresi:

H. Potera kungam
17. istabā
Viesnīcā "Sliežu ainava"
Koukvortā

Harijs mēģināja satvert vēstuli, bet tēvocis Vernons iegāza zēnam pa roku. Sievietes skatiens liecināja, ka viņa īsti nesaprot, kas notiek.

— Es tās paņemšu, — ātri pieceldamies, paziņoja tēvocis Vernons un izvadīja sievieti no ēdamzāles.

* * *

— Mīļais, vai nebūtu labāk vienkārši braukt mājās? — pēc vairākām stundām piesardzīgi ieminējās Petūnijas tante, bet tēvocis Vernons izlikās nedzirdam. Neviens nesaprata, ko īsti Dērslija kungs meklē. Vispirms viņš iebrauca meža vidū, izkāpa no mašīnas, nopētīja apkārtni, tad papurināja galvu, iekāpa atpakaļ mašīnā un brauca no meža ārā. Tas pats atkārtojās uzartā laukā, iekaramā tilta vidū un uz daudzstāvu autonovietnes jumta.

— Vai tētis ir sajucis prātā? — pēcpusdienā Dūdijs drūmi vaicāja Petūnijas tantei. Tēvocis Vernons bija nolicis mašīnu jūras krastā, ieslēdzis visus mašīnā un nozudis.

Sāka līt. Lielas lietus lāses bungoja pa auto jumtu. Dūdijs pinkšķēja.

— Šodien ir pirmdiena, — viņš paziņoja mātei. — Vakarā rāda "Dižo Hamberto". Varbūt šovakar mēs varam apmesties vietā, kur vismaz ir televizors.

Pirmdiena. Harijs kaut ko atcerējās. Ja šodien bija pirmdiena, un, lai nu kur, bet dienu skaitīšanā uz Dūdiju parasti varēja paļauties tās pašas televīzijas dēļ — rītdien, otrdien, bija Harija vienpadsmitā dzimšanas diena. Protams, parasti viņa dzimšanas dienā nekas jauks nenotika — pagājušajā gadā Dērsliji viņam uzdāvināja pakaramo un pavalkātu tēvoča Vernona zeķu pāri. Tomēr ne katru dienu tu paliec vienpadsmit gadu vecs.

Tēvocis Vernons atgriezās, plati smaidīdams. Padusē viņš nesa garu, tievu saini. Kad Petūnijas tante prasīja, ko viņš nopircis, tēvocis neatbildēja.

— Atradu ideālu vietu! — viņš paziņoja. — Ejam! Kāpiet visi ārā!

Laukā bija ļoti auksts. Tēvocis Vernons norādīja uz veidojumu, kas atgādināja lielu klinti jūras vidū. Klints galā bija uztupināta visnožēlojamākā būdele, kādu iespējams iedomāties. Viens gan bija skaidrs, arī šovakar ceļotājiem nāksies iztikt bez televīzijas.

— Šonakt solīja vētru! — turpināja tēvocis Vernons, priecīgi berzēdams rokas. — Un šis kungs laipni atvēlēja mums laivu!

Pie pulciņa piekliboja vecs, sen zobus zaudējis vīrs, un ar aizdomīgu smīnu norādīja uz vecu airu laivu, kas šūpojās tērauda pelēkajā ūdenī viņiem pie kājām.

— Arī pārtiku es jau sagādāju, — sacīja tēvocis Vernons, — tā kā varam doties ceļā tūlīt!

Laivā bija vēl aukstāk. Ledainās šļakatas un lietus šaltis iemanījās nokļūt aiz apkakles un nikni cirtās sejā. Likās, ka brauciens ilgst vairākas stundas. Beidzot viņi sasniedza klinti. Tēvocis Vernons, klupdams un krizdams, rādīja ceļu uz izpostīto nameli.

Mājas iekšpuse izskatījās drausmīgi. Stipri oda pēc jūraszālēm, vējš svilpoja pa dēļu spraugām, un pavards glūnēja uz ciemiņiem slapjš un tukšs. Būdelē bija tikai divas istabas.

Tēvocis Vernons izdalīja pieminēto pārtiku — katram tika pa cepumu paciņai un banānam. Viņš mēģināja aizkurt uguni, bet tukšās cepumu paciņas brīdi padūmoja, sačervelējās un apdzisa.

— Tagad gan mums tās vēstules būtu noderējušas! — viņš līksmi ieminējās.

Tēvocis bija brīnišķīgā omā. Acīmredzot viņam likās, ka nevienam nav ne mazāko cerību cauri vētrai atkulties uz šejieni un atgādāt vēstules. Harijs klusībā viņam piekrita, tiesa, zēnu šī doma nebūt neiepriecināja.

Kad pienāca vakars, sāka plosīties solītā vētra. Viļņu šļakatas triecās pret būdiņas sienām un nikns vējš grabināja satrunējušos logus. Otrā istabā Petūnijas tante atrada vairākas appelējušas segas un iekārtoja Dūdijam guļvietu uz kožu saēsta dīvāna. Paši Dērsliji iečubinājās uz bedrainas gultas blakus istabā, bet Harijam tika atvēlēta iespēja pašam izvēlēties mīkstāko vietiņu uz grīdas, kur saritināties čokuriņā un piesegties ar visplānāko, visskrandaināko deķeli.

Vētra arvien pieņēmās spēkā. Harijs nespēja aizmigt. Viņš trīcot grozījās no vieniem sāniem uz otriem, cenzdamies iekārtoties ērtāk. Gulēt neļāva arī tukšais vēders. Ap pusnakti sākās negaiss, un Dūdija krācienus nomāca dobji pērkona dārdi. Uz Dūdija rokas, kas nokarājās pāri dīvāna malai, varēja redzēt pulksteņa apgaismoto ciparnīcu. Tā liecināja, ka pēc desmit minūtēm Harijs būs vienpadsmit gadu vecs. Viņš gulēja tumsā un vēroja, kā tikšķi pa tikšķim tuvojas viņa jubileja. Harijs prātoja, vai Dērsliji to vispār atcerēsies un kur gan tagad varētu būt vēstuļu rakstītājs.

Vēl piecas minūtes. Harijs dzirdēja, kā aiz loga kaut kas nobrākšķ. Viņš cerēja, ka neiebruks jumts, jo tad viņam zustu pēdējās cerības saglabāt jelkādas siltuma paliekas. Vēl četras minūtes. Varbūt tad, kad viņi atgriezīsies, Dzīvžogu ielā būs pienācis tik daudz vēstuļu, ka viņam izdosies vienu kaut kā nočiept.

Vēl trīs minūtes. Vai tā bija jūra, kas triecās pret klintīm? Un (vēl divas minūtes) kas tā par čirkstoņu? Vai klints lēnām bruka jūrā?

Vēl viena minūte, un viņš būs vienpadsmit gadu vecs. Trīs-desmit sekunžu... divdesmit... desmit — deviņas — varbūt pamo-dināt Dūdiju, viņš vismaz paārdītos — trijas — divas — viena —

BĀC!

No trieciena nolīgojās visa būda, un Harijs pielēca sēdus un palūkojās uz durvīm. Tur, vētrā, kāds klauvēja un vēlējās ienākt.

CETURTĀ NODAĻA

ĒĶU PĀRZINIS

BĀC! Atkal klauvēja. Dūdijs izbijies pamodās.

— Kur ir lielgabals? — viņš apstulbis jautāja. Aiz muguras kaut kas nobrākšķēja, un zēnu istabā klupdams krizdams ievēlās tēvocis Vernons. Rokā viņam bija bise — tagad kļuva skaidrs garā saiņa saturs.

— Kas tur ir? — viņš uzkliedza. — Es jūs brīdinu — esmu bruņojies!

Brīdi neko nedzirdēja. Tad...

BLĀKŠ!

Kāds iebelza pa durvīm ar tādu spēku, ka tās izgāzās no eņģēm un ar apdullinošu troksni nokrita uz grīdas.

Durvju ailā stāvēja milzīga auguma vīrs. Viņa seju gandrīz pilnībā slēpa garu, pinkainu matu un savēlušās, nekoptas bārdas šķipsnas — vienīgais, ko varēja redzēt, bija acis, kas mirdzēja apmatojuma biezoknī kā melnas vaboles.

Milzis iespraucās namiņā, un, kaut arī viņš pieliecās, galva tik un tā sniedzās līdz griestiem. Viņš pacēla durvis un ar vieglu kustību ielika tās atpakaļ eņģēs. Vētras troksnis mazliet pieklusa. Viņš pagriezās pret nakšņotājiem.

— Vai kāds nepagatavos tēj, lūdzu? Ceļojums nebij no vieglliem...

Viņš spēra soli uz dīvāna pusi, kur, bailēs sastindzis, sēdēja Dūdijs.

— Pavirzies, kluci, — svešinieks mīļi palūdza.

Dūdijs ievaidējās un aizskrēja paslēpties aiz muguras mātei, kura, šausmu sarauta, stāvēja aiz tēvoča Vernona.

— Un te tak Harijs! — ierunājās milzis.

Harijs palūkojās negantajā, nekoptajā, ēnu slēptajā sejā un ievēroja, ka vaboļacis savilkušās smaidā.

— Pēdēj reizi es tevi redzēju, tu biji mazs bēbis, — milzis turpināja. — Tu esi līdzīgs savam tētam, tikai mammas acis.

No tēvoča Vernona krūtīm izlauzās dīvaini griezīga skaņa.

— Es, kungs, pieprasu, lai jūs nekavējoties atstātu šīs telpas! — viņš paziņoja. — Tā ir ielaušanās!

— Ak, aizveries, Dērslij, tu, lielā žāvētā plūme, — sacīja milzis. Viņš pasniedzās pāri dīvāna atzveltnei, izrāva šauteni tēvocim Vernonam no rokām un, sasējis to mezglā tik viegli, it kā tā būtu pagatavota no gumijas, iemeta ieroci istabas kaktā.

Tēvocis Vernons izdvesa vēl vienu savādu troksni, kā pele, kam uzkāpts virsū.

— Labi, Harij, — teica milzis, uzgriezdams muguru Dērslijiem, — daudz tev laimes dzimšanas dienā! Te ir kaut kas priekš tevs, tik nezin, varbūt esmu uz tā uzsēdis, lai, tak garšot vajag labi.

Tad no sava melnā mēteļa iekškabatas vīrs izvilka mazliet samīcītu kārbu. Harijs drebošiem pirkstiem atvēra to. Kārbā bija liela, lipīga šokolādes torte ar zaļas glazūras uzrakstu "Daudz laimes dzimšanas dienā, Harij".

Harijs pacēla acis uz milzi. Viņš gribēja pateikt paldies, bet vārdi nomaldījās kaut kur ceļā uz mēli, tāpēc viņš pateica: — Kas tu esi?

Milzis iesmējās.

— Tiesa, es nemaz nestādījās priekšā. Lempiuss Hagrids, Cūkkārpas ēku un mežu pārzinis.

Viņš pastiepa milzīgu ķetnu un paspieda Harija roku tā, ka viss zēna trauslais augums nošūpojās līdzi.

— Kā tad paliek ar to tēju, e? — Viņš saberzēja plaukstas. — Es neatteiksies ar no graķīša, ja ir kas stiprāks ar.

Viņa skatiens apstājās pie tukšā kamīna, kurā bēdīgi dēdēja cepumu paciņu atliekas, un milzis nosprauslojās. Viņš pieliecās pie kamīna; īsti nevarēja redzēt, ko vīrs tur dara, bet, kad pēc pāris mirkļiem viņš atslējās, pavardā rūca uguns. Tā aizpildīja miklo būdu ar nemierīgu gaismu, un Hariju pārņēma patīkams siltums, it kā viņš būtu iegremdējies karstā vannā.

Milzis atkal apsēdās uz dīvāna, un tā atsperes, žēli čīkstēdamas, iegrima. Tad viņš izcēla no mēteļa kabatām dažnedažādas lietas — kapara tējkannu, samīcītu sainīti ar desām, krāsns kruķi, kanniņu stipruma uzliešanai, vairākas mazliet apskādētas krūzes un dzintaraina šķidruma pudeli, no kuras ierāva malku, pirms ķerties pie tējas gatavošanas. Drīz vien visu būdu piepildīja desu cepšanās sprakšķi un smarža. Kamēr milzis nodarbojās ar ēdiena gatavošanu, neviens nebilda ne vārda, bet, kad viņš noņēma no iesma pirmās sešas treknās, sulīgās, mazliet apdegušās desiņas, Dūdijs nemierīgi sagrozījās. Tēvocis Vernons uzminēja dēla nodomus: — Dūdij, tu nedrīksti pieskarties nekam, ko viņš tev dod.

Milzis padrūmi iesmējās.

— Neuztraucies, Dērslij, šim pudiņam piebarošana nav nepieciešama.

Viņš pasniedza desiņas pagalam izsalkušajam Harijam, kuram likās, ka nekad dzīvē nav ēdis neko tik garšīgu. Tomēr Harija acis kavējās pie milža. Visbeidzot, sapratis, ka neviens neko skaidrot negrasās, zēns pavaicāja: — Piedodiet, bet es vēl aizvien nesaprotu, kas jūs tāds esat?

Milzis iestrēba pamatīgu malku tējas un ar piedurkni no-slaucīja muti.

— Sauc mani vienkārši par Hagridu, — viņš atbildēja, — tā mani sauc. Un, kā teic, es Cūkkārpā esmu Mežu pārzinis — tu, protams, zini, kas ir Cūkkārpa.

— Hm, nezinu vis, — Harijs atzinās.

Hagridu tas satrieca.

— Piedodiet, — aši piebilda Harijs.

— Piedodiet? — pagriezies pret Dērslijiem, ierūcās Hagrids, un viņi atrāvās dziļāk ēnā. — Šiem būtu piedošana jālūdz! Zināju, ka tu nedabū savas vēstuls, bet es nespēju iedomāt, ka tu pat par Cūkkārpu nezini, vai asars sprāgst acīs! Vai tad tevi nekad nein-teresēja, kur tavi vecāki viss to iemācīj's?!

— Ko visu? — Harijs pārvaicāja.

— KO VISU? — Hagrida bass sāka atgādināt pērkona dārdus. — Nu gan jūs man redzēs!

Milzis pielēca kājās. Dusmīgs viņš likās aizpildām visu istabu. Dērsliji smilkstēja, pierāvušies pie sienas.

— Vai jūs gribat teikt, — viņš noņurdēja, vērsdamies pie Dērslijiem, — ka šis zēns — ŠIS zēns — nezina neko par — ne-zina neko vispār?

Harijam sāka likties, ka tas nu bija mazliet par daudz. Galu galā, viņš gāja skolā, un viņa sekmes nebūt nebija sliktas.

— Šo to es zinu, — viņš sacīja, — man tīri labi padodas ma-temātika un vēl šis tas.

Bet Hagrids tikai atmeta roku un noteica: — Tu nezin neko par mūsu pasauli. Tavu pasauli. Manu pasauli. Tavu vecāku pa-sauli.

— Kādu pasauli?

Likās, Hagrids tūlīt uzsprāgs.

— DĒRSLIJ! — nodārdēja viņa balss.

Tēvocis Vernons nu bija ļoti bāls, un viss, ko citkārt bļaustīgajam kungam izdevās dabūt pār lūpām, bija vārgs čuksts, kas skanēja apmēram "Čumbamumba". Hagrids apjucis skatījās uz Hariju.

— Bet tev taču bija jāzina par mammu un tēti, — milzis teica. — Proti, viņi ir *slaveni. Tu esi* slavens.

— Ko? Mana — mana mamma un tētis, viņi taču nebija slaveni...

— Tu nezin... Tu nezin... — Hagrids izbrauca ar pirkstu grābekļiem cauri matiem, noskatīdams Hariju no galvas līdz kājām ar apstulbušu skatienu.

— Tu nezini, kas tu *esi?* — viņš beidzot jautāja.

Tēvocis Vernons pēkšņi bija atguvis balsi.

— Pietiek! — viņš pavēlēja. — Pietiek, kungs! Es jums aizliedzu kaut ko stāstīt puikam!

Arī par Vernonu Dērsliju drosmīgāks vīrs būtu nodrebējis, ieraugot Hagrida skatienu. Kad milzis sāka runāt, katra zilbe bija pielādēta ar bezgalīgām dusmām.

— Jūs viņam neko neizstāstījāt? Nekad neminējāt vēstuli, ko Dumidors viņam atstāj? Es toreiz biju klāt! Dērslij, es savām acīm redzēj, kā Dumidors ieliek vēstuli viņa sedziņā! Jūs to slēpāt no viņa visus šos gadus?

— *Ko* slēpa no manis? — iededzies jautāja Harijs.

— PIETIEK! ES JUMS AIZLIEDZU! — panikā kliedza tēvocis Vernons.

Petūnijas tantei no šausmām aizrāvās elpa.

— Ak, ejiet jūs abi, ieskābējiet savas galvas, — nicīgi novilka Hagrids. — Harij — tu esi burvis.

Būdiņā iestājās klusums. Varēja dzirdēt tikai jūras dārdus un vēja kaukšanu.

— *Kas* es esmu? — satraukti pārjautāja Harijs.

— Burvis, protams, — noteica Hagrids un atkal atkrita uz dīvāna, kas vēlreiz novaidējās un iegrima vēl zemāk, — turklāt sasodīti labs burvis. Un, man domāt, būsi vēl labāks, kad maķenīt paskolosies. Kas gan cits tu varēj būt ar tād tēvu un māti? Cik nu noprotu, nebūtu par nāvi, ja tu izlas sav vēstuli.

Harijs pastiepa roku, lai beidzot paņemtu iedzelteno aploksni, uz kuras — vēl arvien ar smaragdzaļu tinti — bija rakstīts *H. Potera kungam, Uz grīdas, Būdiņā uz klints, Jūrā*. Viņš atlocīja vēstuli un sāka lasīt:

Cūkkārpas Raganības un burvestību arodskola

Direktors: Baltuss Dumidors

(Merlina pirmās pakāpes ordeņa kavalieris, Lielais Zintn., Glv. Mags, Krīvukrīvs, Starptautiskās Burvju konfederācijas loceklis)

Godājamais Potera kungs!

Ar prieku darām Jums zināmu, ka Jums ir atvēlēta vieta Cūkkārpas Raganības un burvestību arodskolā. Pielikumā Jūs atradīsiet visu mācībām nepieciešamo grāmatu un piederumu sarakstu.

Trimestris sākas 1. septembrī. Mēs gaidīsim pūci ar Jūsu atbildi līdz 31. jūlijam.

Patiesā cieņā,

Jūsu Minerva Maksūra,
direktora vietniece mācību darbā

Harija galvā uzšāvās vesels jautājumu salūts, un kādu brīdi viņš nesaprata, kuru pirmo lai uzdod. Pāris minūšu vēlāk viņš izstostīja: — Ko tas nozīmē — "mēs gaidīsim pūci ar Jūsu atbildi"?

— Ka tevi gorgona! Labi, ka tu ieminējies! — Iegāzis sev pa pieri ar tādu spēku, kas liktu apkrist brangam zirgam, Hagrids vēl no kādas mēteļa kabatas izvilka pūci — īstu, dzīvu, mazliet saburnītu pūci, kā arī garu spalvu un pergamenta rituli. Izbāzis mēles galiņu starp zobiem, viņš uzkricelēja zīmīti, kuru Harijs, pētot burtus no otras puses, ačgārni izlasīja:

Godājamais Dumidora kungs!

Nodevu Harijam vēstuli. Rīt dosimies pirkt nepieciešamās lietas. Laiks draņķīgs pēc suņa. Ceru, ka esat pie labas veselības.

Hagrids

Hagrids saritināja zīmīti, pasniedza to pūcei, kas paņēma pergamentu knābī. Aizgājis līdz durvīm, milzis iesvieda putnu vētrā. Tad viņš atgriezās un apsēdās savā vietā tā, it kā tikko būtu darījis kaut ko ļoti ierastu, piemēram, runājis pa tālruni.

Harijs aptvēra, ka viņam mute vēl arvien ir vaļā, un aši to aizvēra.

— Kur es paliku? — jautāja Hagrids, bet tajā brīdī kamīna mestās gaismas lokā, vēl arvien pelnu pelēku ģīmi, bet ļoti dusmīgu izskatu ienāca tēvocis Vernons.

— Viņš nekur nebrauks, — Dērslija kungs paziņoja.

Hagrids ierūcās.

— Grib gan redzēt, kā tāds dižs vientiesis kā tu viņu aizkavēs, — milzis sacīja.

— Dižs kas? — Harijs ieinteresēts pārvaicāja.

— Vientiesis, — atbildēja Hagrids. — Tā mēs saucam ļaudis, kuri nav apveltīti ar maģiskām spējām. Un tev par nelaimi nācies augt visvientiesīgāk vientiešu dzimtā, kād esmu redzējs.

— Kad mēs viņu pieņēmām, mēs zvērējām, ka darīsim galu šīm blēņām, — nelikās mierā tēvocis Vernons, — zvērējām, ka iznīdēsim to nezāli puikā! Atradies mags!

— Jūs *zinājāt*? — Harijs izbrīnīts vaicāja. — Jūs *zinājāt*, ka es esmu — esmu burvis?

— Zinājām! — pēkšņi iespiedzās Petūnijas tante. — *Zinājām!* Protams, mēs zinājām! Un, kā gan tu varēji no tā izvairīties, ja reiz mana niekkalbe māsa darīja to, ko viņa darīja? O, viņa saņēma vēstuli gluži kā tu un izgaisa. Runāja, ka mācoties tajā, tajā *skolā* — un brīvdienās viņa pārradās mājās varžu ikriem pilnām kabatām, bet pie galda viņa izklaidējās, pārvēršot tējas tasītes žurkās! Tikai es vienīgā sapratu, kas viņa tāda īsti bija, — viņa bija izdzimums! Bet mamma un tētis to vien prata, kā daudzināt — Lilija to un Lilija šito, viņi lepojās ar to, ka ģimenē parādījusies ragana!

Viņa apstājās, lai ievilktu elpu, un tad tādā pašā garā turpināja. Likās, it kā viņa gadiem būtu cietusies, lai visu to izteiktu.

— Tad skolā viņa satika to Poteru, aizgāja no mājām, abi apprecējās, visbeidzot piedzimi tu. Protams, es sapratu, ka būsi tāds pats, tikpat dīvains, tikpat — tikpat — *ne-normāls*. Galu galā viņa pamanījās uzsprāgt, bet tu uzkriti kā sniegs uz galvas mums!

Harijs bija bāls kā krīts. Atguvis spēju runāt, viņš pārjautāja: — Uzsprāgt? Jūs stāstījāt, ka viņa gājusi bojā autoavārijā!

— AUTOAVĀRIJA! — ierēcās Hagrids un tik nikni pielēca kājās, ka Dērslijiem cits nekas neatlika kā ierauties dziļāk kaktā. — Kā gan autoavārija varētu nobendēt Liliju un Džeimsu Poteru? Tas ir neprāts! Skandāls! Harijs Poters nezina, kas noticis ar viņu pašu, kaut arī šis stāsts mūsu pasaulē ir zināms vai katram zīdainim!

— Kāpēc? Kas īsti notika? — Harijs nepacietīgi iejautājās.

Dusmas atkāpās no Hagrida sejas. Viņš piepeši apjuka.

— Es negaidīju, ka tā notiks, — viņš ierunājās klusā, satrauktā balsī. — Kad Dumidors piemeldēja, ka satikt tevi varēt būt sarežģīti, man nebij ne jausmas, cik daudz tu nezin. Ak Harij, nez vai esmu īstais cilvēks, kuram tas būt tev jāstāsta, bet kādam to nāksies darīt — tu taču nevar braukt Cūkkārpu, pilnīgi neko nezinot.

Dērslijiem tika vēl viens nikns skatiens.

— Tā, labāk lai tu zini, ko var tev pastāstīt — ņem vērā, visu es tev stāstīt nevar, liels noslēpums, vismaz daļa...

Viņš apsēdās, mirkli cieši skatījās ugunī un tad teica: — Manuprāt, tas viss sākas ar... ar personu, ko dēvē... es vēl arvien nevaru aptvert, ka nezini viņa vārdu, mūsu pasaulē to zina ikviens...

— Par ko tu runā?

— Nu, man nepatīk izrunāt tas vārds, ja var neizrunāt. Nevienam nepatīk.

— Kāpēc?

— Krupiska būšana, Harij, cilvēki joprojām baidās. Nebiju domājs, ka būs tik grūti. Redzi, bija kāds burvis, kurš... kļuva ļauns. Tik ļauns, cik nu ļaunam vispār iespējams būt. Vai pat ļaunāk. Ļaunāk par ļaunu. Viņu sauca...

Hagrids saminstinājās, norija siekalas — bet vārdu tā arī nespēja izrunāt.

— Varbūt tu vari to uzrakstīt? — Harijs piedāvāja.

— Nē, es nezinu, kā to pareizi raksta. Labi — *Voldemorts.* — Hagrids, izrunājis vārdu, noskurinājās. — Tikai neliec man to izrunāt vēlreiz. Lai nu kā, bet šis... šis burvis pirms kādiem divdesmit gadiem sāka vervēt līdzskrējējus. Un savervēj ar — daži baidījās, daži tikai vēlējās bišķīti viņa varenības — jo tolaik viņš jau bij varens, tā neko. Tumšs laiks tas bija, Harij. Nevarēj saprast, kam uzticēties, ar nepazīstamu burvi vai raganu bij bail pat sadraudzēties... Notika šausmīgas lietas. Viņš lēnām guv virsroku. Protams, daži mēģināja pretoties — bet tos nogalināja. Drausmīgi. Vai vienīgā drošā vieta palik Cūkkārpa. Šķiet, no Dumidora tam Paši-Zināt-Kam bija bail. Ļaunais burvis neuzdrošinājās uzbrukt Cūkkārpai, vismaz toreiz ne.

— Nu, bet tav mamma un tētis, — turpināja Hagrids, — bij ļoti lab burvji, nemaz daudzus gaišākus par viņiem es nepazin. Abi savā laikā Cūkkārpā bij zēnu un meiteņu vecākie! Domāju, ka viens noslēpums ir, kāpēc Paši-Zināt-Kas nemēģināj viņus dabūt savā pusē jau iepriekš... varbūt saprata, ka viņi ir pārāk labās attie- cībās ar Dumidoru, lai gribēt kādas darīšanas ar Tumšo Pusi.

— Varbūt Ļaunais burvis iedomājās, ka spēs viņus pārliecinēāt, — Hagrids domīgi noteica, — bet varbūt vienkārši vēlējās, lai tie nestāvēt viņam ceļā. Pēc tam zināj teikt, ka šis parādījies ciematiņā, kur jūs visi tolaik dzīvoj, tieši Visu Svēto vakarā, pirms desmit gadiem tagad. Tev tikko palik gadiņš. Viņš atnāca pie jums mājās un... un...

Hagrids pēkšņi izvilka milzīgu un ļoti netīru punktotu kabat- lakatu un nošņaucās. Kuģi tuvākajā apkārtnē droši vien to no- turēja par miglas tauri.

— Piedodiet, — viņš sacīja. — Taču ir tik skumji — es tak pa- zin tav tēti un mammu, labākus cilvēkus ar uguni nesameklēsi... lai nu kā...

— Paši-Zināt-Kas viņus nogalināja. — Hagrids ievilka elpu. — Un tad — un tas ir pats noslēpumainākais visā šajā noti- kumā — viņš mēģināja nogalināt arī tevi. Cik noprotu, gribēj, lai nekas nepaliek nepadarīts. Vai varbūt tolaik viņam jau patik bendēt bendēšanas pēc. Taču viņš nespēja to izdarīt. Vai nekad nees brīnījies, kas tā par rēt tev uz pieres? Tā nav parast rēt. Tādas paliek, kad tevi ķer varens, ļauns lāsts — tas tik galā ar tav tēti un mammu, un vis tav māju — bet ne ar tev, un tāpēc tu, Harij, es slavens. Ja reiz viņš nolēma kādu nonāvēt, cauri ar to bij, tikai ar tevi ne, bet viņš tolaik nobendēj daudzas krietnas raganas un burvjus — Makkinonus, Bounus, Prūetus — bet tu bij tik zīdainis, un izdzīvoj.

Hariju pārņēma dīvaini sāpīga sajūta. Kad Hagrida stāsts tuvojās noslēgumam, viņš atkal, vēl skaidrāk nekā iepriekš ierau- dzīja žilbinošo zaļās gaismas uzliesmojumu — un atcerējās, pirmo reizi dzīvē, vēl kaut ko — spalgus, aukstus, nežēlīgus smieklus.

Hagrids viņu skumji vēroja.

— Pats, pēc Dumidora norādījuma, paņēm tev no sagrauts mājs. Nogādāju tevi pie šiem te...

— Blēņas, — iestarpināja tēvocis Vernons. Harijs salēcās — viņš bija pavisam aizmirsis, ka arī Dērsliji vēl arvien tepat vien bija. Izskatījās, ka tēvocis Vernons bija atguvis uz laiciņu zaudēto drosmi. Viņš caur pieri blenza uz Hagridu un vīstīja dūres.

— Tā, puika, tagad paklausies, ko es tev teikšu, — viņš noņurdēja. — Es atzīstu, ka tu reizēm izturies dīvaini, bet to, iespējams, var izārstēt ar labu pērienu — un, ja runājam par taviem vecākiem — jā, neliegšos, viņi bija savādnieki; manuprāt, pasaule nav cietusi no viņu prombūtnes, turklāt abi dabūja to, ko gribēja, nevajadzēja pīties ar visiem tiem pesteļiem. Es jau domāju, ka viss beigsies tā, kā beidzās, es zināju, ka viņi ņems nelabu galu...

Tajā brīdī Hagrids neizturēja, pielēca no dīvāna un izrāva no mēteļa daudzcietušu rozā lietussargu. Vērsdams to pret tēvoci Vernonu kā zobenu, viņš caur zobiem novilka: — Dērslij, es tevi brīdinu... es tevi brīdinu... vēl viens vārds...

Kad tēvocis apjauta, ka nupat draud uzduršana uz lietussarga, viņa dūša manāmi sašļuka. Viņš atkal pieplaka pie sienas un apklusa.

— Tā tu man patīc labāk, — smagi elpodams un atgriezdamies savā vietā uz dīvāna, nosēca Hagrids. Šoreiz nabaga mēbele saguma līdz pašai grīdai.

Bet Harijam bija vēl vismaz simts un viens jautājums, ko tūlīt, tagad vajadzēja uzdot.

— Kas notika ar Vol... piedod... es gribēju teikt, Paši-Zināt-Ko?

— Labs jautājums, Harij. Viņš izgaisa. Tai pat naktī, kad mēģināj tev nokaut. Un tas taisa tev vēl slavenāk. Vislielākais noslēpums... Viņš kļuv arvien stiprāks un stiprāks — kāpēc gan lai viņš izgaistu?

— Daži apgalvo, ka viņš nomira, — pēc mirkļa turpināja Hagrids. — Ja tu jautā man doms — pīlītes. Nezin, vai viņā bij atlics tik daudz cilvēka, lai nomirtu. Citi sak, šis klimstot kauč kur, tā kā gaidot īsto brīd, bet tam es ar netic. Cilvēki, kuri bij pārgājš viņa pusē, atgriezās pie mums. Daž teic, ka bijuš savādā apmātībā, kas nu beigusies. Nedomāj, ka viņiem tas būt izdevies, ja šis grasītos nākt atpakaļ.

— Vairums uzskata, — Hagridam tā kā mazliet uzlabojās oma, — ka viņš kauč kur mitinās, bet varenību ir zaudējs. Par švaku, lai turpinātu. Jo tevī ir kas tāds, kas piebeidza viņu. Tonakt notik kas tāds, ar ko viņš nebij rēķinājies — *es* nezin, kas tas bij, neviens nezin, bet kas tev piemītošs sabradāj viņu.

Hagrids uzlūkoja Hariju sirsnībā un apbrīnā versmojošām acīm, taču Harijs, tā vietā, lai justos pagodināts un lepns, sprieda, ka noticis kāds šausmīgs pārpratums. Viņš? Burvis? Kā gan tas iespējams? Visu savu dzīvi viņš bija pavadījis, paciešot Dūdija belzienus, Petūnijas tantes un tēvoča Vernona nevērību un bikstīšanu. Ja viņš tiešām bija burvis, kāpēc gan Dērsliji nepārvērtās kārpainos krupjos ik reizes, kad spundēja viņu pieliekamajā? Ja viņš reiz bija uzveicis pasaules briesmīgāko magu, kāpēc gan Dūdijs visu mūžu dzenāja viņu pa pasauli kā futbolbumbu?

— Hagrid, — viņš klusi ierunājās. — Es domāju, ka tu esi kļūdījies. Es nedomāju, ka spēju būt par burvi.

Zēnam par pārsteigumu, Hagrids iesmējās.

— Nespēj būt burvis, ko? Nekad nees izdarījs ko dīvainu, kad esi nobijies vai dusmīgs?

Harijs ieskatījās ugunī. Ja tā apdomāja... Visas dīvainās lietas, kas tā tracināja tanti un tēvoci, gadījās tad, kad viņš, Harijs, bija apbēdināts vai dusmīgs... kad viņu vajāja Dūdija banda, viņš pēkšņi kļuva viņiem neaizsniedzams... izmisis, ka nāksies iet uz skolu ar nejēdzīgi izķēzītajiem matiem, viņš pamanījās pa vienu nakti tos ataudzēt... un pēdējā reizē, kad Dūdijs viņam nodarīja pāri —

vai tad viņš nebija atriebies, pašam gan to nemaz neapzinoties? Vai tad viņš nebija izlaidis žņaudzējčūsku?

Harijs pasmaidīja un uzlūkoja Hagridu — Hagrids burtiski staroja.

— Nu? — milzis teica. — Harijs Poters, viņš nevarot būt burvis — tu tikai pagaid, tu būs slavens jau Cūkkārpā.

Tomēr tēvocis Vernons bija nolēmis nepadoties bez cīņas.

— Vai es neteicu, ka viņš nekur nebrauks? — viņš šņāca.

— Viņš mācīsies Stounvolas vidusskolā, un vēlāk viņš par to man teiks paldies. Es tās vēstules izlasīju, kas tik par māņiem viņam nav vajadzīgi — burvestību grāmatas un zižļi, un...

— Ja zēns gribēs uz Cūkkārpu, tu, dižais vientiesi, viņu neaizkavēsi, — noņurdēja Hagrids. — Tu neaizkavēsi Lilijas un Džeimsa Poteru dēlu, ja viņš gribēs mācīties savu vecāku skolā! Tu es traks! Viņam tur bija atvēlēt vieta jau tad, kad viņš piedzim. Un viņš dosies uz labāko raganības un burvestību skolu pasaulē. Pēc septiņiem tur pavadītiem gadiem, viņš pats sevi vairs nepazīs. Viņš pārmaiņas pēc būs kopā ar tādiem pašiem pusaudžiem kā pats, un viņam ir laimējies, ka Cūkkārpu vad pats labākais direktors skolas vēsturē — Baltus Dumi...

— ES NEMAKSĀŠU, LAI VECS, APTAURĒTS MUĻĶIS MĀCĪTU VIŅAM VISĀDAS BURVJU ĢEĶĪBAS! — iebļāvās tēvocis Vernons.

Bet nu reiz viņš bija pārkāpis robežu. Hagrids pagrāba lietussargu un savicināja to virs galvas. — NEKAD, — viņa balss daudzkārt pārspēja vētru aiz durvīm, — NEUZDROŠINIES — APVAINOT — BALTUSU — DUMIDORU — MANĀ — KLĀT-BŪTNĒ!

Nošvīkstējusi gaisā, lietussarga smaile norādīja uz Dūdiju — uzzibsnīja violeta gaisma, atskanēja petardes sprādzienam līdzīgs troksnis, spiedziens — un nākamajā acumirklī Dūdijs, bļaudams no sāpēm, lēkāja uz vietas, ar rokām apķēris savu trekno pēcpusi.

Kad viņš pagrieza pret pārējiem muguru, Harijs ieraudzīja cūkas astes rožaino atsperīti, kas rēgojās no cauruma resņa biksēs.

Tēvocis Vērnons ierēcās. Iegrūdis Petūnijas tanti un Dūdiju blakusistabā, viņš vēl uzmeta milzim pēdējo pārbiedēto skatienu, izmetās no telpas un aizcirta aiz sevis durvis.

Hagrids palūkojās uz savu lietussargu un nobraucīja bārdu.

— Man nevajadzēj zaudēt savaldīšanos, — viņš padrūmi noteica. — Bet nekas jau man neiznāc. Gribēj pārvērst šo par cūk, bet laikam jau šis ir tik līdzīgs cūkai, ka astīt bij vienīgais, kas trūk.

Viņš uzmeta Harijam skatienu no kuplo uzacu aizsega.

— Būt tev pateicīgs, ja Cūkkārpā tu nevienam to nestāstīt, — milzis lūdza. — Man — ē — nav īsti atļauts burt. Es šo to drīkstēju, kamēr sekoj tev un lai nogādāt tev tavas vēstuls — tas bij viens no iemesliem, kāpēc es tik labprāt uzņēmos šo darbu...

— Kāpēc tev nav atļauts burt? — jautāja Harijs.

— Nu, tā... es pats reiz mācījos Cūkkārpā, bet mani... mani izslēdza, negrib tev melot. Trešajā gadā. Salauza zizli uz pusēm, un vēl viss tas cits. Taču Dumidors ļāva palikt par pārzini. Dumidors ir dižens vīrs.

— Kāpēc tevi izslēdza?

— Kļūst jau vēls, bet rīt mums tik daudz kas jāpadar, — skaļi sacīja Hagrids. — Jātiek līdz pilsētai, jānopērk grāmats un pārējās mants.

Viņš novilka savu biezo mēteli un pasvieda Harijam.

— Apsedzies ar šito, — milzis noteica. — Nesabīsties, ja tas mazliet kustēs, man domāt, kauč kur kabatās vajadzēt būt vēl kādiem susuriem.

PIEKTĀ NODAĻA

DIAGONALĒJA

Nākamajā rītā Harijs pamodās agri. Kaut cauri plakstiņiem varēja nojaust, ka ārā jau gaišs, viņš samiedza acis vēl ciešāk.

— Tas bija sapnis, — viņš pats sev stingri piekodināja. — Manā sapnī bija ieradies milzis Hagrids un paziņoja, ka man būs jāmācās burvju skolā. Kad atvēršu acis, es gulēšu savā pieliekamajā zem trepēm.

Pēkšņi atskanēja skaļi klauvējieni.

— Un tur pie durvīm klauvē Petūnijas tante, — pēdējām cerībām zūdot, nodomāja Harijs. Taču vēl arvien nevēra vaļā acis. Tik jauks viņam likās redzētais sapnis!

Tuk, tuk, tuk.

— Labi, — nomurmināja Harijs, — es ceļos.

Zēns piecēlās sēdus, un Hagrida milzīgais mētelis noslīdēja uz grīdas. Būdiņa bija saules gaismas pielieta, vētra bija beigusies, Hagrids pats gulēja uz salūzuša dīvāna, bet pie loga klauvēja pūce ar laikrakstu knābī.

Harijs pietrausās stāvus. Zēnu pārņēma neizsakāma laimes sajūta, kas auga viņa krūtīs kā krāsains gaisa balons. Viņš piegāja pie loga un atrāva to vaļā. Pūce ielidoja istabā un nometa avīzi uz guļošā Hagrida, bet milzis nepamodās. Tad pūce nolaidās uz grīdas un uzbruka Hagrida mētelim.

— Nedari tā.

Harijs mēģināja atgaiņāt pūci, bet tā nikni noklabināja knābi zēna virzienā un turpināja plucināt mēteli.

— Hagrid! — Harijs iesaucās. — Tā pūce...

— Samaksā tai, — Hagrids nomurmināja.

— Ko?

— Pūce vēlas, lai tai samaksā par avīzes piegādi. Paskaties kabatās.

Izskatījās, ka Hagrida mētelis sastāv *tikai un vienīgi* no kabatām — tajās bija atslēgu saišķi, auklas kamoli, piparmētru ledenes, tējas paciņas... Beigu beigās Harijs atrada arī sauju dīvaina izskata monētu.

— Iedod tai piecas knutas, — samiegojies noteica Hagrids.

— Knutas?

— Mazās bronzas monētiņas.

Harijs noskaitīja piecas, un pūce pastiepa viņam kāju, lai zēns ieliktu naudu mazā ādas maisiņā, kas piesiets pie kājas. Tad pūce izlidoja pa atvērto logu.

Hagrids skaļi nožāvājās, pierausās sēdus un izstaipījās.

— Taisāmies ceļā, Harij, mums šodien vēl daudz kas jāpadar, jātiek līdz Londonai un jānopērk visas skolai vajadzīgās mantas.

Harijs tikmēr grozīja rokās burvju naudu un pētīja monētas. Bet tad pēkšņi viņam prātā ienāca doma, kas lika justies tā, it kā krāsainais balons krūtīs būtu pārdurts.

— Hagrid?

— Nu? — atsaucās milzis, vilkdams kājās savus bezizmēra zābakus.

— Man nav naudas — un tu taču dzirdēji, ko vakar teica tēvocis Vernons, — viņš nemaksāšot par manām burvju mācībām.

— Par to gan neuztraucies, — sacīja Hagrids, celdamies kājās un pakasīdams galvu. — Vai tad tu domā — vecāk tev neko neatstāj?

— Ja viņu māju iznīcināja...

— Puis, viņi neturēja naudu mājās. Tā, vispirms mēs dodamies uz Gringotiem. Tā ir burvju banka. Apēd desiņu, arī aukstām tām nav nekādas vainas — un es neatteiktos arī no kārtīga gabaliņa tavas dzimšanas dienas tortes.

— Burvjiem ir *bankas*?

— Tikai viena. Gringotu banka. Tā ir goblinu pārziņā.

Harijam no rokas izkrita desa.

— *Goblinu* pārziņā?

— Jā, un ir jābūt pilnīgi trakam, lai mēģinātu to aplaupīt, es tev teikš. Nekad neiekulies nepatikšanās ar gobliniem. Gringoti ir drošākā vieta pasaulē tam, ko tu vēlies noglabāt drošībā — ja nu vienīgi Cūkkārpā ir vēl drošāk. Starp citu, man tik un tā jāiegriežas Gringotos. Dumidors lūdza. Tas ir Cūkkārpas sakarā. — Hagrids lepni piecēlās. — Viņš bieži atvēl man svarīgas lietas. Doties pēc tevis, saņemt šo to Gringotos — viņš zina, ka var man uzticēties.

— Vai esi kārtībā? — Milzis rūpīgi nopētīja Hariju. — Tad iesim.

Harijs nopakaļus Hagridam izgāja uz klints. Debesis virs galvas bija gluži skaidras, un jūra saules gaismā vizuļoja. Laiva, ko tēvocis Vernons bija noīrējis, vēl arvien stāvēja piesieta pie klints, tikai tajā pa vētras laiku bija sasmēlies vai pēdu dziļš ūdens.

— Kā tu te nokļuvi? — ievaicājās Harijs, raudzīdamies apkārt un cenzdamies saskatīt vēl vienu laivu.

— Es atlidoju.

— *Atlidoji?*

— Jā, taču atpakaļ mēs dosimies ar šo te. Tagad, kad tu es kopā ar mani, man noliegts izmantot burvestības.

Viņi iesēdās laivā, bet Harijs turpināja blenzt uz Hagridu, pūlēdamies iedomāties milzi lidojam.

— Airēt gan tā kā būt grēks, — nobubināja Hagrids, iesāņus uzmezdams skatienu Harijam. — Ja es tagad mazliet paātrināt braukšanu, vai tu būt tik laipns un apņemtos nepieminēt to Cūkkārpā?

— Protams, — tūlīt piekrita Harijs, kuram ļoti kārojās redzēt vēl kādu maģisku izdarību. Hagrids atkal izņēma savu rozā lietussargu, divreiz uzsita pa laivas malu, un tā pati no sevis sāka slīdēt uz krasta pusi.

— Kāpēc tu teici, ka jābūt pilnīgi trakam, lai mēģinātu aplaupīt Gringotu banku? — ievaicājās Harijs.

— Burvības — lāsti, — sacīja Hagrids, atlocīdams avīzi. — Un viņi apgalvo, ka drošākos kambarus apsargājot pūķi. Turklāt līdz bankai vēl ir jātiek — tā atrodas simtiem jūdžu zem Londonas. Daudz dziļāk par metro līnijām. Pat ja tev izdotos kauč ko nozagt, tu nomirt badā, kamēr tikt atpakaļ virszemē.

Harijs mēģināja aptvert visu tikko dzirdēto, bet Hagrids sāka lasīt avīzi, ko, starp citu, sauca "Dienas Pareģis". Diendienā saskaroties ar tēvoci Vernonu, Harijs bija apguvis vienkāršo patiesību, ka avīzi lasošus cilvēkus labāk netraucēt, tomēr šorīt neuzdoto jautājumu nasta likās īpaši smaga.

— Burvestību ministrija atkal visu salaidusi dēlī, — pāršķirdams lappusi, nomurmināja Hagrids.

— Tātad pastāv arī Burvestību ministrija? — izšāva Harijs, pirms paguva apdomāties.

— Protams, — atbildēja Hagrids. — Visi gribēja, lai Dumidors uzņems ministra pienākumus, taču viņš nekad neaizies no Cūkkārpas, tā nu amats tik vecajam Kornēlijam Fadžam. Galīgais nepraša, ja man ļauts izteikties. Tā nu viņš ik rīt bombardē Dumidoru ar pūcēm, vaicādams padoma.

— Bet ar ko īsti *nodarbojas* Burvestību ministrija?

— Nu, viņu galvenais pienākums ir novērst vientiešu uzmanību, lai tie nemanītu, ka valstī vēl arvien ir pietiekami raganu un burvju.

— Kāpēc?

— *Kāpēc?* Harij, mīļais, tad jau katrs gribēt rast burvju atrisinājumu savām nelaimēm. Nē, labāk, lai liek mums mieru.

Tajā brīdī laiva piestāja krastā. Hagrids salocīja avīzi, un viņi devās augšup pa akmens pakāpieniem, kas veda uz ielu.

Kamēr viņi gāja cauri pilsētiņai, ne viens vien garāmgājējs atskatījās uz Hagridu. Un ko gan viņiem pārmest, nodomāja Harijs. Hagrids ne vien bija divreiz garāks par jekburu pretimnācēju, viņš visu laiku norādīja uz visparastākajām lietām, piemēram, uz kases automātiem stāvvietās, un skaļi brīnījās: — Skaties, Harij! Ko tik tie vientieši neizdomā, ko?

— Hagrid, — ierunājās Harijs, mazliet aizelsies, jo viņam nācās skriet vieglā riksītī, lai tiktu līdzi milzim, — vai tu minēji, ka Gringotu bankā esot *pūķi*?

— Nu tā viņi apgalvo, — atteica Hagrids. — Sūdarallā! Es arī gribētu pūķīti!

— Tu *gribētu*?

— Esmu par to sapņojs jau no bērna kājs. Klāt esam.

Viņi bija nonākuši līdz stacijai. Pēc piecām minūtēm vajadzēja pienākt Londonas vilcienam. Hagrids, kurš īsti neizprata "vientiešu naudas", kā viņš to dēvēja, vērtību, iedeva banknotes Harijam un lūdza nopirkt biļetes.

Vilciena pasažieri blenza vēl uzmācīgāk. Hagrids aizņēma divas sēdvietas un kavēja laiku, adot izstrādājumu, kas atgādināja kanārijdzeltenu cirkus telti.

— Vai vēstule vēl pie tevis? — viņš jautāja, skaitīdams valdziņus.

Harijs izņēma no kabatas pergamenta aploksni.

— Labi, — sacīja Hagrids. — Tajā ir uzskaitīts viss, kas tev nepieciešams.

Harijs atlocīja otru loksni, kuru nebija ievērojis iepriekšējā vakarā.

Cūkkārpas Raganības un burvestību arodskola

Formas tērps

Pirmziemniekiem nepieciešams:
1) trīs kārtas parastu darba drānu (melnas);
2) viena parasta smaila cepure (melna) nēsāšanai ikdienā;
3) viens aizsargcimdu pāris (pūķāda vai līdzīgs materiāls);
4) viens ziemas apmetnis (melns, ar sudraba aizdari).

Lūdzu ievērot, ka uz visām drēbēm jābūt uzšuvei ar audzēkņa vārdu.

Obligātā literatūra

Katram audzēknim nepieciešams viens šādu grāmatu eksemplārs:
Miranda Peļuvanaga. Burvju vārdu hrestomātija (1. daļa)
Bazilda Prātvēdere. Burvestību vēsture
Adalberts Blēņāns. Maģijas teorija
Emeriks Kliks. Pārvēršana iesācējiem
Fillīda Spora. Tūkstoš burvju augu un sēņu
Arsēniuss Maisītājs. Burvju izvilkumi un uzlējumi
Tritons Skamanders. Fantastiskās būtnes — un kur tās meklēt
Kventins Trīcis. Tumšie spēki: pašaizsardzības rokasgrāmata

Citi piederumi

1 zizlis
1 katls (alvas, 2. izmērs, uz trijkāja)
1 stikla vai kristāla pudelīšu komplekts (ar slīpētiem aizbāžņiem)
1 tālskatis
1 svaru komplekts (vara)

Audzēkņi var ņemt līdzi arī pūci VAI kaķi, VAI krupi

ATGĀDINĀM VECĀKIEM, KA PIRMZIEMNIEKIEM NAV ATĻAUTS TURĒT SKOLĀ PAŠIEM SAVUS SLOTASKĀTUS

— Vai to visu var nopirkt Londonā? — Harijs skaļi brīnījās.

— Ja zin, kur meklēt, — atbildēja Hagrids.

* * *

Harijs nekad iepriekš nebija braucis uz Londonu. Lai gan likās, ka Hagrids zina, kur viņiem jānokļūst un kā to izdarīt, bija skaidrs, ka vientiesiskā veidā viņš to nav ieradis darīt — vispirms milzis nesaprata, kā tikt garām ieejas barjerai metro, tad viņš skaļi žēlojās, ka sēdvietas esot pārāk mazas un vilcieni pārāk lēni.

— Nesaprotu, kā tie vientieši iztiek bez maģijas, — viņš nopūtās, kāpjot augšā pa salūzušu eskalatoru. Galu galā viņi nonāca uz cilvēku pilnas ielas, kuras abās pusēs rindojās veikals pie veikala.

Pateicoties Hagrida milzu augumam, tikšana cauri pūlim viņiem īpašas grūtības nesagādāja, Harijam atlika vien turēties cieši aiz ledlauža. Viņi pagāja garām grāmatu bodēm un mūzikas veikaliem, gaļasbulku restorāniem un kinoteātriem, bet nekur nemanīja nevienu iestādījumu, kurā tirgotos, teiksim, ar burvju zižļiem. Parastu cilvēku pilna parasta iela. Vai tiešām kaut kur zem viņu kājām slēpās burvju zelta kalni? Vai tiešām kaut kur līdzās bija veikali, kuros pārdeva buramvārdu grāmatas un slotaskātus? Varbūt tas viss bija apmāns, ko izdomājuši Dērsliji? Ja Harijs nezinātu, ka Dērslijiem nepiemīt ne pilītes humora izjūtas, viņš droši vien tā arī nodomātu. Un, lai cik mazticami likās viss Hagrida stāstītais, tomēr Harijs nespēja neticēt milzim.

— Klāt esam, — Hagrids sacīja un apstājās. — "Caurais katls". Slavens krogs.

Tas bija mazs, šaurs, neizskatīgs kroģelis. Ja Hagrids nebūtu uz to norādījis, Harijs uz raibās ielas to nemaz nepamanītu. Cilvēki, kas steidzās pa ielu, tam nepievērsa uzmanību. Garāmgājēju acis slīdēja no daudzstāvu grāmatveikalu kroga vienā pusē uz mūzikas ierakstu veikalu otrā, it kā "Caurā katla" tur nemaz nebūtu. Starp citu, Harijam uzmācās dīvaina sajūta, ka apbružāto fasādi redz tikai viņš un Hagrids. Pirms zēns paguva par to ieminēties, Hagrids iebīdīja viņu pa durvīm.

Ja šis arī bija slavens iestādījums, tad ļoti tumšs un noskretis slavens iestādījums. Vienā kaktā, tukšodamas mazas šerija glāzītes, sēdēja vairākas vecākas sievietes. Viena no viņām pīpēja garu pīpi. Mazs vīrelis cilindrā sarunājās ar paveco bārmeni — apkalpotājam bija plika galvvirsa un viņa seja atgādināja mīkstu, no gumijas taisītu valriekstu. Kad viņi ienāca, klusās sarunas aprima pavisam. Likās, ka visi pazīst Hagridu — apmeklētāji māja ar roku un uzsmaidīja milzim. Bārmenis pasniedzās pēc glāzes un uzsauca: — Vai parasto, Hagrid?

— Nevaru, Tom, jānokārto Cūkkārpas lietas, — Hagrids atbildēja un uzsita ar milzu plaukstu Harijam uz pleca tā, ka zēnam ieliecās ceļgali.

— Mīļais Dievs, — bārmenis sacīja, piekalis skatu Harijam, — vai tas ir... vai tas var būt...

Pēkšņi "Caurajā katlā" iestājās klusums. Nedzirdēja ne mazākā troksnīša.

— Apžēlojieties, — nočukstēja vecais bārmenis. — Harijs Poters... kāds gods.

Viņš žigli apgāja apkārt letei, piesteidzās pie Harija un, asarām acīs, satvēra zēna roku.

— Esiet sveicināts, Potera kungs, esiet sveicināts.

Harijs īsti nesaprata, ko teikt. Visi skatījās uz viņu. Vecā dāma turpināja sūkt savu kaļķīti, nemaz nemanot, ka tas izdzisis. Hagrids staroja.

Nākamajā mirklī atskanēja daudzu krēslu bīdīšanas troksnis, un turpmākās pāris minūtes Harijs pavadīja, spiežot roku ikvienam "Caurā katla" apmeklētājam.

— Dorisa Krokforda, Potera kungs, nespēju noticēt, ka beidzot esmu jūs satikusi.

— Esmu pagodināta, Potera kungs, esmu pagodināta.

— Vienmēr esmu vēlējies paspiest jums roku — šis mirklis mani aizkustina.

— Kāds prieks, Potera kungs, nespēju to izteikt. Digls mani sauc, Dedals Digls.

— Es jūs jau esmu redzējis! — Harijs sacīja, Dedalam Diglam pat cilindrs nokrita no pārsteiguma. — Jūs reiz man paklanījāties veikalā.

— Viņš atceras! — iesaucās Dedals Digls, starodams tā, ka likās — krogā kļūst gaišāk. — Vai dzirdējāt? Viņš mani atceras!

Harijs turpināja spiest rokas — Dorisa Krokforda gribēja to darīt vēl un vēl.

Visbeidzot pie zēna nervozi pienāca bāls, jauns cilvēks, kuram brīdi pa brīdim noraustījās viens plakstiņš.

— Profesors Drebelis! — iepazīstināja Hagrids. — Harij, profesors Drebelis būs viens no taviem pasniedzējiem Cūkkārpā.

— P-P-Poter, — stostoties ierunājās profesors Drebelis un satvēra Harija roku, — ne-ne-spēju izteikt, kā prie-priecājos jūs satikt!

— Kādu maģiju jūs pasniedzat, profesor?

— Aiz-aizsardzību pret tum-tum-šajām zintīm, — izmocīja profesors Drebelis, it kā viņam šausmas iedvestu jau doma par tumšajām zintīm vien. — Bet jums, P-P-Poter, tas jau laikam nebūs vajadzīgs? — Pasniedzējs nervozi iesmējās. — Esat at-atbraukuši pēc nepieciešamajām man-mantām? Man pašam va-vajadzēja iegādāties jauniznākušu grāmatu par vam-vampīriem. — Izrunājis pēdējo vārdu, profesors bažīgi atskatījās.

Taču pārējie neļāva profesoram ilgāk aizkavēt Hariju no publikas apbrīnas. Vēl minūtes desmit pagāja, kamēr visi atkal un atkal izteica savu sajūsmu. Visbeidzot Hagridam izdevās pārspēt aizrautīgo čalu.

— Mums jādods tālāk — tik daudz kas jāpagūst nopirkt. Iesim, Harij!

Dorisa Krokforda vēl pēdējo reizi paspieda Harija roku, tad Hagrids izvadīja zēnu cauri krogam mazā, mūru iežogotā pagalmiņā, kur bez atkritumu tvertnes un pāris nezāļu ceriem nekā nebija.

Hagrids uzsmaidīja Harijam.

— Nu, vai es tev neteic? Tu es slavens. Pat profesors Drebelis drebēj pie visām miesām — ties gan, viņš vienmēr dreb pie visām miesām.

— Vai viņš vienmēr ir tik nervozs?

— Ak jā. Nabaga puisis. Lielisks prāts. Viss bij kārtībā, kamēr viņš studēja grāmatas, bet tad viņš izprasījās uz gadu izmēģināt iegūtās zināšanas praksē... Runā, Melnajā mežā esot sastapies ar vampīriem, un tad vēl nelāgs atgadījums ar kādu riebēju — kopš tā laika profesors ir izmainījies līdz nepazīšanai. Viņš baidās no studentiem, baidās pats no sava priekšmeta... Tā, kur palika mans lietussargs?

Vampīri? Riebējas? Harijam likās, ka tūlīt nojūgsies. Hagrids tikmēr skaitīja ķieģeļus mūrī virs atkritumu tvertnes.

— Trīs uz augšu... divi pa diagonāli... — viņš murmināja. — Te. Harij, paej mazliet malā.

Milzis trīsreiz uzsita pa sienu ar lietussarga smaili.

Ķieģelis, kuram viņš pieskārās, sakustējās, savērpās — tā vidū parādījās mazs caurumiņš, kas kļuva arvien lielāks un lielāks. Pēc mirkļa mūrī bija pavērusies krietna arka, kurā pat Hagridam nebūtu jāpieliecas. Harija acu priekšā aizlocījās pašaura, bruģēta ieliņa.

— Laipni lūdzu, — teica Hagrids. — Šī ir Diagonaleja.

Redzēdams Harija apjukumu, milzis labdabīgi nosmīnēja. Viņi

izgāja cauri arkai. Harijs pameta skatu atpakaļ un redzēja, kā eja acumirklī atkal pārvēršas par mūri.

Pie tuvākā veikala saulē mirdzēja dažnedažādi katli. Pie ieejas bija redzama izkārtne *Katli — Visi izmēri — Kapars, varš, alva, sudrabs — Pašmaisošie — Saliekamie.*

— Tā, arī tev vienu vajadzēs, — sacīja Hagrids, — tikai mums vispirms jātiek pie naudas.

Harijs karsti vēlējās, kaut viņam būtu vēl četri acu pāri. Iedams pa ielu, viņš grozīja galvu uz visām pusēm un centās neko nepalaist garām: ne veikalus, ne pie tiem izliktās preces, ne cilvēkus, kuri iepirkās. Pie aptiekas tumīga sieviete šūpoja galvu un pie sevis šķendējās: — Pūķu aknas, septiņpadsmit sirpu uncē, viņi ir zaudējuši prātu...

No tumša veikala ar uzrakstu "Īlopa pūču valstība — meža pūces, plīvurpūces, brēcējpūces, apogi un polārpūces" skanēja klusa, maiga ūjināšana. Vairāki Harija vecuma puikas bija piespieduši degunus pie skatloga, kurā greznojās dažnedažādi slotaskāti. — Paskatieties, — viens no zēniem ierunājās, — jaunais divtūkstošais nimbs — tas ir pats ātrākais...

Citos veikalos tirgoja drānas, vēl citos — tālskatus un dīvainus sudraba rīkus, ko Harijs nekad iepriekš nebija redzējis. Vēl varēja redzēt skatlogus, kuros bija izlikti ar sikspārņu liesām un zušu acīm pildīti toveri, skatlogus, kuros slējās šūpīgas burvju grāmatu kaudzes, skatlogus ar rakstāmspalvām un pergamenta rituļiem, mikstūru pudelītēm, Mēness globusiem...

— Gringoti, — atskanēja Hagrida balss.

Viņi bija nonākuši pie sniegbaltas ēkas, kas slējās pāri apkārtējiem veikaliņiem. Līdzās nama spoži pulētajām bronzas durvīm sarkanzeltainā formas tērpā stāvēja...

— Jā, tas ir goblins, — klusi apstiprināja Hagrids, kad viņi kāpa pa baltajiem akmens pakāpieniem uz bankas kalpotāja pusi. Goblins bija apmēram galvas tiesu mazāks par Hariju, tam bija melnīgsnēja, gudra seja, smaila bārda un Harijs uzreiz pamanīja ļoti garus pirkstus un lielas pēdas. Kad nācēji sasniedza durvis, goblins paklanījās. Nu viņu priekšā bija nākamās durvis, šoreiz no sudraba. Uz tām bija iegravēti vārdi:

Ienāc, svešais, tomēr zini
Mantrausības grēka cenu.
Tiem, kas ņem, bet negrib pelnīt,
Nāksies maksāt divtik dārgi.
Ja šeit meklē svešu mantu,
Zagli, bīsties, ej ar labu,
Jo ko baisāku par zeltu
Mūsu velvēs atrast var.

— Kā jau teic, vajag būt trakam, lai mēģināt te laupīt, — sacīja Hagrids.

Ejot cauri sudraba durvīm, viņiem paklanījās divi goblini, kas stāvēja katrā pusē ejai. Harijs un Hagrids nonāca milzīgā marmora zālē. Te uz augstiem ķebļiem aiz garas letes sēdēja vairāk nekā simt goblinu. Daži rakstīja lielās kantorgrāmatās, citi svēra monētas uz bronzas svariem, vēl citi ar lupu palīdzību pētīja dārgakmeņus. Gar zāles sienām bija neskaitāmi daudz durvju, un vēl vismaz tikpat goblinu vadīja bankas apmeklētājus iekšā vai ārā pa šīm durvīm. Hagrids un Harijs devās pie letes.

— Brīt, — Hagrids uzrunāja brīvu goblinu. — Mēs esam nākuši, lai izņemtu mazliet nauds no Harija Potera kunga seifa.

— Vai jums, kungs, ir atslēga?

— Kauč kur tā bij, — sacīja Hagrids un sāka meklēties kabatās, kraudams uz letes to saturu. Appelējušas suņu barības rieša nobira uz goblina kantorgrāmatas, un apkalpotājs sarauca degunu. Harijs vēroja, kā blakus sēdošais goblins sver rubīnu kaudzīti — tie bija milzīgi un atgādināja kvēlojošas ogles.

— Te tā ir, — teica Hagrids, turēdams rokā mazītiņu zelta atslēdziņu.

Goblins to rūpīgi nopētīja.

— Šķiet, tā ir īstā.

— Vēl man ir vēstul no profesora Dumidora, — svarīgi paziņoja Hagrids, izriezdams krūtis. — Tā ir par Jūs-Zināt-Ko no septiņsimt trīspadsmitā kambara.

Goblins rūpīgi izlasīja vēstuli.

— Lieliski, — viņš sacīja, atdodams pergamentu Hagridam. — Tūlīt paaicināšu kādu, kurš pavadīs jūs līdz abiem kambariem. Grābni!

Arī Grābnis bija goblins. Kad Hagrids bija savācis savu suņu barību un sabēris to atpakaļ kabatās, viņi abi ar Hariju devās līdzi Grābnim uz vienu no durvīm, kas veda ārā no zāles.

— Kas ir Jūs-Zināt-Kas septiņsimt trīspadsmitajā kambarī? — apvaicājās Harijs.

— Nedrīkst tev teikt, — mīklaini atbildēja Hagrids. — Liels noslēpums. Sakarā ar Cūkkārpu. Dumidors uzticēja man to izdarīt. Ja izstāstīš, var palikt bez darba.

Durvīs Grābnis palaida apmeklētājus pa priekšu. Harijs bija cerējis ieraudzīt līdzīgu marmora zāli, bet viņa priekšā stiepās šaura, liesmojošu lāpu apgaismota akmens eja. Tā strauji veda lejup, un pa grīdu aizvijās šauras sliedītes. Grābnis uzsvilpa, un pēc mirkļa ejā parādījās nelieli ratiņi. Visi trīs iekāpa — Hagridam gan tas nenācās viegli — un devās ceļā.

Vispirms viņi traucās pa līkumotu eju labirintu. Sākumā Harijs pūlējās atcerēties ceļu — pa kreisi, pa labi, pa labi, pa kreisi, sazarojumā pa vidējām sliedēm, pa labi, pa kreisi — taču tas nebija iespējams. Grabošie ratiņi, šķiet, paši zināja ceļu, jo Grābnis tos nevadīja.

Ātri braucot, aukstais gaiss dzēla acīs, tomēr Harijs turēja tās plaši atplestas. Kādā no ejām viņš ievēroja uzliesmojumu un žigli

pagriezās atpakaļ, lai redzētu, vai tas bija pūķis, taču par vēlu —
viņi traucās arvien dziļāk, tad pabrauca garām pazemes ezeram,
ap kuru no griestiem un grīdas varēja redzēt milzīgus stalagmītus
un stalaktītus.

— Es nekad neatceros, — Harijs uzrunāja Hagridu, mēģinā-
dams pārkliegt ratiņu graboņu, — kāda ir atšķirība starp stalag-
mītu un stalaktītu?

— Stalagmītā ir "m" burts, — atbildēja Hagrids. — Un, ja
var, neuzdod man tagad jautājums, man tūlīt būs slikti.

Milzis tiešām metās iezaļgans, un, kad ratiņi beidzot apstā-
jās pie mazām durtiņām ejas sienā, Hagrids izkāpis atspiedās pret
mūri un nogaidīja, līdz mitēsies drebēt ceļgali.

Grābnis atslēdza durvis. Aiz tām novirmoja zaļu dūmu mu-
tulis, un, kad tas izklīda, Harijam aizrāvās elpa — kambarī gla-
bājās zelta monētu riekšas. Sudraba stabiņi. Un mazo bronzas
knutu kaudzes.

— Tas pieder tev, — pasmaidīja Hagrids.

Tas viss piederēja Harijam — tam nu gan bija grūti noticēt.
Dērsliji par šīm monētām acīmredzot neko nezināja, citādi viņi
būtu tās tūlīt savākuši, neviens nepagūtu ne aci pamirkšķināt.
Viņi mūždien žēlojās, cik gan dārgi izmaksājot zēna uzturēšana!
Un te nu bija neliela bagātība, kas piederēja Harijam un glabājās
pazemē dziļi zem Londonas.

Hagrids palīdzēja Harijam ielasīt kaudzīti monētu maisiņā.

— Zelta monētas sauc par galeoniem, — milzis skaidroja.
— Vienā galeonā ir septiņpadsmit sudraba sirpu, bet sirpā — div-
desmit deviņas knutas, tas ir gana vienkārši. Tā, ar to vajadzētu pie-
tikt pāris trimestriem, pārējais lai paliek seifā vēlākam laikam. —
Tad viņš pievērsās Grābnim. — Tagad, lūdzu, uz septiņsimt trīs-
padsmito kambari, un vai mēs varēt braukt mazliet lēnāk?

— Tikai viens ātrums, — strupi atbildēja Grābnis.

Viņi devās vēl dziļāk pazemē, turklāt ātrums arvien pieauga.

Viņi izbrauca līkumu pēc līkuma, gaiss kļuva arvien aukstāks un aukstāks. Ratiņi grabēdami aiztraucās pār pazemes aizu. Harijs pārliecās pāri braucamrīka malai, lai mēģinātu saskatīt aizas dibenu, bet Hagrids ievaidējās un, sagrābis aizbilstamo aiz apkakles, ievilka atpakaļ drošībā.

Septiņsimt trīspadsmitajam kambarim nebija atslēgas cauruma.

— Paejiet malā, — svarīgi lūdza Grābnis. Viņš noglāstīja durvis ar vienu no saviem garajiem pirkstiem — un tās vienkārši izkusa.

— Ja to mēģinātu izdarīt kāds cits, izņemot Gringotu goblinu, durvis iesūktu nelūgto viesi, un viņš paliktu iesprostots kambarī, — paskaidroja Grābnis.

— Cik bieži jūs pārbaudāt kambarus, vai kāds tajos nav iesūkts? — Harijs gribēja zināt.

— Apmēram reizi desmit gados, — atbildēja Grābnis un pasmaidīja diezgan netīkamu smaidu.

Šajā īpaši slepenajā kambarī laikam tiešām atradās kas ļoti svarīgs, par to Harijs bija pārliecināts, un viņš ziņkāri paliecās uz priekšu, cerēdams ieraudzīt vismaz satriecošu dārgakmeņu kaudzi — bet pirmajā acumirklī kambaris likās tukšs. Tad zēns uz grīdas pamanīja nelielu, vienkāršu, brūnā papīrā ietītu sainīti. Hagrids to paņēma un paslēpa sava mēteļa dzīlēs. Harijam ļoti kārojās uzzināt, kas bija sainītī, tomēr viņš savaldījās.

— Kāpsim nu atpakaļ tajos elles vāģos, un, lūdzu, nerunā ar mani pa ceļam, šķiet, labāk būs, ja turēšu muti ciet, — sacīja Hagrids.

* * *

Pārcietuši vēl vienu neprātīgu braucienu, viņi stāvēja pie bankas nama, mirkšķinot no saules apžilbušās acis. Tagad, kad somā jautri žvadzēja viņa nauda, Harijam acis skrēja uz visām pusēm un viņš nesaprata, ar ko sākt iepirkšanos. Viņš īsti nespēja aptvert, kāds varētu būt galeona un mārciņas maiņas kurss, bet viens gan bija skaidrs — viņam šobrīd līdzi bija vairāk naudas, nekā viņš jebkad dzīvē tika redzējis. Un vairāk, nekā gādīgie vecāki bija izsnieguši Dūdijam dāsnajās kabatas naudās.

— Varbūt varam sākt ar formastērpu, — ieminējās Hagrids, ar galvas mājienu norādīdams uz izkārtni "Malkinas madāmas drānas jebkuram dzīves gadījumam". — Klau, Harij, ja tev nekas nav iebilstams, es labprāt ieskrietu "Caurajā katlā" un ierautu kādu graķīti. Es nevaru ciest tos Gringotu ratiņus. — Likās, ka milzim vēl arvien ir slikta dūša. Tā nu Harijs, juzdamies mazliet nedroši, iegāja Malkinas madāmas veikalā viens pats.

Malkinas madāma bija drukna, smaidīga ragana, no galvas līdz kājām tērpusies gaiši violetās drēbēs.

— Uz Cūkkārpu, draudziņ? — Kamēr Harijs lauzīja galvu, kā izklāstīt savas vajadzības, saimniece jau bija klāt. — Te ir īstā vieta, lai visu iegādātos, — rau, tur mēs noņemam mērus vēl vienam jauneklim.

Veikala dziļumā Harijs ieraudzīja zēnu ar bālu seju un asiem vaibstiem. Viņš stāvēja uz ķeblīša, bet otra ragana tikmēr atsprauda viņa garo, melno drānu apakšmalu. Malkinas madāma lūdza Harijam uzkāpt uz blakus soliņa, pārvilka viņam pār galvu garu talāru un ar spraudītēm nostiprināja to nepieciešamajā garumā.

— Sveiks, — zēns ierunājās, — arī uz Cūkkārpu?

— Jā, — atbildēja Harijs.

— Mans tēvs blakus veikalā pērk grāmatas, bet mamma aizgāja uzmest acis zižļiem, — stāstīja zēns. Viņš runāja garlaikotā balsī, mazliet stiepdams vārdus. — Tad es aizvilkšu viņus līdz sacīkšu slotaskātu veikalam. Nesaprotu, kāpēc pirmziemniekiem neļauj ņemt līdzi pašiem savas slotas? Mēģināšu pierunāt tēvu, lai viņš tomēr nopērk kātu — varbūt izdosies to kaut kā iedabūt skolā...

Kaut kas zēna izturēšanās manierē Harijam stipri vien atgādināja Dūdiju.

— Vai tev ir sava slota? — zēns turpināja.

— Nav, — atzinās Harijs.

— Tu kalambolu spēlē?

— Nē, — Harijs atkal atbildēja noliedzoši, lauzīdams galvu, kas tas kalambols tāds ir.

— *Es* gan spēlēju. Tēvs saka — būšot noziegums, ja mani ne-iekļaus torņa komandā, un es nevaru nepiekrist. Vai zini, kurā tornī būsi?

— Nē, — atbildēja Harijs, ar katru mirkli juzdamies arvien stulbāks.

— Nu, neviens jau īsti nezina, kamēr netiek līdz skolai, bet es esmu gatavs galvu likt ķīlā, ka būšu slīdeņos, visa mūsu dzimta bijusi šajā tornī — iedomājies, ja tev būtu jākļūst par elšpūti? Es drīzāk pamestu skolu, un tu?

— Mmm, — daudznozīmīgi novilka Harijs, kaut labprāt būtu pateicis ko interesantāku.

— Paskaties, paskaties uz to veci! — pēkšņi iesaucās zēns, no-rādīdams uz skatlogu. Tur uz ielas stāvēja Hagrids, smaidīja un rādīja uz diviem lieliem saldējumiem, tā likdams saprast, ka nevar ieiet veikalā.

— Tas ir Hagrids, — paskaidroja Harijs, priecādamies, ka zina vismaz vienu lietu, ko otrs zēns nezina. — Viņš strādā Cūk-kārpā.

— Ak tā, — sacīja sarunbiedrs. — Esmu par viņu dzirdējis. Kaut kāds kalps, vai ne?

— Viņš ir pārzinis, — teica Harijs. Jaunais paziņa viņam pa-tika arvien mazāk un mazāk.

— Jā, tieši tā, es atceros dzirdējis, ka viņš esot pa pusei *mežonis* — dzīvojot būdā līdzās skolai, brīdi pa brīdim piedze-roties, mēģinot nodarboties ar buršanu un beigu beigās aizde-dzinot pats savu guļasvietu.

— Man gan viņš patīk, — auksti noskaldīja Harijs.

— *Tiešām*? — ņirdzīgi novilka zēns. — Kāpēc viņš ir kopā ar tevi? Kur ir tavi vecāki?

— Miruši, — Harijs īsi atbildēja. Viņam nelikās, ka zēns būtu piemērotākais sarunbiedrs šī jautājuma apspriešanai.

— Ak, man ļoti žēl, — sacīja topošais skolasbiedrs, kaut viņa balsī nevarēja saklausīt ne vissīkāko līdzjūtības pieskaņu. — Bet viņi vismaz bija *mūsējie*?

— Viņi bija ragana un burvis, ja tu to gribēji jautāt.

— Es tiešām uzskatu, ka viņiem nevajadzētu uzņemt audzēkņus no citādām ģimenēm. Viņi taču ir citādi, viņi nav audzināti mūsu garā. Daži no viņiem līdz vēstules saņemšanai neko nav dzirdējuši par Cūkkārpu, vai spēj to iedomāties? Es domāju, ka Cūkkārpa tomēr ir paredzēta bērniem no vecām burvju dzimtām. Starp citu, kā tevi sauc?

Taču, pirms Harijs paguva atbildēt, Malkinas madāma viņu uzrunāja: — Ar tevi, mīļais, mēs esam beiguši.

Harijs, daudz nebēdādams, izmantoja šo ieganstu, lai pārtrauktu sarunu, un nolēca no ķeblīša.

— Gan jau redzēsimies Cūkkārpā, — vēl arvien stiepdams vārdus, viņam nopakaļ uzsauca nepatīkamais sarunbiedrs.

Ēzdams Hagrida sagādāto saldējumu (šokolāde un avenes ar kapātiem riekstiem), Harijs nebilda ne vārda.

— Kas noticis? — apvaicājās Hagrids.

— Nekas, — Harijs meloja. Viņi iegāja veikalā, lai nopirktu pergamentu un rakstāmspalvas. Harija garastāvoklis manāmi uzlabojās, kad viņš atrada tinti, kura rakstīšanas laikā mainīja krāsu. Kad abi bija izgājuši no veikala, zēns pajautāja: — Hagrid, kas ir kalambols?

— Nolāpīts, Harij, es mūždien piemirst, cik maz tu zin — pat par kalambolu ne!

— Neliec man justies vēl draņķīgāk, — sacīja Harijs un izstāstīja Hagridam par bālo zēnu no Malkinas madāmas darbnīcas.

— ...un vēl viņš teica, ka bērnus no vientiešu ģimenēm vispār nevajadzētu pieņemt skolā...

— Tu neesi *no* vientieš ģimenes. Ja viņš zināt, kas tu *es* — un, ja viņš ir uzaudzs burvju ģimenē, viņš tavu vārdu ir dzirdējs neskaitāmas reizes, tu jau redzēj, kā mūsējie izturējās "Caurajā katlā". Un, vispār, ko gan viņš par to zin, daudzi lieliski burvji un ragans ir nākuš no tīro vientiešu ģimenēm — kaut vai tava mamma! Un paskaties, kāda viņai tā mās!

— Labi, bet kas ir kalambols?

— Mūsu sports. Burvju sports. Tas ir kā — tas ir kā futbols vientiešu pasaulē — ikviens mūsējais interesējas par kalambolu. To spēlē gaisā, sēžot uz slotaskātiem, ar četrām bumbām, noteikumus gan man būs pagrūti tev izskaidrot.

— Un kas ir Slīdenis un Elšpūtis?

— Skolas torņu nosaukum. Pavisam ir četri torņi. Mēdz jau melst, ka elšpūši est tīrie nemākuļi, bet... No vienas puses, tornis ir tikai tornis, no otrs — katram no tiem savs raksturs, un bērni nokļūst vien no četriem pēc tā, cik viņu pašu gars pas ar torņa gar.

— Varu saderēt, ka tikšu Elšpūtī, — drūmi pareģoja Harijs.

— Labāk būt par elšpūti nekā par slīdeni, — ne mazāk drūmi atteica Hagrids. — Visi burvji un raganas, kas pieslējās tumšajiem spēkiem, bija no Slīdeņa. Paši-Zināt-Kas tajā skaitā.

— Vol... Piedod — Paši-Zināt-Kas mācījās Cūkkārpā?

— Pirms daudziem gadiem, — paskaidroja Hagrids.

Harija skolas grāmatas viņi pirka veikalā, ko sauca *Flarišs un Blots*. Plaukti sniedzās no grīdas līdz griestiem, un tajos varēja atrast visvisādas grāmatas — tik lielas kā bruģakmeņi, iesietas ādā; tik mazas kā pastmarkas zīda vākos; grāmatas, kuras bija pierakstītas ar dīvainiem simboliem, un pat pāris tādu, kurās vispār nebija nekā. Kad Harija rokās tika profesora Vindiktusa Viridiāna sējums *Lāsti un pretlāsti (Nobur savus draugus un apstulbini ienaidnieku ar jaunākajām atriebībām: matu zudumu, kāju trīcekli, mēles*

stīvumu un daudzām, daudzām citām), Hagridam nācās krietni no-
pūlēties, līdz viņš atrāva zēnu no biezās grāmatas.

— Es mēģināju atrast kādu Dūdijam piemērotu lāstu.

— Melotu, ja teikt, ka tā ir slikt dom, tomēr tu nedrīkst iz-
mantot burvestības vientiešu pasaulē, tik vien kā ļoti īpašos ap-
stākļos, — paskaidroja Hagrids. — Turklāt neviens no tiem lās-
tiem tev tik un tā neizdotos, tev vēl daudz jāmācs, lai tikt līdz tam
līmenim.

Arī tīra zelta katlu Hagrids neļāva Harijam pirkt ("Tavā sa-
rakstā norādīts — tam jābūt alvas"), bet viņi nopirka glītus sva-
riņus un saliekamu vara teleskopu. Tad viņi iegāja aptiekā, kuras
plauktos bija tik daudz aizraujošu lietu, ka tas novērsa domas no
briesmīgās smakas, kas atgādināja sapuvušu olu un pārskābušu kā-
postu smārda sajaukumu. Uz grīdas stāvēja mučeles ar kaut kādām
gļotām, sienas no vienas vietas klāja krūkas ar dažādām zālītēm,
kaltētām saknēm un spilgtiem pulveriem. Spalvu saišķi, ilkņu vir-
tenes un ķetnas ar milžu nagiem nokarājās no telpas griestiem.
Kamēr Hagrids pirka no aptieķnieka šādas tādas pamatvielas Ha-
rija mikstūrām, pats topošais skolnieks pētīja sudraba vienradžu
ragus, kas katrs maksāja divdesmit vienu galeonu, un mazītiņas,
spoži melnas vaboļu acis (piecas knutas par liekšķerīti).

Kad viņi izgāja no aptiekas, Hagrids vēlreiz izvilka Harija sa-
rakstu.

— Vēl tikai zizls — un, pareizi, neesmu tev nopircs dzim-
šandienas dāvan.

Harijs nosarka.

— Tas tev nav jādara...

— Zinu, ka nav. Paklau, es nopirkš tev dzīvniek. Neņems
krupi, tie izgāj no modes pirms daudz gadiem, par tevi smietos —
un man nepatīk kaķ, man no šiem jāšķaud. Es nopirkš tev pūc.
Visiem bērniem patīk pūcs, turklāt tās ir šausmīg noderīgs, var
pienest past vai cits liets.

Pēc divdesmit minūtēm viņi izgāja no tumšās "Īlopa pūču valstības", kas viņus sagaidīja un pavadīja ar čaboņu un daudziem zibošiem, dārgakmeņu spožuma acu pāriem. Harijs nesa lielu būri, kurā, paslēpusi galvu zem spārna, sēdēja skaista, cieši aizmigusi polārpūce. Viņš nespēja vien beigt pateikties milzim, un satraukumā zēna stostīšanās mazliet atgādināja profesoru Drebeli.

— Liecies tak mierā, — nepacietīgi attrauca Hagrids. — Necer, ka Dērsliji tev būs piegāzuš pilnu māju ar dāvanām. Tagad vēl tikai Olivands — vienīgais veikals, kurā vērts pirkt zižļus, un tev jānopērk labs zizlis.

Burvju zizlis... šī, protams, bija lieta, ko Harijam bija kārojies nopirkt visvairāk.

Zižļu veikals izrādījās pašaurs un noplucis. No izkārtnes virs durvīm lobījās zelta burti "Olivands: smalki zižļi kopš 382. gada pr. Kristus". Noputējušajā skatlogā uz pabalējuša purpura paliktņa skuma viens vienīgs zizlis.

Kad viņi pavēra durvis, veikala dziļumā atskanēja dzidras zvaniņa skaņas. Vietas veikalā bija ļoti maz, un Hagrids apsēdās gaidīt visai trausla izskata krēslā, vienīgajā mēbelē, kas stāvēja telpā. Harijs jutās dīvaini — it kā būtu ienācis bibliotēkā, kurā valda ļoti stingri noteikumi. Viņš paturēja pie sevis jaunu jautājumu tūkstošus un tā vietā ņēmās aplūkot šauru kastu tūkstošus — tās kārtīgi sakrautās kaudzēs sniedzās līdz pašiem griestiem. Nez kādēļ viņam pa muguru skraidelēja skudriņas. Likās, ka pat putekļiem un klusumam te piemīt noslēpumaina maģija.

— Labdien, — atskanēja klusa balss. Harijs salēcās. Šķiet, arī Hagridu uzruna bija pārsteigusi nesagatavotu, jo aiz muguras žēli nočīkstēja krēsls, no kura mazliet par strauju pietrausās milzis.

Viņu priekšā stāvēja vecs vīrs, kura platās, gaišās acis veikala pustumsā spīdēja kā divi mēneši.

— Sveiki, — neveikli sveicināja Harijs.

— Ak, jā, — vīrs teica. — Jā, jā, es jau domāju, ka jums drīz jāparādās. Harijs Poters. — Tas nebija jautājums. — Jums ir mātes acis. Liekas, vēl tikai vakar viņa šeit pirka savu pirmo zizli. Desmit un vienu ceturtdaļu collas garumā, elegants, pagatavots no vītola. Kā radīts burvestībām.

Olivanda kungs pienāca tuvāk. Harijs gribēja pamirkšķināt acis, bet nespēja. Sudraba mēnešu pāris likās mazliet baiss.

— Jūsu tēvs savukārt deva priekšroku sarkankoka zizlim. Vienpadsmit collu. Lokans. Mazliet jaudīgāks, lielisks pārvērtībām. Es teicu, ka tēvs tam deva priekšroku — lai gan, protams, ir otrādi — zizlis izvēlas burvi.

Olivanda kungs bija pienācis tik tuvu, ka viņa deguns atradās tikai pirksta tiesu no Harija degungala. Dūmakainajās acīs Harijs spēja saskatīt pats savu atspīdumu.

— Un te...

Olivanda kungs pieskārās zibens šautrai līdzīgajai rētai uz Harija pieres ar garu, bālu pirkstu.

— Man ļoti žēl, bet jāatzīst, ka arī zizli, kas atstāja šo rētu, pārdevu es, — veikala saimnieks klusi sacīja. — Trīspadsmit ar pusi collas. Īve. Ļoti spēcīgs zizlis, ļoti spēcīgs, turklāt nelāgās rokās... Ja es būtu zinājis, ko šis zizlis sastrādās pasaulē...

Viņš nošūpoja galvu un tad, Harijam par lielu atvieglojumu, pamanīja Hagridu.

— Lempiuss! Lempiuss Hagrids! Priecājos jūs atkal redzēt... Ozols, sešpadsmit collu, diezgan mezglains, vai ne tā?

— Jūs visu atceraties, kungs, — atbildēja Hagrids.

— Tas bija labs zizlis. Bet, domājams, to salauza, kad jūs izslēdza no skolas? — Olivanda kungs pēkšņi kļuva skarbs.

— Mmm, jā, tas tiesa, — mīņādamies uz vietas, atzinās Hagrids. — Bet atlūzas vēl arvien ir pie manis, — jau priecīgāk piebilda milzis.

— Bet jūs taču tās nelietojat, — nu jau visai asi jautāja Olivanda kungs.

— Nē, nē, protams, nē, — Hagrids pārāk ātri atbildēja. Harijs ievēroja, kā milzis runādams sažņaudz rokās savu rozā lietussargu.

— Hmm, — noteica Olivanda kungs, veltīdams Hagridam caururbjošu skatienu. — Labi, pievērsīsimies jums, Potera kungs. Tā, paskatīsimies. — Veikala īpašnieks izvilka no kabatas garu mērlenti ar sudraba atzīmēm. — Kura ir jūsu zižļa roka?

— Es, es, es rakstu ar labo roku, — apjucis atbildēja Harijs.

— Izstiep roku. Labi. — Olivanda kungs nomērīja roku no pleca līdz pirkstu galiem, tad no plaukstas līdz elkonim, tad pašu zēnu no pleca līdz grīdai, no ceļgala līdz padusei. Visbeidzot veikala saimnieks noteica Harija galvas apkārtmēru. Mērīdams Olivanda kungs turpināja skaidrot: — Katram Olivandu zizlim ir serde, un tā savukārt ir pagatavota no kādas spēkpilnas maģiskas vielas. Potera kungs, mēs izmantojam vienradža astrus, fēniksu astes spalvas un pūķu sirds dzīslas. Nemēdz būt divu vienādu Olivandu zižļu, tāpat kā jūs neatradīsiet divus pilnīgi vienādus vienradžus, pūķus vai fēniksus. Un, protams, cita burvja zizlis jums nekad neklausīs tik labi kā jūsējais.

Pēkšņi Harijs aptvēra, ka mērlente, kas pašlaik, šķiet, mērīja attālumu starp viņa nāsīm, turpina darboties pati. Olivanda kungs jau rosījās ap plauktiem, cilādams šaurās kastītes.

— Būs gana, — veikala saimnieks uzsauca, un mērlente savēlās līkumu murskulī uz grīdas. — Izmēģiniet šo te, Potera kungs. Dižskābardis un pūķa sirds dzīsla. Deviņas collas. Glīts un lokans. Paņemiet to un mēģiniet pavēcināt!

Harijs paņēma zizli un (juzdamies pagalam muļķīgi) mazliet to pacilāja, taču Olivanda kungs jau bija izrāvis nūjiņu viņam no rokas.

— Kļava un fēniksa spalvas. Septiņas collas. Gluži kā pātadziņa. Izmēģiniet...

Harijs pacēla zizli — bet arī šo veikala saimnieks paķēra atpakaļ.

— Nē, nē, — pamēģiniet šo, melnkoks un vienradža astrs, astoņarpus collas, atsperīgs. Uz priekšu, uz priekšu, izmēģiniet!

Harijs izmēģināja piedāvāto zizli. Tad vēl vienu. Un vēl. Viņš nesaprata, ko gaida Olivanda kungs. Izmēģināto zižļu kaudze uz vienīgā krēsla auga augumā, turklāt šķita, ka līdz ar katru no plaukta nocelto zizli veikala saimnieks kļūst arvien priecīgāks un priecīgāks.

— Smalks pircējs, ko? Neuztraucieties — te kaut kur ir zizlis, kurš būs lieliski piemērots tieši jums — pag, varbūt šis — jā, kāpēc gan ne — neparasts apvienojums, akmensozols un fēniksa spalva, vienpadsmit collu, glīts un padevīgs.

Harijs paņēma zizli. Un pēkšņi sajuta pirkstos savādu siltumu. Viņš pacēla zizli virs galvas, tad strauji to nolaida, pārcirzdams putekļaino gaisu. No zižļa gala kā uguņošanā izšāvās sarkanu un zeltainu dzirksteļu šaltis, izgaismodamas sienas ar dejojošiem atspulgiem. Hagrids sāka ūjināt un aplaudēt, bet Olivanda kungs izsaucās: — Ak, lieliski! Tiešām, lieliski... Labi, labi, labi... Bet dīvaini... cik ļoti dīvaini...

— Piedodiet, — vaicāja Harijs, — *kas ir* dīvaini?

Olivanda kungs vēlreiz ieurbās Harijā ar savām gaišajām acīm.

— Es, Potera kungs, atceros katru zizli, ko jebkad esmu pārdevis. Katru zizli. Un ir noticis tā, ka fēnikss, kura astes spalva veido jūsu zižļa serdi, deva vēl vienu spalvu, vēl vienu vienīgu spalvu. Un patiešām ir ļoti savādi, ka jums lemtajam zizlim ir brālis — brālis, kurš atstājis uz jūsu pieres šo rētu.

Harijam aizrāvās elpa.

— Jā, trīspadsmit ar pusi collas. Īve. Šīs sakritības patiešām mēdz būt savādas. Turklāt, atcerieties, zizlis izvēlas burvi... Es domāju, ka jūs, Potera kungs, paveiksiet dižas lietas... Galu galā, arī Vārdā Nesaucamais paveica dižas lietas — drausmīgas, tiesa, bet dižas.

Harijs nodrebinājās. Zēnam nelikās, ka Olivanda kungs būtu pārlieku simpātisks. Viņš samaksāja septiņus zelta galeonus par savu zizli, tad Olivanda kungs paklanījās un izvadīja viņus pa durvīm.

* * *

Bija vēla pēcpusdiena un saule jau laidās uz rieta pusi, kad Harijs un Hagrids, nonākuši līdz Diagonalejas galam, izgāja cauri sienai un atgriezās "Caurajā katlā", kurš tagad bija tukšs. Atpakaļceļā Harijs nebilda ne vārda. Viņš pat nemanīja, cik cilvēku paplestām mutēm atskatās uz viņiem — galu galā, viņi bija apkrauti ar veselu lērumu savādu saiņu, turklāt Harijam klēpī vēl arvien gulēja pūce. Uzbraukuši augšā pa vēļ vienu eskalatoru, viņi nonāca Pedingtonas stacijā. Kur viņi atrodas, Harijs saprata tikai tad, kad Hagrids paplikšķināja viņam pa plecu.

— Pirms vilciena atiešans tev vēl ir kāds brīds, lai iekostu, — milzis sacīja.

Viņš nopirka Harijam hamburgeru, un viņi apsēdās uz plastmasas krēsliem, lai paēstu. Harijs nepārstāja skatīties visapkārt. Viss izskatījās tik savāds.

— Vai ar tev, Harij, viss kārtībā? Tu tāds kluss, — jautāja Hagrids.

Harijam likās, ka viņš nespēs izskaidrot savas sajūtas. Beidzās jaukākā dzimšanas diena viņa mūžā — un, neskatoties uz to, viņš košļāja hamburgera kumosu un nespēja atrast vārdus, lai to izteiktu.

— Visi uzskata, ka esmu īpašs, — viņš beidzot ierunājās. — Visi tie ļaudis no "Caurā katla", profesors Drebelis, Olivanda kungs... Bet es par burvestībām itin neko nezinu. Kāpēc viņi uzskata, ka es paveikšu ko dižu? Es esmu slavens — un pat

neatceros, kāpēc es tāds esmu. Es neatceros, kas notika, kad Vol...
piedod... nu, tajā naktī, kad gāja bojā mani vecāki.

Hagrids pārliecās pāri galdam. Aiz izspūrušās bārdas un uz-
acīm varēja nojaust sirsnīgu smaidu.

— Neuztraucies, Harij. Tu visu ātri apgūs. Cūkkārpā ikviens
sāk no paša sākuma, viss būs kārtībā. Tikai izturies dabisk, ne-
pazaudē sevi. Tas nav viegl. Tu es īpašs, un tas allaž ir grūti. To-
mēr Cūkkārpā tev patiks — man tur patika un vēl tagad patīk, ja
godīgi.

Hagrids palīdzēja Harijam iekāpt vilcienā, kam vajadzēja no-
gādāt zēnu atpakaļ Dzīvžogu ielā pie Dērslijiem. Visbeidzot mil-
zis pasniedza zēnam aploksni.

— Tava biļete uz Cūkkārpu, — Hagrids paskaidroja. — Pirmjā
septembrī, no Kingskrosas — biļetē viss ir rakstīts. Ja kāds ne-
patikšans ar Dērslijiem, atlaid ziņu ar pūci, šī zinās, kur mani mek-
lēt... Uz drīzu redzēšanos, Harij.

Vilciens sāka kustēties. Harijs piecēlās stāvus un piespieda
degunu pie stikla — viņš vēlējās paturēt Hagridu acīs, līdz milzī-
gais stāvs pagaisīs ēnās, bet pietika zēnam pamirkšķināt, un milža
uz platformas vairs nebija.

SESTĀ NODAĻA

CEĻOJUMS NO PLATFORMAS NUMUR DEVIŅI UN TRĪS CETURTDAĻAS

Beidzamais mēnesis kopā ar Dērslijiem daudz prieka Harijam nesagādāja. Tiesa, Dūdijs tagad tā raustījās no Harija, ka centās nepalikt vienā istabā ar audžubrāli. Petūnijas tante un tēvocis Vernons savukārt nespundēja Hariju pieliekamajā, nelika zēnam neko darīt, nekliedza uz viņu — pat vairāk, viņi vispār ar Hariju nerunāja. Dīvainais šausmu un bezspēcīga niknuma sajaukums lika viņiem izturēties tā, it kā krēslā, kurā sēdēja Harijs, neviens nesēdētu. Kaut arī dzīve bija kļuvusi vieglāk paciešama, mājā valdīja nomācoša gaisotne.

Harijs pārsvarā dzīvojās pa savu istabu, ņemdamies ar Hagrida dāvināto pūci. Zēns nolēma dot tai "Burvestību vēsturē" uzieto Hedvigas vārdu. Mācību grāmatas viņam likās ļoti saistošas. Harijs mēdza tās lasīt līdz vēlai naktij, bet Hedviga tikmēr lidinājās ārā un iekšā pa atvērto logu. Par laimi, Petūnijas tante vairs nenāca uz istabu pat ar putekļu sūcēju, jo Hedviga visai bieži pārnesa pa beigtai pelei. Katru vakaru, pirms doties pie miera, Harijs nosvītroja vēl vienu dienu uz papīra lapas, ko bija piespraudis pie sienas. Uz lapas bija visi datumi līdz pirmajam septembrim.

Augusta pēdējā dienā Harijs nolēma palūgt tantei un tēvocim, lai tie nākamajā dienā nogādā viņu uz Kingskrosu. Zēns nogāja lejā uz viesistabu. Dērsliji skatījās televizoru. Harijs nokrekšķinājās, lai paziņotu par savu klātbūtni. Dūdijs iespiedzās un izmetās no istabas.

— Tēvoci Vernon...

Tēvocis Vernons noņurdēja, tā ļaudams nojaust, ka pamanījis Hariju.

— Man rīt jātiek līdz Kingskrosai... no turienes atiet vilciens uz Cūkkārpu.

Tēvocis Vernons noņurdēja vēlreiz.

— Vai jūs varētu mani aizvest?

Ņurdiens. Harijs nosprieda, ka tas varētu nozīmēt "jā".

— Paldies.

Zēns pagriezās, lai dotos atpakaļ uz savu istabu, kad tēvocis Vernons pēkšņi ierunājās cilvēka balsī.

— Dīvaini, ka uz burvju skolu jābrauc ar vilcienu. Kas noticis — visiem burvju paklājiem sadurtas riepas, vai?

Harijs neatbildēja.

— Starp citu, kur tā skola atrodas?

— Nezinu, — sacīja Harijs, pirmo reizi apjauzdams, ka viņš to tiešām nezina. Viņš izņēma no kabatas Hagrida iedoto biļeti.

— Man vienkārši jākāpj vilcienā, kas vienpadsmitos atiet no platformas numur deviņi un trīs ceturtdaļas, — viņš nolasīja no biļetes.

Tante un tēvocis saskatījās.

— No kuras platformas?

— Deviņi un trīs ceturtdaļas.

— Nerunā muļķības, — noskaldīja tēvocis Vernons, — tādas platformas "Numur deviņi un trīs ceturtdaļas" nemaz nav.

— Tā ir rakstīts uz biļetes.

— Neizskaidrojams, — tēvocis Vernons šķendējās, — neizsakāms vājprāts, ko tik viņi neizdomā. Tu redzēsi. Pagaidi tik. Labi, mēs tevi aizvedīsim uz Kingskrosu. Rīt mēs tik un tā braucam uz Londonu, tā kā man vienalga.

— Kāpēc jūs braucat uz Londonu? — pajautāja Harijs, cenzdamies izlikties pieklājīgs.

— Jāved Dūdijs uz slimnīcu, — norūca tēvocis Vernons. — Jātiek vaļā no tās cūkas astes pirms došanās uz Piedvaku.

* * *

Harijs pamodās piecos no rīta, un uztraukums neļāva viņam vairs aizmigt. Zēns piecēlās un uzvilka džinsus — viņš negribēja klīst pa ļaužu pilno staciju burvja drānās, viņš pārģērbsies, braucot vilcienā. Viņš vēlreiz pārskatīja Cūkkārpas sarakstu, lai pārliecinātos, ka viss nepieciešamais sagādāts, rūpīgi aizvēra Hedvigas būrīti un tad sāka soļot šurpu turpu pa istabu, gaidīdams, kad pamodīsies Dērsliji. Divas stundas vēlāk Harija milzīgais, smagais koferis bija iemocīts Dērsliju mašīnas bagāžniekā, Petūnijas tantei beidzot izdevās pierunāt Dūdiju apsēsties līdzās Harijam, un viņi devās ceļā.

Kingskrosā viņi nonāca pusvienpadsmitos. Tēvocis Vernons uzsvieda Harija koferi uz ratiņiem un iestūma tos stacijas ēkā. Harijam tas likās ļoti laipni no tēvoča puses, bet tad viņš saprata laipnības iemeslu — tēvocis apstājās kā iemiets ar nicīgu smīnu uz lūpām.

— Te nu tu esi, puikiņ. Platforma numur deviņi un platforma numur desmit. Tavai platformai laikam vajadzētu atrasties kaut kur starp abām, bet, šķiet, tā vēl nav uzbūvēta.

Protams, tēvocim bija taisnība. Virs vienas platformas karājās milzīgs plastmasas devītnieks, bet virs otras — tikpat liels desmitnieks, bet starp abiem skaitļiem nekā nebija — ne pašas platformas, ne arī kādas norādes.

— Lai tev veicas skolā, — ar vēl nejaukāku smaidu ģīmī novēlēja tēvocis Vernons un, vairs ne vārda nebildis, nozuda pūlī. Harijs atskatījās un redzēja, kā Dērsliju auto izbrauc no stāvvietas. Viņi visi trīs smējās. Harijam izkalta mute. Ko tagad darīt? Arvien vairāk garāmgājēju atskatījās uz viņu — laikam jau Hedvigas dēļ. Vajadzēja kādam pavaicāt, kur meklēt nepieciešamo vilcienu.

Zēns vērsās pie uzrauga, bet neminēja platformu numur deviņi un trīs ceturtdaļas. Uzraugs neko nebija dzirdējis par Cūkkārpu un, kad Harijs pat nemācēja paskaidrot, kurā valsts daļā tāda vieta atrodas, kļuva dusmīgs, jo kalpotājam likās, ka Harijs muļķojas. Pagalam apjucis, Harijs vaicāja, kur varētu būt kāds vilciens, kas atiet tieši vienpadsmitos, bet uzraugs atteica, ka tāda nemaz neesot. Galu galā kalpotājs aizgāja, pie sevis burkšķēdams par neaudzinātiem bērniem, kas izdomā visādas ģeķības un neļauj strādāt. Harijs centās nezaudēt savaldīšanos. Spriežot pēc lielā pulksteņa, līdz Cūkkārpas vilciena atiešanai bija atlikušas vēl desmit minūtes, bet viņam nebija ne mazākas apjausmas, kā līdz šim vilcienam nokļūt. Viņš bija pamests viens stacijas vidū ar koferi, ko tikko spēja izkustināt, burvju naudas pilnām kabatām un milzīgu pūci.

Droši vien Hagrids kaut ko bija piemirsis paskaidrot, teiksim, ka jāpieskaras pie trešā ķieģeļa kreisajā pusē, lai iekļūtu Diagonalejā. Zēns prātoja, kas notiktu, ja viņš izvilktu savu zizli un sāktu klaudzināt pie kases, kas atradās starp devīto un desmito platformu.

Tajā brīdī viņam aiz muguras pagāja garām ļaužu pulciņš, un Harijs saklausīja pāris vārdus, kas lika atskatīties:

— ...piebāzta ar vientiešiem, protams...

Viņš ieraudzīja apaļīgu sievieti, kura runāja ar četriem zēniem. Visiem puikām bija ugunīgi sarkani mati. Katrs stūma ratiņus ar tikpat milzīgiem koferiem kā Harijam, un arī viņiem bija *pūce*.

Sirdij dauzoties, Harijs metās stumt savus ratiņus nopakaļ rudmatu kompānijai. Kad viņi apstājās, apstājās arī Harijs, bet vispirms pievirzījās gana tuvu, lai dzirdētu, ko zēni runās.

— Tā, kāds bija platformas numurs? — vaicāja zēnu māte.

— Deviņi un trīs ceturtdaļas, — nočiepstēja maza, arī sarkanmataina meitenīte, kas turējās mammai pie rokas. — Mamm, es arī gribu braukt...

— Tu, Džinnij, vēl esi par mazu, nejaucies, lūdzu. Tā, viss kārtībā. Persij, ej pirmais.

Lielākais zēns devās uz devītās un desmitās platformas pusi. Harijs rūpīgi vērās viņam nopakaļ, cenzdamies nemirkšķināt acis, lai ko nepalaistu garām, bet tajā brīdī, kad zēns nonāca pie platformu robežas, viņu pēkšņi aizsedza krietns tūristu pūlis. Kad no skata pazuda pēdējā mugursoma, zēns bija izgaisis.

— Fred, tagad tu, — tuklā sieviete sacīja.

— Es neesmu Freds, es esmu Džordžs, — zēns sāka šķendēties. — Un jūs, kundze, uzdodaties par mūsu māti? Vai tiešām jūs *neredzat*, ka es esmu Džordžs?

— Piedod, mīļo Džordž.

— Es tikai pajokoju, es esmu Freds, — sacīja zēns un devās uz priekšu. Viņa dvīņubrālis uzsauca, lai šis pasteidzoties; sekundi vēlāk arī par Fredu nosauktais bija izgaisis — bet kā?

Tagad uz biļešu barjeras pusi raitā solī devās trešais brālis, viņš nonāca gandrīz līdz pašai barjerai — un pēkšņi vairs nekur nebija redzams.

Un viss.

— Piedodiet, — Harijs uzrunāja apaļīgo sievieti.

— Sveiks, mīļais, — viņa atsaucās. — Pirmo reizi uz Cūkkārpu? Arī Rons ir jauniņais.

Viņa norādīja uz ceturto, jaunāko no saviem dēliem. Tas bija garš, tievs un izstīdzējis puika ar vasarraibumiem, lielām rokām un kājām un garu degunu.

— Mhm, — apstiprināja Harijs. — Es tikai nezinu, kā...

— Kā nokļūt uz platformas? — viņa laipni teica, un Harijs pamāja.

— Neuztraucies, — viņa sacīja. — Tev ir jāiet tieši uz barjeru starp devīto un desmito platformu. Neapstājies un nebaidies, ka ieskriesi tajā, tas ir pats svarīgākais. Ja uztraucies, vislabāk to darīt vieglā riksītī. Ej tagad, pirms Rona.

— Ē, labi, — Harijs piekrita.

Viņš apgrieza savus ratiņus un paskatījās uz barjeru. Tā likās neizkustināma.

Harijs devās uz barjeras pusi. Ļaudis, kuri steidzās uz devīto vai desmito platformu, visu laiku grūstīja viņu. Harijs pielika soli. Viņam likās, ka tūlīt ieskries biļešu kasē, un tad būs nepatikšanas... Zēns uzgūla ratiņiem un sāka smagi skriet. Barjera tuvojās... Viņš nepagūs apstāties... Ratiņus vairs nebija iespējams savaldīt... Vēl tikai pēda... Viņš aizmiedza acis, gatavs triecienam...

Bet trieciena nebija... skrējiens turpinājās... un viņš atvēra acis.

Pie cilvēku pilnas platformas pukšķināja spilgti sarkana tvaika lokomotīve. Uz tablo virs galvas bija rakstīts "Cūkkārpas ekspresis, 11.00". Harijs palūkojās atpakaļ. Aiz muguras biļešu kases vietā varēja redzēt kalta metāla arku ar uzrakstu "Platforma deviņi un trīs ceturtdaļas". Viņam bija izdevies!

Lokomotīves dūmi vijās pār čalojoša pūļa galvām, bet cilvēkiem starp kājām ložņāja visdažādāko krāsu kaķi. Pāri sarunu troksnim un smago koferu švīkstiem brīdi pa brīdim atskanēja pūču neapmierinātā saūjināšanās.

Pirmie vagoni jau bija pilni. Daži audzēkņi, izliekušies no logiem, sarunājās ar radiem, citi cīnījās, lai ieņemtu labākās vietas. Harijs stūma savus ratiņus tālāk pa platformu, meklēdams brīvu vietu. Viņš pagāja garām apaļvaidzim zēnam, kurš žēlojās:

— Vecomamm, es atkal pazaudēju savu krupīti.

— Ak, *Nevil*, — Harijs dzirdēja vecās kundzes nopūtu.

Ap puisi, kuram mati bija sapīti bizītēs, bija sapulcējies bariņš bērnu.

— Lī, nu parādi to mums!

Zēns pacēla kastītes vāku. Apkārtstāvošie, ieraudzījuši spraugā garu, spalvainu kāju, bailēs sāka spiegt.

Harijs spiedās tālāk cauri pūlim, līdz vilciena beigās atrada tukšu kupeju. Viņš vispirms iecēla vilcienā Hedvigu un tad ņēmās stumt un vilkt savu koferi. Zēns mēģināja uzcelt to uz vagona pakāpieniem, bet tikko spēja pacelt kofera vienu galu. Divas reizes čemodāns izšļuka viņam no rokām un sāpīgi sadauzīja kāju.

— Palīdzēt? — Runātājs bija viens no sarkanmatainajiem dvīņiem.

— Jā, lūdzu, — elsdams pateicās Harijs.

— Fred, nāc talkā!

Ar dvīņu palīdzību Harijs beidzot nogādāja koferi līdz kupejai.

— Paldies, — noteica Harijs, atglauzdams piesvīdušos matus no pieres.

— No kā tev tā? — pēkšņi jautāja viens no dvīņiem, norādīdams uz zibens šautrai līdzīgo rētu.

— Sasodīts, — noteica otrs dvīnis. — Vai tik tu neesi?...

— Viņš *ir* tas, ko tu domā, — sacīja pirmais dvīnis. — Vai ne? — viņš pārvaicāja Harijam.

— Kas ir? — nesaprata Harijs.

— *Harijs Poters*, — korī atbildēja dvīņi.

— Ak viņš, — sacīja Harijs. — Jā, tas esmu es.

Zēni vērās uz viņu izvalbītām acīm, un Harijs juta, ka nosarkst. Viņu paglāba balss, kas atskanēja no vilciena pavērto durvju puses.

— Fred? Džordž? Vai jūs tur esat?

— Mēs ejam, mammu!

Vēl uzmetuši Harijam pēdējo skatu, dvīņi izlēca no vilciena.

Harijs apsēdās pie loga, kur viņš, daļēji aizsegts, varēja vērot rudmatu ģimeni un dzirdēt, ko tie runāja. Tieši tajā brīdī māte vilka laukā no kabatas mutautu.

— Ron, tu esi nosmērējis degunu...

Jaunākais zēns mēģināja izlocīties no tvēriena, bet mātes roka izrādījās pietiekami stingra. Viņa sāka tīrīt garā deguna galu.

— *Mammu*, liec mani mierā! — Beidzot viņš tika brīvs.

— Fai, fai, fai — vai tikai Roniņam naf kas pie deguntiņa pielipis? — ierunājās viens no dvīņiem.

— Aizveries, — drūmi noteica Rons.

— Kur ir Persijs? — jautāja māte.

— Tur viņš nāk.

Strauji pienāca vecākais zēns. Viņš jau bija pārģērbies melnās, plandošās Cūkkārpas drānās, un Harijs pamanīja pie viņa tērpa spožu sudraba nozīmi ar burtu "P".

— Māt, es nevaru ilgi kavēties, — viņš skaidroja. — Es sēžu pirmajā vagonā, tur prefektiem ir divas atsevišķas kupejas...

— Ak tad tu esi *prefekts*, Persij? — izlikdamies pārsteigts, vaicāja viens no dvīņiem. — Varēji pateikt, mums nebija ne jausmas...

— Paga, paga, liekas, es atceros — viņš reiz kaut ko tādu pieminēja, — piebalsoja otrs dvīnis. — Vienu vienīgu reizīti...

— Vai divas...

— Vai trīs...

— Vai visu vasaru, diendienā, no rīta līdz...

— Ak, apklustiet! — uzsauca prefekts Persijs.

— Bet kāpēc Persijs ir ticis pie jaunām drēbēm? — nelikās mierā viens no dvīņiem.

— Tāpēc, ka viņš ir *prefekts*, — ar maigumu balsī atbildēja māte. — Nu, ko, mīļie, lai jums labas sekmes — atsūtiet man pūci, kad nokļūsiet galā.

Māte noskūpstīja Persiju uz vaiga, un lielākais zēns aizsteidzās atpakaļ. Tad viņa pievērsās dvīņiem.

— Tā, razbainieki, lai šogad jūs uzvestos kārtīgi. Ja kaut viena pūce atlidos ar ziņu, ka jūs esat... uzspridzinājuši mazmājiņu vai...

— Uzspridzinājuši mazmājiņu? Nekad neesam spridzinājuši mazmājiņu...

— Bet tik un tā, paldies, mamm, par labu ideju.

— Tas nav *smieklīgi*. Un pieskatiet Ronu.

— Neuztraucies, suškītis Rons ir drošībā.

— Aizveries, — atkal noburkšķēja Rons. Viņš jau bija gandrīz tikpat garš kā dvīņi, bet jaunākā zēna deguns vēl arvien bija sarkans no mammas kabatlakata.

— Mammu, uzmini, ko mēs nupat satikām vilcienā?

Harijs strauji paliecās atpakaļ, lai rudmati neievērotu, ka viņš skatās pa logu.

— Vai pazini melnmataino puiku, kurš bija kopā ar mums stacijā? Vai zini, kas viņš ir?

— Kas tad?

— *Harijs Poters*!

Harijs izdzirda mazās meitenītes balsi.

— Mam, es gribu iekāpt vilcienā un paskatīties uz viņu, mamm, nu, lūdzu...

— Tu, Džinnij, viņu jau redzēji, un uz nabaga puisēnu nav jāblenž kā uz zvēru zooloģiskajā dārzā. Vai tiešām, Fred? Kā tu zini?

— Mēs viņam pajautājām. Redzējām rētu. Tā tiešām atgādina zibeni.

— Nabadziņš. Nav jābrīnās, ka atbraucis viens. Viņš bija tik pieklājīgs, kad vaicāja, kā nokļūt uz platformas.

— Nu, un tad? Bet kā tu domā, vai viņš atceras, kāds izskatījās Paši-Zināt-Kas?

Pēkšņi mamma kļuva ļoti barga.

— Fred, neuzdrīksties viņam to jautāt! Es tev to aizliedzu. It kā vajadzētu viņam to atgādināt jau pirmajā skolas dienā.

— Labi, neplēs matus.

Atskanēja lokomotīves svilpe.

— Pasteidzieties! — mudināja māte, un visi trīs puikas ierausās vilcienā. Viņi izliecās pa logu, lai saņemtu atvadu skūpstu, un brāļu jaunākā māsiņa sāka raudāt.

— Neraudi, Džinnij, mēs tev sūtīsim pūci pēc pūces.

— Un vāku no īsta Cūkkārpas poda.

— *Džordž!*

— Mamm, es taču tikai pajokoju!

Vilciens sāka kustēties. Harijs redzēja, kā zēnu māte māj dēliem ar roku un māsiņa gan smiedamās, gan raudādama skrien pakaļ vilcienam. Bet drīz vien lokomotīve uzņēma ātrumu, un meitenīte atpalika.

Harijs vēroja māti un māsiņu, līdz vilciens aplieca pirmo līkumu un viņas pazuda no skata. Garām logam traucās mājas. Hariju pārņēma patīkams satraukums. Zēns nezināja, kas īsti gaida priekšā, taču viņš bija pārliecināts, kas nākotne būs labāka par to, kas palika aiz muguras.

Pavērās kupejas durvis, un ienāca jaunākais no sarkanmatiem.

— Vai tur kāds sēž? — ienācējs apvaicājās, norādīdams uz vietu pretim Harijam. — Visur citur ir pilns.

Harijs papurināja galvu, un zēns apsēdās. Viņš uzmeta Harijam ciešu skatienu, bet tad žigli pavērās ārā pa logu, izlikdamies, ka kupejas biedrs viņu neinteresē. Harijs ievēroja, ka kaimiņam uz deguna vēl arvien redzamas melna traipa atliekas.

— Te tu esi, Ron.

Tie atkal bija dvīņi.

— Klau, mēs aizstaigāsim līdz vilciena vidum — Lī Džordanam esot milzīgs tarantuls.

— Labi, — nomurmināja Rons.

— Harij, — ievaicājās otrs dvīnis, — vai mēs stādījāmies priekšā? Freds un Džordžs Vīzliji. Un tas ir mūsu brālis Rons. Redzēsimies vēlāk!

— Atā, — noteica Harijs un Rons. Dvīņi aizvēra aiz sevis kupejas durvis.

— Vai tu tiešām esi Harijs Poters? — nevilšus paspruka Ronam.

Harijs pamāja.

— Es, man, man vienkārši ienāca prātā, vai tas nav viens no Freda un Džordža jociņiem, — Rons paskaidroja. — Un vai tev tiešām ir, nu, tu saproti...

Viņš norādīja uz Harija pieri.

Harijs atglauda matus, lai parādītu rētu. Rons nespēja novērst acu.

— Tātad tur Paši-Zināt-Kas...

— Jā, — apstiprināja Harijs, — taču es to neatceros.

— Itin neko? — aizrautīgi jautāja Rons.

— Nu, es atceros spilgtu, zaļu gaismu, bet citu gan neko.

— Nu gan, — brīnījās Rons. Kādu brīdi viņš sēdēja un blenza uz Hariju, tad, sapratis, ko dara, atkal strauji pievērsās logam.

— Vai tavā ģimenē visi ir burvji? — vaicāja Harijs, jo Rons viņu interesēja vismaz tikpat, cik Ronu interesēja viņš pats.

— Mm, tā jau laikam ir, — atzina Rons. — Šķiet, mammai viens otrās pakāpes brālēns ir grāmatvedis, bet mēs par to parasti nerunājam.

— Tad jau tu zini visādas burvestības...

Vīzliji acīmredzot bija viena no senajām burvju dzimtām, kuras Diagonalejas darbnīcā tika minējis bālais zēns.

— Dzirdēju, ka tu esot dzīvojis pie vientiešiem, — turpināja Rons. — Kādi viņi ir?

— Drausmīgi. Nu, ne visi. Bet mana tante, tēvocis un brālēns gan. Kā es priecātos, ja man būtu trīs brāļi no burvju skolas...

— Pieci brāļi, — izlaboja Rons. Nez kādēļ šis sarunas pavērsiens darīja viņu drūmu. — Es esmu sestais no mūsu ģimenes, kurš sāk mācības Cūkkārpā. Un man ir jāattaisno cerības. Bils un Čārlijs ir jau beiguši skolu — Bils bija Zēnu vecākais, bet Čārlijs — kalambola komandas kapteinis. Tagad Persijs kļuvis par prefektu. Freds un Džordžs gan mēdz iekulties nepatikšanās, tomēr atzīmes viņiem ir ļoti labas, turklāt arī viņu joki visiem patīk. Visi cer, ka man veiksies tikpat labi kā pārējiem, bet, ja man viss izdosies, tas nebūs nekas īpašs, jo viņi visu ir jau paveikuši pirms manis. Turklāt, ja tev ir pieci brāļi, tev nekad netiek nekas jauns. Man ir Bila vecās drēbes, Čārlija vecais zizlis un Persija vecā žurka.

Rons iebāza roku žaketes iekškabatā un izvilka resnu, pelēku — un aizmigušu žurku.

— Viņu sauc Kašķis, un tas žurks nekam neder, cik nu viņš vispār ir nomodā. Kad Persiju iecēla par prefektu, viņš no tēva dabūja pūci, bet vecāki nevarēja atļau... proti, man mantojumā tika Kašķis.

Ronam piesarka ausis. Viņam laikam šķita, ka izpļāpājis pārāk daudz, un viņš atkal pievērsās logam.

Harijam nelikās, ka ierobežoti līdzekļi un nespēja atļauties pūci ir kas briesmīgs. Galu galā, vēl pirms mēneša arī viņam nebija ne penija (vai knutas), un Harijs to izstāstīja Ronam, izstāstīja visu — kā nācās nēsāt Dūdija vecās drēbes, kā dzimšanas dienās viņam nekad netika neviena īsta dāvana. Likās, ka Ronu tas nomierina.

— ...un, pirms Hagrids man visu neizstāstīja, es nezināju, ka esmu burvis, es nezināju, kas notika ar maniem vecākiem vai kas Voldemorts tāds ir...

Ronam aizcirtās elpa.

— Kas notika? — uztraucās Harijs.

— *Tu nosauci Paši-Zināt-Ko vārdā!* — sacīja Rons, un viņa balsī jaucās pārsteigums ar apbrīnu. — Manuprāt, lai nu kas, bet tu...

— Es necenšos izlikties *drosmīgs*, izrunājot viņa vārdu, — paskaidroja Harijs. — Man vienkārši nekad nav mācīts, ka šo vārdu neklājas pieminēt. Saproti? Man vēl tik daudz kas jāmācās... Varu saderēt, — viņš piemetināja, pirmo reizi skaļi izteikdams savas bažas, — varu saderēt, ka būšu sliktākais skolnieks klasē.

— Nebūsi vis. Ļoti daudzi bērni nāk no vientiešu ģimenēm, un viņi visu apgūst tikpat ātri.

Kamēr zēni sarunājās, vilciens bija izbraucis no Londonas. Tagad tas traucās cauri laukiem, kuros ganījās govis un aitas. Kādu laiciņu viņi klusēja, vērodami, kā garām zib pļavas un dzīvžogi.

Ap pusvieniem gaitenī atskanēja skaļa grabēšana un smaidīga sieviete ar bedrītēm vaigos, pavērusi kupejas durvis, zēniem uzsauca: — Vai, mīļie, gribēsiet kaut ko no ratiņiem?

Tā kā Harijs brokastis nebija ēdis, viņš pielēca kājās, bet Ronam atkal nosarka ausis un viņš nomurmināja kaut ko par sviestmaizēm, ko esot paņēmis līdzi. Harijs izgāja gaitenī.

Kamēr zēns dzīvoja pie Dērslijiem, viņam nekad nedeva naudu saldumiem. Tagad, kad kabatas bija pilnas ar zelta un sudraba monētām, viņš bija gatavs sapirkt tik daudz *Mars* konfekšu, cik spētu panest, taču — uz sievietes ratiņiem *Mars* šokolādīšu nebija. Viņas krājumos toties bija Bertija Bota "Visgaršu zirnīši", Drūbla "Uzpūtīgākā gumija", šokolādes vardes, ķirbju pīrāgi, katliņkūkas, lakricas burvju zižļi un daudz citu savādu gardumu, kādus Harijs nekad iepriekš nemaz nebija redzējis. Negribēdams neko palaist garām, viņš nopirka pa drusciņai no visa un samaksāja sievietei vienpadsmit sudraba sirpu un septiņas bronzas knutas.

Ronam acis vien papletās, kad Harijs ienesa savus pirkumus kupejā un nobēra visu tukšajā sēdvietā.

— Esi izsalcis?

— Izbadējies, — atzinās Harijs, iekozdamies ķirbju pīrāgā.

Rons tikmēr bija izņēmis lielu, neveikli iesaiņotu tīstokli un attinis to. Sainītī bija četras sviestmaizes. Pavēris vienu no sviestmaizēm, viņš nopūtās: — Mamma vienmēr aizmirst, ka man negaršo sālīta liellopu gaļa.

— Maināmies, — ierosināja Harijs, pasniegdams viņam vēl vienu pīrāgu. — Ņem!

— Tev tā sviestmaize negaršos, tā ir pasausa, — sacīja Rons. — Viņai vienmēr pietrūkst laika, — viņš aši piebilda, — galu galā, viņai jātiek galā ar mums pieciem...

— Ņem taču pīrāgu, — uzstāja Harijs. Šī bija pirmā reize dzīvē, kad viņam bija gardumi, ar kuriem viņš varēja ar kādu dalīties. Tā bija jauka sajūta — viņi abi ar Ronu sēdēja savā kupejā un pilnām mutēm mielojās ar Harija pīrāgiem un kūkām, bet sviestmaizes aizmirstas stāvēja uz galda.

— Un kas ir šīs? — Harijs jautāja Ronam, pacēlis gaisā šokolādes varžu paciņu. — Tās taču nav *īstas* vardes? — Viņam sāka likties, ka nekas viņu vairs nepārsteigtu.

— Nav, nav, — mierināja Rons. — Bet paskatīsimies, kāda kartiņa tur ir iekšā. Man trūkst Agripas.

— Kā tev trūkst?

— Ak, jā, protams, tu to nezini — šokolādes vardēs ir krājamas kartiņas — "Slavenākās raganas un burvji". Man jau ir kādi pieci simti, tikai nav Agripas un Ptolemaja.

Harijs attina savu šokolādes vardi un izņēma kartiņu. Uz tās bija vīrieša seja. Acenes pusmēness formā, garš, līks deguns un gari sudrabaini mati, bārda un ūsas. Zem attēla bija rakstīts burvja vārds — *Baltuss Dumidors.*

— Tad *tāds* izskatās Dumidors! — izsaucās Harijs.

— Tikai nestāsti man, ka arī par Dumidoru tu neko neesi dzirdējis! — noteica Rons. — Vai drīkstu paņemt vienu vardi? Varbūt man trāpās Agripa... Paldies...

Harijs apgrieza kartītes otru pusi un sāka lasīt:

Baltuss Dumidors, pašreizējais Cūkkārpas direktors. Tiek uzskatīts par vienu no jauno laiku izcilākajiem burvjiem. Profesors Dumidors īpašu ievērību izpelnījies, 1945. gadā pieveicot ļauno burvi Grindelvaldu, kā arī atklājot pūķu asins divpadsmit lietojuma veidus un veicot pētījumus alķīmijā kopā ar savu partneri Nikolasu Fleimelu. Brīvajā laikā profesors Dumidors aizraujas ar kamermūziku un boulingu.

Harijs atkal apgrieza kartīti, bet viņam par lielu pārsteigumu izrādījās, ka Dumidora seja bija izgaisusi.

— Viņa te vairs nav!

— Nu, viņš taču nevar tur sēdēt visu dienu! — paskaidroja Rons. — Bet viņš atgriezīsies. Nē, man atkal trāpījusies Morgana — man ir jau kādas sešas kartītes ar viņas bildi. Gribi? Sāc krāt arī tu.

Rona acis pārslīdēja vēl neattīto šokolādes varžu kaudzītei.

— Ķeries vien klāt, — Harijs drošināja. — Vai zini, vientiešu pasaulē gan cilvēki paliek savos fotoattēlos.

— Tiešām? Ko, viņi tur itin nemaz nekustas? — Rons brīnījās. — *Savādi!*

Harijs apstulbis vēroja, kā Dumidors ieslīd atpakaļ kartītē un tikko manāmi uzsmaida. Ronu tobrīd vairāk interesēja varžu ēšana nekā slaveno raganu un burvju kartītes, bet Harijs gan nespēja atraut acis no slavenībām. Drīz vien viņa kolekcijā jau bija ne vien Dumidora un Morganas, bet arī Vudkroftas Hengista, Alberika Grunjona, Kirkes, Paracelza un Merlina attēli. Visbeidzot viņam izdevās novērsties no druīdu priesterienes Kliodnas, kura kasīja degunu, un atplēst Bertija Bota "Visgaršu zirnīšu" paciņu.

— Ar tiem gan vajag būt uzmanīgam, — Rons brīdināja Hariju. — Kad viņi sola visas garšas, viņi arī *piedāvā* visas garšas — tu atradīsi gan parastus zirnīšus ar šokolādes, piparmētru un marmelādes garšu, bet tad pēkšņi gadīsies kāds ar spinātu, aknu vai ķidu garšu. Džordžs domā, ka reiz viņam gadījies zirnītis ar puņķu garšu.

Rons paņēma zaļu zirnīti, rūpīgi to aplūkoja un tad nokoda mazu drumsliņu.

— Pē — redzi? Rožu kāposti!

Lai ko apgalvoja Rons, bet ēst "Visgaršu zirnīšus" bija jautra nodarbe. Harijam tika zirnīši ar grauzdiņu, kokosrieksta, ceptu pupiņu, zemeņu, karija, zāles, kafijas un sardiņu garšu. Viņš pat izrādījās gana drosmīgs, lai paskrubinātu sānu dīvaina izskata pelēkam zirnītim, kuram Rons pat skarties neskārās klāt, — tas garšoja pēc pipariem.

Ainava aiz loga kļuva arvien mežonīgāka. Koptos laukus vairs nemanīja. To vietā pletās dziļi meži, līkumainas upes un tumši zaļi kalni.

Pie kupejas durvīm pieklauvēja. Tas izrādījās apaļvaidzis zēns, kuru Harijs tika redzējis uz platformas numur deviņi un trīs ceturtdaļas. Ienācējs izskatījās tuvu asarām.

— Piedodiet, — viņš žēli vaicāja, — bet vai jūs neesat redzējuši krupi?

Kad sēdētāji papurināja galvas, apaļvaidzis iešņukstējās:
— Esmu to pazaudējis! Viņš vienmēr kaut kur aizklīst!

— Gan jau atradīsies, — mēģināja mierināt Harijs.

— Jā, — novilka izmisušais zēns. — Ja jūs viņu ieraugāt...

Durvis aizvērās.

— Nesaprotu, kāpēc viņš tā uztraucas, — sprieda Rons. — Ja es būtu paņēmis līdzi krupi, censtos to pazaudēt pēc iespējas ātrāk. Es gan nevaru par to runāt, jo man pašam līdzi ir Kašķis.

Žurka vēl arvien snauda Ronam klēpī.

— Viņš varētu nomirt, un es to pat nemanītu, — Rons nepatikā noskurinājās. — Vakar es mēģināju viņu pārburt dzeltenu, vismaz būtu interesantāk, bet burvju vārdi neiedarbojās. Es tev parādīšu, skaties...

Viņš parakājās savās mantās un izvilka daudzcietušu zizli. Vietām zizlim bija izlūzuši robiņi, bet pašā galā varēja manīt ko baltu.

— Vienradža astri nāk ārā. Labi...

Brīdī, kad Rons jau bija pacēlis zizli, kupejas durvis atkal pavērās. Krupi pazaudējušais zēns bija atgriezies, tikai šoreiz viņam līdzi bija meitene, kura jau bija apģērbusi jaunu Cūkkārpas drānu kārtu.

— Vai kāds nav redzējis krupi? Nevils pazaudējis savējo, — paziņoja meitene. Viņai bija komandēt radusi balss, kupli, grūti valdāmi mati un palieli priekšzobi.

— Mēs jau teicām, ka neesam to redzējuši, — paskaidroja Rons, taču meitene neklausījās, viņa blenza uz zizli Rona rokā. — Mm, tu gatavojies burt? Paskatīsimies. Viņa apsēdās. Rons izskatījās apjucis. — Ēē, labi, lai notiek. — Viņš noklepojās.

> — *Saulstars, grieta, sviesta ercens,*
> *Resnais žurks top spilgti dzeltens!*

Rons pavēzēja savu zizli, bet nekas nenotika. Kašķis kā bija, tā palika pelēks, turklāt pat nepamodās.

— Vai esi pārliecināts, ka šie ir īstie buramvārdi? — vaicāja meitene. — Kaut kas nesanāca, vai ne? Es pati esmu izmēģinājusi vairākas vienkāršas burvestības, lai kaut mazliet iemēģinātu roku, un man vienmēr ir izdevies. Manā ģimenē citu burvju nav, tas bija milzīgs pārsteigums, kad es saņēmu vēstuli, tomēr es ļoti priecājos, protams, tā taču ir labākā raganu skola, kāda var būt, cik nu esmu dzirdējusi... protams, es esmu iemācījusies visas mūsu mācību grāmatas no galvas, ceru, ka ar to iesākumam būs gana... starp citu, mani sauc Hermione Grendžera, bet kas esat jūs?

Savu monologu viņa nobēra milzu ātrumā. Harijs paskatījās uz Ronu un par lielu atvieglojumu no kupejas biedra satrieksās sejas saprata, ka arī viņš nav apguvis no galvas visas mācību grāmatas.

— Es esmu Rons Vīzlijs, — Rons nomurmināja.

— Harijs Poters, — stādījās priekšā Harijs.

— Vai tiešām? — iesaucās Hermione. — Par tevi es zinu visu, protams, es sagādāju vēl dažas grāmatas, lai labāk izprastu vēsturisko fonu, un tu esi minēts "Mūsdienu maģijas vēsturē", "Tumšo mākslu uzplaukumā un postā", kā arī "Divdesmitā gadsimta ievērojamākajos notikumos burvju pasaulē".

— Vai tiešām? — mazliet apstulbis, pārvaicāja Harijs.

— Mī un žē, vai tad tu nezināji? Es tavā vietā par sevi būtu sameklējusi itin visu, — bēra Hermione. — Vai kāds no jums zina, kurā tornī būsiet? Esmu iztaujājusi ne vienu vien un ceru, ka tikšu Grifidorā, izklausās, ka tas ir labākais tornis. Cik nopratu, arī pats Dumidors ir bijis grifidors, bet pieņemu, ka arī Kraukļanagā nebūtu slikti... Labi, tagad mēs dosimies tālāk meklēt Nevila krupi. Labāk pārģērbieties, šķiet, mēs drīz būsim klāt. — Un meitene izgāja no kupejas, vezdama bezkrupja puisēnu līdzi.

— Lai kādā tornī es nokļūtu, ceru, ka viņas tur nebūs, — noteica Rons. Viņš iesvieda zizli atpakaļ koferī. — Muļķīgi buramvārdi — tos man iedeva Džordžs, varu derēt, viņš zināja, ka tie nekam neder.

— Kurā tornī ir tavi brāļi? — jautāja Harijs.

— Grifidorā, — atbildēja Rons. Likās, ka viņu atkal pārņem drūmas domas. — Arī mamma un tētis bija grifidori. Nezinu, ko viņi teiktu, ja es nokļūtu citā tornī. Nedomāju, ka Kraukļanags *būtu* nekur nederīgs tornis, taču kas gan notiktu, ja mani ieliktu Slīdenī...

— Tas ir tornis, kurā bija Vol... es gribēju teikt, Paši-Zināt-Kas?

— Jā, — atteica Rons. Izskatīdamies sadrūvējies, viņš atgāzās sēdeklī.

— Zini, man izskatās, ka Kašķa ūsu gali tomēr ir mazliet gaišāki, — Harijs ieminējās, cenzdamies novērst Rona domas no skolas torņiem.

— Ar ko nodarbojas tavi vecākie brāļi pēc skolas pabeigšanas? — Hariju tiešām interesēja, ko gan dara burvis, pabeidzis mācības.

— Čārlijs Rumānijā pēta pūķus, bet Bils Āfrikā kaut ko kārto Gringotu uzdevumā, — sacīja Rons. — Vai tu dzirdēji par Gringotiem? Vairāki "Dienas Pareģa" numuri par to vien rakstīja, bet šo laikrakstu vientieši laikam nelasa. Kāds bija mēģinājis aplaupīt augstākās drošības pakāpes kambari.

Harijs ieplēta acis. — Tiešām? Un kas notika ar laupītājiem?

— Nekas. Tāpēc jau tāda ievērība. Neviens netika noķerts. Mans tētis runā, ka jābūt ļoti varenam tumšajam burvim, lai iekļūtu Gringotos. Dīvaini ir arī tas, ka bankā, šķiet, nekas nav paņemts. Redzi, kad notiek kas tamlīdzīgs, visi ļoti uztraucas — ja nu aiz tā slēpjas Paši-Zināt-Kas.

Harijs pārdomāja tikko dzirdētos jaunumus. Nu jau ik reizes, kad tika pieminēts Paši-Zināt-Kas, viņam sirdī iedzēla baiļu ērkšķis. Šķiet, tas piederējās pie iepazīšanās ar maģisko pasauli, taču daudz patīkamāk būtu bijis izrunāt "Voldemorts" bez kādām bažām, kā iepriekš.

— Kas ir tava mīļākā kalambola komanda? — Rons vaicāja.

— Ēē — es nezinu nevienu kalambola komandu, — atzinās Harijs.

— Ko? — Šī atbilde apstulbināja Ronu. — Tu redzēsi, tā ir labākā spēle pasaulē...

Un Rons ļāvās daiļrunības plūdiem, skaidrojot visu par četrām bumbām un septiņu spēlētāju pozīcijām, par slavenām spēlēm, kuras viņi kopā ar brāļiem bija redzējuši, un par slotaskātu, kādu viņš vēlētos, ja tik pietiktu naudas. Brīdī, kad viņš sīkāk izklāstīja spēles smalkumus, vēlreiz pavērās kupejas durvis. Tikai šoreiz tas nebija nedz Nevils, bezkrupja zēns, nedz Hermione Grendžera.

Ienāca trīs zēni, un vidējo Harijs uzreiz pazina — tas bija bālais puisis no Malkinas madāmas drēbju veikala. Šoreiz viņš vērās Harijā daudz rūpīgāk nekā toreiz Diagonalejā.

— Vai tas ir tiesa? — viņš jautāja. — Vilcienā runā, ka šajā kupejā braucot Harijs Poters. Tātad tas esi tu?

— Jā, — atbildēja Harijs. Viņš apskatīja pārējos divus zēnus. Abi bija plecīgi un likās pagalam zemiski. Viņi stāvēja katrs savā pusē bālajam zēnam, tā atgādinādami miesassargus.

— Tas ir Krabe, un tas ir Goils, — nevērīgi iepazīstināja bālais zēns, ievērojis Harija skatienu. — Un mani sauc Malfojs, Drako Malfojs.

Rons ieklepojās — iespējams, viņš tā mēģināja noslēpt pasprukušos smieklus. Drako Malfojs paskatījās uz Harija kupejas biedru.

— Tev liekas jocīgs mans vārds? Kas tu esi, nav pat jājautā. Mans tēvs sacīja, ka visiem Vīzlijiem esot sarkani mati, vasarraibumi un vairāk bērnu, nekā viņi spēj atļauties.

Drako atkal pievērsās Harijam.

— Tu, Poter, drīz vien sapratīsi, ka dažas burvju dzimtas ir krietni labākas par pārējām. Tu taču nevēlies sadraudzēties ar nepareiziem draugiem? Es varu līdzēt, lai tā nenotiktu.

Viņš sniedza Harijam roku, taču Harijs to nepieņēma.

— Domāju, ka spēšu pats noteikt, kuri ir pareizie un kuri — nepareizie draugi, paldies, — Harijs salti atteica.

Drako Malfojs nenosarka, tomēr bālo vaigu galos gan viegls sārtums parādījās.

— Tavā vietā es būtu piesardzīgāks, Poter, — lēni novilka Drako. — Ja neklūsi mazliet pieklājīgāks, tev izies tāpat kā taviem vecākiem. Arī viņi nesajēdza, kas viņiem nāktu par labu. Ja tu saiesies ar tādiem klaidoņiem kā Vīzliji vai Hagrids, arī pats drīz pārvērtīsies par tādu.

Harijs un Rons pielēca kājās. Rona seja bija tikpat sarkana kā viņa frizūra.

— Atkārto vēlreiz, — viņš novilka.

— Ak, tad jūs gribat kauties? — ņirdzīgi vaicāja Malfojs.

— Tāpēc labāk vācieties ārā no šejienes, — Harijs sacīja drosmīgāk, nekā tobrīd jutās, jo gan Krabe, gan Goils bija krietni lielāki nekā viņš vai Rons.

— Bet mums kaut kā negribas nekur iet, vai ne, zēni? Turklāt mēs esam apēduši visus savus gardumus, bet jums, liekas, vēl šis tas atlicis.

Goils pastiepa roku pēc šokolādes vardēm, kas atradās līdzās Ronam, Rons metās nekauņam pretī, bet, pirms Harija draugs paguva kaut pieskarties lempim, Goils iebļāvās nelabā balsī.

Goilam pirkstā karājās žurka, Kašķis, — zvēriņš bija ielaidis asos zobiņus dziļi Goila pirksta locītavā. Krabe un Malfojs sāka kāpties atpakaļ, bet Goils tik kauca un vicināja pirkstu ar visu Kašķi, līdz žurka neizturēja, atlaida zobus un ar visu sparu triecās pret kupejas loga stiklu. Iebrucēju trijotne tajā pašā mirklī pazuda. Iespējams, viņiem šķita, ka starp saldumiem viņiem uzglūn vēl citas žurkas, iespējams, viņi saklausīja soļus, jo pēc acumirkļa kupejā ienāca Hermione Grendžera.

— Kas te *notika*? — viņa vaicāja, ieraudzījusi pa grīdu izmētātos saldumus un Kašķi, kuru Rons turēja aiz astes.

— Šķiet, viņš zaudējis samaņu, — Rons pavēstīja Harijam. Īpašnieks ciešāk aplūkoja savu dzīvnieciņu. — Vai, zini, tu neticēsi, bet liekas, ka viņš vienkārši atkal aizmidzis.

Un tā arī bija.

— Vai biji ticies ar Malfoju jau iepriekš?

Harijs izstāstīja par tikšanos Diagonalejā.

— Esmu dzirdējis par viņa ģimeni, — drūmi noteica Rons. — Viņi vieni no pirmajiem atgriezās mūsu pusē, kad Paši-Zināt-Kas izgaisa. Apgalvoja, ka esot bijuši apburti. Mans tētis gan tam īsti netic. Apgalvo, ka Malfoja tēvs nevilcinādamies pārgājis tumšo spēku pusē. — Viņš pievērsās Hermionei. — Vai varam tev kā palīdzēt?

— Labāk pasteidzieties pārģērbties, es tikko biju aizgājusi līdz lokomotīvei un mašīnists teica, ka mēs teju būšot galā. Jūs taču nekāvāties? Iekulsieties vēl nepatikšanās, nemaz neaizbraukuši līdz skolai!

— Kāvās Kaškis, ne mēs, — paskaidroja Rons un paskatījās uz Hermioni caur pieri. — Vai varam tevi lūgt atstāt mūs vienatnē, vismaz kamēr mēs pārģērbjamies?

— Labi. Es vienkārši ienācu kupejā, jo ārpusē visi uzvedas pagalam bērnišķīgi un skraida šurpu turpu pa gaiteņiem, — vīzdegunīgi atteica Hermione. — Starp citu, vai zini, ka tev ir nosmērēts deguns?

Rons noraudzījās pakaļ aizejošajai meitenei ar iznīcinošu skatienu. Harijs palūkojās ārā pa logu. Krēsloja. Zem tumši sarkanajām debesīm varēja saskatīt kalnus un mežus. Likās, ka vilciens samazina ātrumu.

Zēni novilka žaketes un uzrāva mugurā garās, melnās drānas. Rona paltraks bija mazliet par īsu, jo zem tā varēja redzēt sporta kurpes.

Vilciena skaļruņos atskanēja paziņojums: — Pēc piecām minūtēm vilciens pienāks Cūkkārpā. Lūdzu, atstājiet savu bagāžu kupejās, to nogādās skolā pēc tam.

Harijam no uztraukuma sagriezās vēders, un Rona bālumu nespēja noslēpt pat vasarraibumi. Sabāzuši kabatās atlikušos saldumus, zēni izgāja gaitenī, kur bija sapulcējušies pārējie bērni.

Vilciens pamazām samazināja ātrumu, līdz apstājās pavisam. Bērni sāka spiesties uz durvju pusi un birt ārā no vilciena nelielā, tumšā piestātnē. Nakts likās auksta, un Harijs nodrebinājās. Tad virs audzēkņu galvām sāka šūpoties lampa, tā arvien tuvojās, līdz beidzot atskanēja pazīstama balss: — Pirmziemnieki! Visi pirmziemnieki, nāk tik šurp! Vai viss kārtībā, Harij?

Pāri galvu jūrai staroja Hagrida pinkainā galva.

— Visi nāk man pakaļ — vai visi pirmziemnieki ir te? Tagad uzmaniets — pakāpiens! Visi pirmziemnieki, man pakaļ!

Slīdēdami un klupdami, viņi gāja nopakaļ Hagridam pa, kā likās, šauru, stāvu taku. Abās takas pusēs bija tik tumšs, ka, Harijaprāt, tur vajadzēja būt koku biezoknim. Neviens neko daudz nerunāja. Tikai Nevils, zēns, kurš nekādi nespēja atrast savu krupīti, pāris reižu nošņaukājās.

— Pēc mirkļa jūs ieraudzīs Cūkkārpu, — Hagrids uzsauca pāri plecam, — tūlīt aiz šī līkuma.

Atskanēja daudzbalsīgs: — Āāāā!

Šaurās takas galā pēkšņi pavērās plaša, tumša ezera krasts. Otrā pusē, uztupusi augsta kalna virsotnē, slējās milzīga pils ar pulka torņiem un tornīšiem. Pret zvaigžņotajām debesīm mirdzēja daudzi gaiši logi.

— Ne vairāk par četr vienā laivā! — Hagrids uzsauca, norādīdams uz mazu laiviņu floti, kas šūpojās ūdenī turpat krastmalā. Kopā ar Hariju un Ronu laivā iekāpa arī Nevils un Hermione.

— Vai visi sakāpuši? — nokliedzās Hagrids, kurš stāvēja laivā viens pats. — Labi, tad — UZ PRIEKŠU!

Visas laivas vienlaikus sakustējās un sāka slīdēt pāri ezera spoguļgludajai virsmai. Bērni klusēja un visi kā viens vērās uz vareno pili, kas slējās virs galvām. Jo tuvāk viņi brauca klintij, uz kuras pils cēlās, jo diženāka un nepieejamāka pils likās.

— Pieliekties! — iesaucās Hagrids, kad pirmās laivas sasniedza klinti, visi pieliecās, un laiviņas izslīdēja cauri efeju aizkaram, kas aizsedza ieeju plašā alā klints pakājē. Ceļojums turpinājās tumšā tunelī, kas veda, kā likās, tieši zem pils. Visbeidzot laiviņas sasniedza tādu kā pazemes ostu, kur bērni izkāpa oļu un akmeņu klātā krastā.

— Paklau, vai tas nav tavs krups? — iesaucās Hagrids, kurš pārbaudīja laivas pēc tam, kad bērni no tām bija izkāpuši.

— Trevor! — iesaucās Nevils un pastiepa rokas pretī savam mīlulim. Tad visi devās pa gaiteni augšup, cenzdamies neizlaist no acīm Hagrida lampu, kas šūpojās tālu priekšā. Galu galā bērni iznāca līdzenā, pievilgušā zālienā, kas pletās pils pavēnī.

Uzkāpuši pa akmens pakāpienu laidienu, viņi sapulcējās pie milzīgām ozolkoka durvīm.

— Vai visi sanākuš? Klau, vai krupi neesi pazaudējis?

Hagrids pacēla milzu dūri un trīs reizes pieklauvēja pie pils durvīm.

SEPTĪTĀ NODAĻA

ŠĶIRMICE

Tajā pašā mirklī durvis atsprāga. Uz sliekšņa stāvēja gara, melnmataina ragana smaragdzaļās drānās. Viņa izskatījās ļoti stingra, un Harijs nosprieda, ka ar šo dāmu vēlams sadzīvot pa labam.

— Pirmziemnieki, profesore Maksūra, — paziņoja Hagrids.

— Paldies, Hagrid, turpmāk par viņiem parūpēšos es pati.

Ragana pavēra durvis vēl plašāk. Ieejas zāle bija tik liela, ka tajā būtu iespējams ietilpināt visu Dērsliju māju. Akmens sienas, līdzīgi kā Gringotu bankā, apgaismoja liesmojošas lāpas, griesti bija pārāk augsti, lai varētu saskatīt, kur tie beidzās, un viņu priekšā pacēlās lieliskas marmora kāpnes, kas veda uz augšējiem stāviem.

Bērni sekoja profesorei Maksūrai pa plātnēm izlikto grīdu. No durvju ailas labajā pusē varēja dzirdēt daudzu balsu zumēšanu — acīmredzot pārējie skolnieki jau atradās tur, taču profesore Maksūra aizveda pirmziemniekus uz nelielu telpu zāles malā. Visi sapulcējās kambarītī, kur nācās stāvēt tik cieši blakus, ka neatlika nekas cits, kā vien nervozi lūkoties apkārt.

— Laipni lūdzam Cūkkārpā, — ierunājās profesore Maksūra.
— Drīz sāksies svinības par godu trimestra sākumam, bet, pirms

jūs ieņemsiet savas vietas Lielajā zālē, jūs sašķiros katru savā tornī. Šķirošana ir ļoti svarīga ceremonija, jo šeit, Cūkkārpā, jūsu tornis būs kas līdzīgs jūsu ģimenei. Jūs piedalīsieties nodarbībās kopā ar sava torņa audzēkņiem, jūs atpūtīsities sava torņa guļamistabās, jūs pavadīsiet brīvo laiku sava torņa koptelpā.

— Četrus torņus, — turpināja profesore, — sauc par Grifidoru, Elšpūti, Kraukļanagu un Slīdeni. Katram tornim ir sava cēla vēsture, un no katra torņa ir nākušas izcilas raganas un burvji. Kamēr jūs mācāties Cūkkārpā, jūsu veiksmes nesīs jūsu tornim punktus, bet pārkāpumi — šos punktus dzēsīs. Gada beigās tornim, kas izcīnījis visvairāk punktu, pasniedz Skolas kausu, un tas ir liels gods.

— Šķirošanas ceremonija, — paskaidroja bargā izskata ragana, — sāksies pēc dažām minūtēm visas skolas priekšā. Iesaku jums sakārtoties, cik nu tas šeit gaidot ir iespējams.

Viņas skatiens brīdi pakavējās pie Nevila apmetņa, kurš bija sasprausts zem kreisās auss, tad pārslīdēja uz Rona notraipīto degunu. Harijs nervozi centās saglaust matus.

— Es atgriezīšos, kad viss būs sagatavots, — profesore Maksūra teica. — Lūdzu, netrokšņojiet.

Pasniedzēja izgāja no kambara. Harijs beidzot norija siekalas, kas bija sakrājušās mutē.

— Kā īsti notiek šķirošana pa torņiem? — viņš pajautāja Ronam.

— Cik noprotu, tas ir kaut kāds pārbaudījums. Freds apgalvoja, ka tas esot ļoti sāpīgi, bet domāju, viņš jokoja.

Sirds Harijam krūtīs apmeta kūleni. Pārbaudījums? Visas skolas priekšā? Bet viņš taču vēl neprata neko maģisku — ko gan viņam nāksies darīt? Kaut ko tādu jau pirmajā vakarā viņš nebija gaidījis. Viņš bažīgi palūkojās apkārt un redzēja, ka arī pārējie izskatās nobijušies. Gandrīz neviens nerunāja, vienīgi Hermione Grendžera ātri pārskaitīja vai visus apgūtos buramvārdus un prātoja, kura burvestība viņai šovakar būs jādemonstrē. Harijs centās nedzirdēt viņas balsi. Nekad iepriekš viņš nebija tā nervozējis, pat ne toreiz, kad viņam nācās doties mājās ar skolas ziņojumu, ka viņš nezin kā pārvērtis skolotājas parūku zilā krāsā. Harijs nespēja palūkoties apkārt. Kuru katru brīdi varēja parādīties profesore Maksūra un vest viņu pretī nelabvēlīgajam liktenim.

Tad notika kas tāds, kas lika Harijam uzlēkt vai pēdu gaisā — aiz muguras vairāki bērni iespiedzās.

— Kas tur?...

Viņam aizrāvās elpa. Elpa aizrāvās arī pārējiem bērniem. Cauri sienai viņiem aiz muguras telpā iepeldēja kādi divdesmit rēgi. Pērļu balti un mazliet caurspīdīgi tie slīdēja pāri telpai, sarunādamies savā starpā un nepievērsdami pirmziemniekiem gandrīz nekādu uzmanību. Likās, ka rēgi strīdas. Rēgs, kurš atgādināja neliela auguma tuklu mūku, sacīja: — Piedod un aizmirsti, es tev saku, mums jādod viņam vēl pēdējā iespēja...

— Dārgo Brāli, vai tad mēs neesam devuši Nīgrim neskaitāmas pēdējās iespējas? Viņš ceļ mums neslavu, turklāt viņš taču pat nav kārtīgs rēgs — paklau, ko jūs visi te darāt?

Rišās un cieši pieguļošās biksēs tērpies spoks pēkšņi bija pamanījis pirmziemniekus.

Neviens neatbildēja.

— Jaunie skolnieki! — iesaucās Resnais Brālis, uzsmaidīdams pārbiedētajiem bērniem. — Gatavojaties šķirošanai, vai tā?

Vairāki bažīgi pamāja.

— Satiksimies Elšpūtī! — uzsauca Brālis. — Tas ir mans vecais tornis!

— Un tagad peldiet vien tālāk, — atskanēja skarba balss. — Tūlīt sāksies Šķirošanas ceremonija.

Profesore Maksūra bija atgriezusies. Cits pēc cita rēgi ieslīdēja pretējā sienā.

— Sastājieties rindā, — profesore Maksūra rīkoja pirmziem-
niekus, — un sekojiet man!

Juzdamies tā, it kā kājas būtu svina pielietas, Harijs nostā-
jās aiz kāda zēna ar smilšu krāsas matiem, aiz viņa paša rindu
ieņēma Rons, un tad bērni sāka virzīties uz priekšu, viņi šķēr-
soja Ieejas zāli un cauri pamatīgām divviru durvīm iegāja Lie-
lajā zālē.

Harijs nekad nebūtu varējis iztēloties tik dīvainu un greznu
telpu. To apgaismoja simttūkstoš svečis, kas peldēja gaisā virs
četriem gariem galdiem, ap kuriem sēdēja vecākie skolas au-
dzēkņi. Uz galdiem bija izkārtoti mirdzoši zelta šķīvji un kausi.
Zāles tālajā galā bija vēl viens galds, pie kura sēdēja pasniedzēji.
Profesore Maksūra aizveda jaunos skolniekus līdz pasniedzēju
galdam, un bērni nostājās ar seju pret zāli un ar mugurām pret
skolotājiem. Viņos vērās daudzi simti seju, un mirgojošajā svečis
gaismā tās atgādināja blāvas laternas. Šur un tur starp studen-
tiem kā sudrabainas miglas mākonīši zibēja rēgi. Lai izvairītos
no skatieniem, kas viņus vēroja, Harijs pacēla acis augšup un
ieraudzīja samtaini melnus griestus, ko no vienas vietas klāja
zvaigžņu punktiņi. Viņš izdzirda Hermiones čukstu: — Griesti
ir noburti tā, lai atgādinātu debesis ārā, es par to lasīju "Cūk-
kārpas vēsturē".

Bija grūti noticēt, ka tur augšā vispār bija griesti, ka virs Lie-
lās zāles vienkārši nepavērās debesis.

Harijs aši nolaida acis un ieraudzīja, ka profesore Maksūra
klusēdama noliek pirmzemnieku priekšā krēslu. Uz krēsla viņa
novietoja smailu burvju cepuri. Cepure bija salāpīta, izdilusi un
pagalam netīra. Petūnijas tante tādu nemaz nenestu iekšā savā
mājā.

Varbūt viņiem vajadzēs izburt no cepures trusi, izmisīgi prā-
toja Harijs, tas likās gluži ticami. Šķita, ka visa zāle skatās uz ce-
puri, tāpēc arī Harijs nenovērsa no tās acis. Vairākas sekundes

valdīja kapa klusums. Tad cepure sakustējās. Plīsums pie cepures malas pavērās kā mute — un cepure sāka dziedāt:

Es neesmu glīta, tas ir tiesa,
Bet vai gan tam kāds svars?
Es apēdīšu pati sevi,
Ja mici gudrāku kāds atrast var.
Lai paliek katliņš mazs un melns,
Un cilindri lai spīd, cik tīk,
Es esmu Šķirmice burvju skolā,
Un līdzīgas man nav nevienā jomā.
No mana skata it nekas nav noslēpjams,
Pat tas, kas mājo dziļi jūsu prātā.
Liec galvā mani, lai skan vērtējums,
Lai zināma ir jūsu vieta skolā.
Varbūt tev lemts būs Grifidors,
Kur sirdī drosmīgie un krietnie mājo,
It visi godīgie un tie, kas aizstāv vājo.
Vai varbūt nonāksi tu Elšpūtī,
Kur taisnīgums un uzticība godā
Un pacietīgie saticīgi mīt.
Varbūt tev piestāv Kraukļanags,
Kur gudrākos un prātīgos tur cieņā.
Ja galva strādā, domas zib,
Tur atradīsi draugus vienā mierā.
Varbūt tev vieta Slīdenī,
Kur mājo tie, kas izmanīgi,
Un tie, kam ikviens līdzeklis ir labs,
Lai nokļūtu pie tā, ko lolo sirdī.
Liec galvā mani, nebaidies!
Tik neiedomā acis mest gar malu!
Tu drošās rokās (kaut no rokām man ne grabu),
Jo esmu cepure, kas pieprot spriest.

Kad cepure beidza dziedāt, visi zālē sēdošie sāka aplaudēt. Cepure paklanījās katram no četriem torņu galdiem un atkal sastinga.

— Mums būs tikai jāpiemēra cepure! — Rons pačukstēja Harijam. — Es nositīšu Fredu, viņš stāstīja kaut ko par laušanos ar trolli.

Harijs vārgi pasmaidīja. Jā, cepures piemērīšana noteikti bija labāka par buršanas spēju pārbaudi, tomēr viņš labprāt šo procedūru būtu veicis vienatnē, nevis visai skolai redzot. Likās, cepure varētu būt visai prasīga pārbaudītāja. Harijs nejutās nedz drosmīgs, nedz apveltīts ar pārlieku apķērību vai kādām citām cepures nosauktajām īpašībām. Ja vien cepure būtu minējusi kādu torni zēniem, kuriem mazliet apskrējusies dūša, tad gan viņš saprastu, kāds liktenis viņu gaida.

Profesore Maksūra paspēra soli uz priekšu un atritināja garu pergamenta tītokli.

— Kad es nosaukšu jūsu vārdu, jums jāuzliek cepure un jāapsēžas šajā krēslā, lai cepure jūs sašķirotu, — pasniedzēja paskaidroja. — Abota Hanna.

No pirmziemnieku rindas izsteberēja meitene ar rožainu sejiņu un blondām bizītēm. Viņa uzlika cepuri, kas pārkrita pāri acīm, un apsēdās. Pēc mirkļa:

— ELŠPŪTIS! — nokliedzās cepure.

Labajā pusē novietotais galds uzgavilēja un sāka aplaudēt, bet Hanna tikmēr devās pie sava jaunā torņa galda. Harijs redzēja, kā Resnā Brāļa rēgs jautri māj jaunpienācējai.

— Bounza Sūzena.

— ELŠPŪTIS! — atkal paziņoja cepure, un Sūzena devās pie labā galda, lai apsēstos līdzās Hannai.

"Brauna Lavendera" bija pirmā jaunā skolniece, kas devās pie grifidoru galda zāles kreisajā malā. Pie tā sēdošie sveica meiteni ar skaļiem saucieniem, un Harijs redzēja, ka Rona dvīņu brāļi svilpj.

— Broklhērsta Mendija.

— KRAUKĻANAGS.

Šoreiz sāka aplaudēt otrais galds no kreisās puses, vairāki kraukļanagi piecēlās, lai paspiestu roku Mendijai, kura pievienojās viņu pulkam.

"Bulstrouda Milisenta" kļuva par slīdeni. Iespējams, vainīga bija Harija iztēle, bet pēc visa tā, ko viņš bija dzirdējis par Slīdeņa torni, zēns pret visiem tā pārstāvjiem izjuta nepatiku.

"Būts Terijs" pievienojās kraukļanagu pulkam.

Nu jau Harijam metās slikta dūša. Viņš atcerējās, kā vecajā skolā viņu izvēlējās komandas sporta spēlēm. Harijs vienmēr palika pats pēdējais, ne jau tāpēc, ka būtu nekam nederīgs spēlētājs, bet gan tāpēc, ka neviens nevēlējās, lai Dūdijs domātu — viņiem Harijs patīk.

— Finčs-Flečlijs, Džastins!

— ELŠPŪTIS!

Harijs ievēroja, ka reizēm cepure nosauc torņa vārdu tūlīt, reizēm pirms izlemšanas tā kādu laiciņu domā. "Finigans Šīmuss", zēns ar smilškrāsas matiem, kurš stāvēja rindā līdzās Harijam, nosēdēja uz krēsla gandrīz veselu minūti, pirms cepure piepulcēja viņu grifidoriem.

— Grendžera Hermione!

Hermione gandrīz skriešus metās uz krēsla pusi un zibenīgi uzmauca cepuri galvā.

— GRIFIDORS! — izkliedza cepure. Rons ievaidējās.

Pēkšņi Harijam prātā ienāca drausmīga doma. Tā jau tās drausmīgās domas parasti dara, īpaši, ja tu, cilvēks, esi sanervozējies. Ja nu viņu vispār neizvēlas? Ja nu viņš tur nosēž veselu mūžību ar cepuri pār acīm, līdz profesore Maksūra to norauj viņam no galvas, paziņo, ka acīmredzot notikusi kļūda un aizsūta viņu atpakaļ uz vilcienu?

Kad izsauca Nevilu Lēniņu, zēnu, kurš mūžīgi zaudēja savu krupīti, pa ceļam uz krēslu viņš paklupa un pakrita. Cepure ilgi

domāja, kur likt Nevilu. Kad tā beidzot pasludināja savu sprie-
dumu — Grifidora tornis, Nevils metās uz sava galda pusi ar visu
cepuri galvā, un viņam smieklu vētras pavadītam, nācās tecēt vien
atpakaļ, lai atdotu cepuri "Makdugalai Moragai".

Kad nosauca Malfoja vārdu, rindas priekšā vīzdegunīgi iz-
nāca bālais zēns. Viņa vēlēšanās piepildījās tajā pašā acumir-
klī — cepure, tikko pieskārusies viņa galvai, nokliedzās: — SLĪ-
DENIS!

Malfojs, izskatīdamies varen apmierināts ar sevi, pievienojās
saviem draugiem Goilam un Krabem.

Rinda bija kļuvusi krietni retāka.

"Mūns"... "Nots"... "Pārkinsone"... tad dvīnes, "Patila" un
"Patila", tad "Pērksa Sallija Anna"... un, visbeidzot...

— Poters Harijs!

Kad Harijs paspēra soli uz priekšu, visai zālei pārskrēja sačuk-
stēšanās vilnis.

— Vai viņa teica *Poters*?

— *Tas* Harijs Poters?

Pēdējais, ko Harijs redzēja, pirms viņam uz acīm noslīdēja
cepure, bija simtiem uz priekšu paliekušos seju, kas centās labāk
saskatīt viņu. Nākamajā mirklī viņš vērās cepures tumsā. Harijs
gaidīja.

— Hm, — zēnam ausī atskanēja klusa balss. — Sarežģīti. Ļoti
sarežģīti. Lērums drosmes, tas skaidrs. Arī par prātu neklātos
sūdzēties. Talants, jā, augstā debess, jā — un vēlme apliecināt
sevi, tas nu reiz ir interesanti... Kur lai es tevi lieku?

Harijs satvēra krēsla malas ciešāk un domāja: "Tikai ne Slī-
denī, tikai ne Slīdenī..."

— Slīdenī nē? — pārjautāja klusā balss. — Vai esi pārliecināts?
Tur tu sasniegtu daudz, tas viss ir tavā galvā, un Slīdenis tev pa-
līdzētu ceļā uz diženumu, par to nav ne mazāko šaubu — tomēr
ne? Labi, ja esi tik cieši pārliecināts — lai būtu GRIFIDORS!

Harijs dzirdēja, kā cepure izkliedz pēdējo vārdu tā, lai dzirdētu visa zāle. Viņš noņēma cepuri un, ceļgaliem trīcot, devās uz Grifidora galda pusi. Viņu pārņēma milzīgs atvieglojums — viņu bija izvēlējušies, turklāt viņš bija izsprucis no Slīdeņa, tāpēc Harijs nemaz neievēroja, ka zāle viņam uzgavilē visskaļāk. Prefekts Persijs piecēlās kājās un dūšīgi paspieda viņam roku, bet Vīzliju dvīņi auroja pilnā kaklā: — Poters būs pie mums! Poters būs pie mums!

Harijs apsēdās pretī iepriekš redzētajam rišotajam rēgam. Spoks paplikšķināja zēnam pa roku, un Harijs pēkšņi jutās tā, it kā būtu iemests ledaina ūdens vannā.

Tagad Augstais galds bija labi pārskatāms. Viņam tuvākajā galā sēdēja Hagrids — viņš saskatījās ar zēnu un parādīja īkšķi, sak, viss bija kārtībā. Harijs uzsmaidīja milzim. Augstā galda vidū lielā zelta krēslā sēdēja Baltuss Dumidors. Harijs viņu tūlīt pazina pēc kartītes, ko bija atradis šokolādes vardē. Dumidora sudrabainie mati vizēja tikpat spoži kā rēgi. Harijs ievēroja arī profesoru Drebeli, nervozo jauno cilvēku no "Caurā katla". Savā milzīgajā purpurkrāsas turbānā viņš izskatījās ļoti īpatnēji.

Zāles priekšā palika vairs tikai trīs pirmziemnieki. "Tērpina Laiza" kļuva par kraukļanagu, un tad pienāca Rona kārta. Viņš izskatījās bāli zaļš. Harijs zem galda turēja īkšķi, un mirkli vēlāk cepure pasludināja: — GRIFIDORS!

Harijs aplaudēja kopā ar pārējiem, cik spēja, bet Rons bez spēka sabruka viņam līdzās.

— Labi, Ron, teicami, — pārliecies pāri Harijam, Persijs Vīzlijs pompozi uzslavēja jaunāko brāli, bet pa to laiku "Zabīnī Blēzu" piebiedroja slīdeņiem. Profesore Maksūra satina pergamentu un aiznesa Šķirmici projām.

Harijs paskatījās uz tukšo zelta šķīvi. Viņš tikai tagad aptvēra, ka ir briesmīgi izsalcis. Kopš ķirbju pīrāgiem, likās, bija pagājusi vesela mūžība.

Piecēlās Baltuss Dumidors. Viņš starojoši smaidīja, tad paplēta rokas, it kā nekas nespētu viņu iepriecināt vairāk par audzēkņu un pasniedzēju klātbūtni.

— Laipni lūdzu! — viņš sacīja. — Apsveicu ar jaunā mācību gada sākumu Cūkkārpā! Pirms sākam banketu, es vēlētos pateikt dažus vārdus. Un tie būtu: Muļķīts! Tauciņš! Kočiņš! Blūms!

— Paldies! — Dumidors beidza savu īso uzstāšanos un apsēdās. Visi aplaudēja un gavilēja. Harijs īsti nesaprata — smieties vai ne.

— Vai viņš ir — mazliet jucis? — viņš nedroši pavaicāja Persijam.

— Jucis? — Persijs nevērīgi pārjautāja. — Viņš ir ģēnijs! Izcilākais burvis visā pasaulē! Un mazliet jucis, tas tiesa. Vai tev, Harij, uzlikt kartupeļus?

Harijam atkārās žoklis. Šķīvji uz galda tagad bija dažādu ēdienu pilni. Nekad iepriekš viņš uz viena galda nebija redzējis tik daudz iekārojamu ēdienu: te bija gan liellopa gaļas cepetis, gan cepti vistas stilbiņi, gan cūkas un jēra karbonāde, gan desas, speķis un steiks, vārīti kartupeļi un cepti kartupeļi, čipsi, Jorkšīras pudiņš, zirņi, burkāni, mērces, kečups un, viņam nesaprotamu iemeslu pēc, pat piparmētru ledenes.

Dērsliji nekad nebija tīšām badinājuši Hariju, tomēr viņš nekad nedabūja pieēst pilnu vēderu. Turklāt Dūdijs vienmēr pievāca visu, kas Harijam kaut cik garšoja, kaut pašam pēc tam no pārēšanās bija slikta dūša. Harijs sakrāva uz sava šķīvja pa druskai no visa, izņemot ledenes, un sāka ēst. Garšoja lieliski.

— Izskatās gardi, — skumji ieminējās kruzuļos tērptais rēgs, vērodams, kā Harijs griež steiku.

— Vai jūs nevarat?...

— Neesmu ēdis jau gandrīz četrus simtus gadu. Man tas, protams, nav nepieciešams, bet tomēr — reizēm tik ļoti kārojas.

Šķiet, es nepaguvu stādīties priekšā? Sers Nikolass de Mimsijs Porpingtons — jūsu rīcībā. Grifidora torņa rezidējošais rēgs.

— Es zinu, kas tu esi! — pēkšņi iesaucās Rons. — Tu esi Gandrīz-Bezgalvas-Niks!

— Es *dotu priekšroku*, ja jūs mani uzrunātu kā seru Nikolasu de Mimsiju... — rēgs stīvi uzsāka, bet sarunā iejaucās Šīmuss Finigans, zēns ar smilškrāsas matiem.

— *Gandrīz*-Bezgalvas? Kā var būt *gandrīz* bez galvas?

Sers Nikolass likās pagalam sabozies, jo bija skaidrs, ka viņam neizdodas ievirzīt sarunu vēlamajā gultnē.

— Tas izskatās apmēram *šādi*, — viņš aizkaitināts sacīja. Viņš sagrāba savu kreiso ausi un parāva. Galva nolidoja no kakla un palika šūpojoties uz pleca, it kā būtu iestiprināta eņģē. Kāds bija mēģinājis nocirst viņam galvu, bet nebija iesākto paveicis līdz galam. Apmierināts ar pārbiedētajiem jaunpienācēju skatieniem, Gandrīz-Bezgalvas-Niks uzcēla galvu atpakaļ uz kakla, noklepojās un paziņoja: — Tad nu tā, jaunie grifidori! Ceru, ka palīdzēsiet mums šogad uzvarēt Skolas čempionātā. Nekad iepriekš Grifidora tornis tik ilgi nav palicis bez kausa. Slīdeņa tornis izcīnījis kausu jau sešus gadus pēc kārtas! Asiņainais barons kļuvis gluži neciešams — es runāju par Slīdeņa rēgu!

Harijs pavērās uz Slīdeņa galda pusi un ieraudzīja pie tā sēžam briesmīga izskata spoku — tas blenza zālē tukšām acīm. Rēgam bija izkāmējusi seja un sudrabainām asinīm notraipītas drānas. Viņš sēdēja tieši līdzās Malfojam, un Harijs ar klusu gandarījumu vēroja, ka Drako spoka klātbūtnē īpaši omulīgi vis nejūtas.

— Kur viņš tā nošļakstījies ar asinīm? — ziņkārīgi pavaicāja Šīmuss.

— Nekad neesmu jautājis, — atteica smalkjūtīgais Gandrīz-Bezgalvas-Niks.

Kad visi bija pieēdušies, cik lien, ēdiena atliekas no šķīvjiem pagaisa kā nebijušas, un tie atkal mirdzēja tīri un spoži kā mielasta sākumā. Nākamajā mirklī uz traukiem parādījās saldie ēdieni. Dažnedažādi saldējumi, ābolu pīrāgi, sīrupa tortes, šokolādes eklēri un ievārījuma maizītes, trifeles, zemenes, želejas, rīsu pudiņš...

Kad Harijs bija uzlicis sev gabaliņu sīrupa tortes, bērni sāka runāt par savām ģimenēm.

— Manās dzīslās abas asinis ir uz pusēm, — stāstīja Šīmuss. — Mans tētis ir vientiesis. Mamma to, ka viņa ir ragana, pastāstīja tikai pēc kāzām. Tas nu gan bija pārsteigumiņš.

Klausītāji sirsnīgi pasmējās.

— Un kā ar tevi, Nevil? — vaicāja Rons.

— Nu, mani uzaudzināja vecmāmiņa, un viņa ir ragana, — paskaidroja Nevils, — bet dzimtā visi domāja, ka esmu vientiesis. Vecmāmiņas brālis Eldžijs mūždien pūlējās pārsteigt mani un piespiest izdarīt kaut ko maģisku. Reiz viņš mani nogrūda no Blekpūlas mola, un es gandrīz noslīku. Līdz astoņiem gadiem nekas nenotika. Tēvocis Eldžijs bija atnācis uz tēju un tajā brīdī turēja mani aiz kājas ārā pa otrā stāva logu. Taču tad viņa māsa Īnida piedāvāja kūciņu, un tēvocis netīšām atlaida mani. Es neko nesalauzu, bet kā bumbiņa izlēkāju cauri dārzam līdz pašai ielai. Ja jūs zinātu, cik gandarīti viņi bija! Vecmāmiņa no laimes pat apraudājās. Un, ja jūs būtu redzējuši viņu sejas, kad es tiku Cūkkārpā — viņi domāja, ka varbūt maģiskā manī nav gana daudz. Vecmāmiņas brālis Eldžijs bija tik priecīgs, ka nopirka man krupīti.

Otrā pusē Harijam Persijs Vīzlijs un Hermione sprieda par mācībām ("Es *tiešām* ceru, ka mācības sāksies tūlīt, jo tik daudz kas ir jāapgūst, mani īpaši interesē pārvērtības, saprotiet, pārvērst kādu priekšmetu par kaut ko citu, protams, uzskata, ka tas ir ļoti sarežģīti..." "Jūs sāksiet ar mazumiņu — kā pārvērst sērkociņus par adatām, kaut ko tamlīdzīgu...")

Zālē bija silts, un Harijam uzmācās miegs. Viņš vēlreiz paskatījās uz Augstā galda pusi. Hagrids alkaini dzēra no liela kausa.

Profesore Maksūra sarunājās ar profesoru Dumidoru. Absurdā turbāna īpašnieks profesors Drebelis sarunājās ar vēl kādu pasniedzēju — tam bija melni, taukaini mati, līks deguns un dzelteņīga sejas āda.

Viss notika ļoti pēkšņi. Garām Drebeļa turbānam līkdegunis pasniedzējs ieskatījās Harijam tieši acīs — un asa, karsta sāpe pārskrēja rētai Harija pierē.

— Au! — Harijs piešāva roku pie pieres.

— Kas notika? — vaicāja Persijs.

— N-nekas.

Sāpe pagaisa tikpat pēkšņi, bet grūtāk bija tikt vaļā no sajūtas, ko bija atstājis skatiens, — un šī sajūta vedināja domāt, ka skolotājam Harijs nepavisam nepatīk.

— Kā sauc pasniedzēju, kurš runājas ar profesoru Drebeli? — viņš pavaicāja Persijam.

— Āā, Drebeli tu jau pazīsti! Nav nekāds brīnums, ka šis izskatās satraukts, viņa sarunbiedrs ir profesors Strups. Viņš māca mikstūras, taču Strupam šis priekšmets nepatīk — visi zina, ka viņš kāro Drebeļa darbu. Strups, viņš zina šausmīgi daudz par tumšajām zintīm.

Harijs kādu laiku vēroja Strupu, bet tas uz zēnu vairs nepaskatījās.

Visbeidzot arī saldo atliekas pagaisa no galdiem. Profesors Dumidors vēlreiz piecēlās. Zāle apklusa.

— Khm — vēl daži vārdi tagad, kad visi ir paēduši un padzēruši. Tie būs daži paziņojumi, kas saistīti ar trimestra sākumu.

— Pirmziemniekiem, — viņš jau striktāk noteica, — jāņem vērā, ka ieiet mežā pie skolas visiem audzēkņiem ir aizliegts. Arī dažiem vecāko klašu skolniekiem to nevajadzētu aizmirst.

Dumidora spožo acu skatiens nozibēja dvīņubrāļu Vīzliju virzienā.

— Filča kungs, skolas sargs, lūdza atgādināt, ka maģiskas darbības starpbrīžos starp stundām veikt gaiteņos nav atļauts.

— Kalambola pārbaudes, — turpināja Dumidors, — notiks trimestra otrajā nedēļā. Visi, kuri vēlas spēlēt sava torņa komandās, var pieteikties pie Hūčas madāmas.

— Un visbeidzot, — profesors pārlaida skatu zālei, — man jāpiekodina, ka šogad ceturtā stāva gaitenis, kas atrodas kāpņu labajā pusē, ir slēgts visiem, kas nevēlas mirt ļoti sāpīgā nāvē.

Harijs iesmējās, taču viņš bija viens no nedaudzajiem, kuri šos vārdus uztvēra kā joku.

— Viņš taču nedomāja to nopietni? — zēns apmulsis jautāja Persijam.

— Droši vien domāja, — atteica Persijs, raudzīdamies uz Dumidoru un šūpodams galvu. — Dīvaini, jo parasti viņš paskaidro, kāpēc kaut kur nedrīkst iet — teiksim, mežā čum un mudž bīstami radījumi, tas visiem ir zināms. Man šķiet, ka vismaz prefektiem viņš taču varēja izstāstīt.

— Un, pirms dodamies pie miera, nodziedāsim skolas himnu! — pacilāti uzsauca Dumidors. Harijs ievēroja, ka vairums pārējo skolotāju smaidīja visai samāksloti.

Dumidors tik tikko pavēcināja savu zizli — it kā censtos aizbaidīt no tā gala mušu — un no nūjiņas izritinājās gara jo gara zeltīta lente. Tā pacēlās augstu virs galdiem un kā čūska izvijās dziesmas vārdos.

— Katrs drīkst izvēlēties mīļāko melodiju, — Dumidors sacīja, — unnn — sākam!

Atskanēja balsu simti:

Cūkkārpa, Cūkkārpa, mīļā Cūkkārpa,
Dāvā mums mācību savu.
Vai nav vienalga — vecs vai jauns,
Ar ceļiem noberztiem vai pliku pauri,

Ikvienai galvai noderīgs var kļūt
Traks pildījums, ko šeit var gūt.
Jo tagad tajās tukšums, svilpo vējš,
Guļ beigtas mušas, sapinušās tīmekļos,
Jel māci mums, ko zināt vērts,
Liec atminēties to, kas aizmirstības dzēsts.
Jel dari, kas ir tavos spēkos,
Viss pārējais lai paliek pašu ziņā,
Jo apsolām mēs mācīties,
Līdz mūsu galvās pilnīgs sviests.

Dziesmu ikviens beidza citā laikā. Visbeidzot dziedāja vienīgi dvīņubrāļi Vīzliji, kuri bija izvēlējušies ļoti lēna sēru marša melodiju. Dumidors pavadīja viņu dziedātās pēdējās rindiņas ar zižļa šūpām, un, kad brāļi beidza, viņš bija starp tiem, kuri aplaudēja visskaļāk.

— Ak, mūzika, — viņš izdvesa, slaucīdams miklās acis. — Maģija, kas pārāka par visām citām! Un tagad — pie miera! Uz gultām, rikšos marš!

Grifidora pirmgadnieki spiedās pakaļ Persijam cauri pūlim, kas nevarēja vien rimt pļāpāt. Izgājuši no Lielās zāles, viņi devās augšup pa marmora kāpnēm. Harija kājas atkal kļuva smagas kā ar svinu pielietas, tikai šoreiz tas bija noguruma un lieliskā vakariņu dēļ. Zēns bija tik miegains, ka viņu neizbrīnīja ne cilvēki pie gaiteņa sienām piekārtajos portretos, kas sačukstējās un norādīja uz skolniekiem, ne tas, ka Persijs divas reizes izvadīja viņus cauri slepenām durvīm, kas bija paslēptas aiz slīdošiem paneļiem un piekārtiem aizkariem. Bērniem, kuri žāvājās un knapi vilka kājas, nācās uzkāpt vēl pa vairākām kāpnēm, un Harijs jau sāka prātot, cik gan tālu vēl būs jāiet, kad gājiens pēkšņi apstājās.

Tālāk gaitenī gaisā lidinājās vairāki spieķi un, tikko Persijs spēra soli uz to pusi, spieķi metās viņam virsū.

— Tas ir Nīgris, — Persijs pačukstēja pirmziemniekiem.
— Poltergeists. — Prefekts pacēla balsi. — Nīgri, parādies!

Atbildes vietā atskanēja skaļš, nepieklājīgs troksnis, it kā no balona laistu ārā gaisu.

— Vai man būs jāiet pēc Asiņainā barona?

Pēc klusa paukšķa gaisā parādījās mazs vīriņš ar negantām acīm un platu muti. Viņš sēdēja gaisā sakrustotām kājām un vicināja spieķus.

— Ūūūūūūūū! — viņš ļauni smiedamies iesaucās. — Pirmziemnieciņi! Nu gan man izklaides netrūks!

Viņš pēkšņi pikēja uz apmulsušo bērnu bariņu, un visi pieliecās.

— Pazūdi, Nīgri, citādi tas nāks ausīs Asiņainajam baronam, es vairs nejokoju! — uzrēja Persijs.

Nīgris parādīja mēli un pazuda, bet spieķi nobira pār Nevila galvu. Bērni dzirdēja, kā poltergeists aizlido, pa ceļam nograbinādams bruņas, kas stāvēja gaiteņu malās.

— Piesargieties no Nīgra, — brīdināja Persijs, kad viņi turpināja ceļu. — Asiņainais barons ir vienīgais, kurš spēj viņu valdīt, pat mums, prefektiem, viņš neklausa. Klāt esam!

Pašā gaiteņa galā karājās ļoti resnas, rozā kleitā tērptas kundzes portrets.

— Parole? — viņa vaicāja.

— *Caput Draconis*, — sacīja Persijs, un portrets pavērās uz sāniem, tā atsegdams apaļu caurumu sienā. Viņi izlīda tam cauri — Nevilam vajadzēja palīdzēt — un nonāca Grifidora torņa koptelpā, omulīgā, apaļā istabā, kurā bija izvietoti daudzi mīksti atzveltnes krēsli.

Persijs meitenēm norādīja uz vienām durvīm, bet zēniem — uz otrām. Spirālveida kāpņu augšgalā — acīmredzot viņi atradās vienā no torņiem — bērni beidzot tika līdz gultām: telpā atradās piecas gultas ar baldahīniem, kuru četrus balstus greznoja tumši sarkani samta aizkari. Viņu mantas jau bija atnestas uz istabu. Pārāk piekusuši, lai turpinātu pļāpāt, zēni uzvilka naktskreklu un iekrita gultā.

— Labās vakariņas, vai ne? — Rons nomurmināja, vērsdamies pie Harija cauri aizkariem. — Liecies *mierā*, Kašķi! Viņš grauž manus palagus.

Harijs gribēja pavaicāt Ronam, vai draugs nogaršojis sīrupa torti, bet nepaguva — viņam aizkrita acis.

Iespējams, Harijs tomēr bija apēdis mazliet par daudz, jo naktī viņš redzēja ļoti dīvainu sapni. Galvā viņam bija profesora Drebeļa turbāns, kurš nepārstājot sarunājās ar viņu, klāstīdams, ka Harijam tūlīt jāpāriet uz Slīdeņa torni, jo tas esot zēna liktenis. Harijs atbildēja, ka nevēlas būt slīdenis. Tad turbāns kļuva arvien smagāks un smagāks, Harijs mēģināja to nocelt no galvas, bet tas sāpīgi savilkās ap viņa deniņiem. Vēl sapnī bija Malfojs — viņš smējās, redzēdams, kā Harijs velti cīnās ar turbānu, tad Malfojs pārvērtās par līkdeguni skolotāju, par Strupu, tas griezīgi un ledaini iesmējās, tad uzzibsnīja zaļa gaisma un Harijs pamodās, drebēdams aukstos sviedros.

Zēns pagriezās uz otriem sāniem un atkal aizmiga, bet, nākamajā rītā pamodies, viņš sapni vairs neatcerējās.

ASTOTĀ NODAĻA

MIKSTŪRU
PASNIEDZĒJS

—Tur, skaties!

— Kur?

— Blakus tam garajam čalītim ar rudajiem matiem.

— Tas ar brillēm?

— Vai redzēji viņa seju?

— Vai redzēji viņa rētu?

Tikko Harijs nākamajā rītā iznāca no guļamtelpas, viņu visur pavadīja sačukstēšanās. Bērni, kas gaidīja stundu sākumu pie klases durvīm, pastiepās pirkstgalos, lai redzētu viņu, vai gaiteņos pagriezās pretējā virzienā, lai vēlreiz varētu paplestām acīm paiet zēnam garām. Harijs vēlējās, kaut viņi rimtos, jo viņš mēģināja koncentrēties, lai atrastu ceļu uz nākamo nodarbību.

Cūkkārpā pavisam bija simt četrdesmit divas kāpnes: gan plašas un nolaidenas, gan šauras un ļodzīgas. Dažas piektdienās veda citur nekā pārējās dienās. Citās bija kāds izgaistošs pakāpiens, tāpēc nedrīkstēja aizmirst īstajā vietā palēkties. Dažas durvis nevērās, līdz nācējs nebija tās mīļi palūdzis, citas kutināja bērnus, vēl citas nemaz nebija durvis, bet gan sienas, kas izlikās par durvīm. Arī atcerēties, kur kas atrodas, nebija viegli, jo viss nemitīgi mainījās. Cilvēki portretos pastāvīgi gāja ciemos cits pie cita, un Harijs bija pārliecināts, ka arī bruņutērpi spēja pārvietoties.

Arī rēgi nesekmēja laicīgu nokļūšanu uz stundām. Harijs vienmēr jutās nepatīkami pārsteigts, kad cauri durvīm, kuras viņš tobrīd pūlējies atvērt, pēkšņi izpeldēja kāds spoks. Gandrīz-Bezgalvas-Niks labprāt izpalīdzēja jaunajiem grifidoriem, norādīdams pareizo virzienu, bet poltergeists Nīgris bija ļaunāks par divām slēgtām durvīm un apburtu kāpņu posmu, ja nācās to sastapt, steidzoties uz nokavētu nodarbību. Nīgris meta nabaga upurim uz galvas papīrkurvjus, rāva no kājapakšas grīdceliņus, svieda ar krīta gabaliem vai neredzams piezagās no muguras, saķēra tevi aiz deguna un iespiedzās: — KUR SNĪPIS?

Vēl ļaunāks par Nīgri, ja vien tas bija iespējams, bija skolas sargs Arguss Filčs. Harijam un Ronam izdevās šo briesmoni saniknot jau pirmajā rītā. Filčs pieķēra zēnus, kad tie mēģināja tikt cauri durvīm, kuras, kā nelaimīgā kārtā izrādījās, veda uz aizliegto gaiteni ceturtajā stāvā. Sargs neticēja, ka puikas esot nomaldījušies, un bija pārliecināts, ka viņi tur mēģinājuši ielauzties tīšām. Brīdī, kad viņš draudēja razbainiekus iespundēt pazemes labirintos, draugus izglāba profesors Drebelis, kurš tobrīd gāja garām.

Filčam piederēja kaķene, ko sauca par Norisa kundzi. Tas bija izkāmējis putekļu krāsas radījums ar izvalbītām, lampām līdzīgām acīm — arī Filčam bija tādas pašas. Kaķene gaiteņos mēdza patrulēt arī vienatnē. Ja gadījās tās priekšā nogrēkoties, kaut par mata tiesu pārkāpt kādu noteikumu, tā aizmetās projām un pēc divām sekundēm atgriezās kopā ar aizsmakušo Filču. Filčs zināja visas skolas slepenās ejas labāk par jebkuru citu (iespējams, izņemot dvīņubrāļus Vīzlijus) un spēja uzrasties tev līdzās tikpat pēkšņi kā rēgi. Audzēkņi visi kā viens neieredzēja skolas sargu, un daudzu kvēlākā vēlēšanās bija no sirds iespert Norisa kundzei pa kaulaino pēcpusi.

Kad izdevās atrast klasi, kurā stunda notika, vēl jau bija jāpārdzīvo arī pati stunda. Maģija, kā drīz uzzināja Harijs, bija kas vairāk par zižļa vēcināšanu un dažiem dīvainiem vārdiem.

Katru trešdienu tieši pusnaktī viņi pētīja tumšās debesis caur saviem tālskatiem, lai iemācītos visu zvaigžņu vārdus un izprastu planētu kustību. Trīs reizes nedēļā viņi devās uz siltumnīcām aiz pils, lai apgūtu herboloģiju, ko pasniedza drukna, maza auguma ragana, profesore Asnīte. Šajās stundās viņi apguva, kā kopt visvisādus neparastus augus un sēnes, kā arī mācījās, kur tie izmantojami.

Neapšaubāmi, visgarlaicīgākā stunda bija maģijas vēsture, kas bija vienīgais priekšmets, ko pasniedza spoks. Profesors Bijs, jau būdams ļoti vecs, kādu vakaru bija aizmidzis skolotāju istabas pavarda priekšā un nākamajā rītā devās uz nodarbībām, atstājis savu ķermeni guļam. Bijs monotoni skandēja un skandēja apgūstamo vielu, bet skolēni rakstīja un rakstīja — vārdus, vietas, datumus, līdz sajauca Emeriku Negantnieku ar Jūriku Savādnieku.

Profesors Zibiņš, burvestību pasniedzējs, izrādījās mazs mazītiņš burvītis, kuram nācās stāvēt uz grāmatu kaudzes, lai redzētu pāri galdam. Pirmās stundas sākumā viņš paņēma klases žurnālu, un, kad viņš sarakstā nonāca līdz Harija vārdam, viņš sajūsmā iespiedzās un novēlās zem galda.

Profesore Maksūra bija gluži citāda. Harijam bija taisnība, kad viņš nosprieda, ka ar viņu vēlams sadzīvot pa labam. Stingra un gudra, viņa jau pirmās stundas pašā sākumā nolasīja bargu morāli.

— Pārvērtības ir viena no sarežģītākajām un bīstamākajām burvju mākslām, ko jūs apgūsiet Cūkkārpā, — viņa sacīja. — Ja kāds manās stundās muļķosies, viņš atstās klasi un atpakaļ vairs neatgriezīsies. Esmu jūs brīdinājusi.

Tad viņa pārvērta savu galdu par cūku un cūku atkal par galdu. Skolnieki pārsteigumā blisināja acis un nespēja vien nociesties, lai sāktu apgūt šo mākslu, bet drīz aptvēra, ka brīdis, kad viņi spēs pārvērst mēbeles par dzīvniekiem, vēl ir aiz kalniem. Pēc ilgas sarežģītu piezīmju skribelēšanas, viņi saņēma katrs pa sērkociņam, kuru vajadzēja pārvērst par adatu. Nodarbības beigās vienīgi Hermionei Grendžerai bija izdevies kaut cik izmainīt sērkociņu. Profesore Maksūra parādīja to klasei — tas bija ieguvis metālisku spožumu un asu galu. Hermionei tika viens no profesores retajiem smaidiem.

Visi pirmziemnieki ar īpašu degsmi gaidīja aizsardzību pret tumšajām zintīm, taču Drebeļa stundas, izrādījās, vairāk atgādināja joku dzīšanu. Viņa klasē stipri oda pēc ķiplokiem, un visi zināja teikt, ka ķiplokiem vajadzētu aizbaidīt vampīru, kuru Drebelis bija sastapis Rumānijā un no kura atkalparādīšanās profesors vēl arvien baidījās. Viņa turbāns, paskaidroja pasniedzējs, esot kāda Āfrikas prinča pateicības dāvana par neganta zombija aizgainīšanu, tomēr skolnieki diez ko nenoticēja šim stāstam. Pirmkārt, kad Šīmuss Finigans aizrautīgi vaicāja, lai Drebelis izstāsta, kā pieveicis zombiju, pasniedzējs nosarka un sāka runāt par laika apstākļiem. Otrkārt, bērni ievēroja, ka turbāns dīvaini smako, turklāt dvīņubrāļi Vīzliji vienā mutē apgalvoja, ka arī tas esot piebāzts ar ķiplokiem, lai Drebelis būtu pasargāts visur, kur ietu.

Harijs ar atvieglojumu saprata, ka nav bezgalīgi atpalicis no pārējiem. Daudzi bērni nāca no vientiešu ģimenēm un, tāpat kā viņš, nebija nojautuši, ka ir raganas un burvji. Tik daudz kas bija jāapgūst, ka pat tādiem burvju dzimtu pārstāvjiem kā Ronam nenācās viegli.

Piektdiena Harijam un Ronam sākās ar maziem svētkiem — pirmo reizi izdevās nokļūt līdz brokastu galdiem Lielajā zālē, ne reizi nenomaldoties.

— Kas mums šodien paredzēts? — vaicāja Harijs, bērdams cukuru biezputras šķīvī.

— Divas mikstūru nodarbības kopā ar slīdeņiem, — pavēstīja Rons. — Strups ir Slīdeņa torņa vecākais. Runā, ka viņš savējos vienmēr atbalstot — mums drīz būs iespēja par to pārliecināties pašiem.

— Kaut nu Maksūra tā atbalstītu mūs, — nopūtās Harijs. Profesore Maksūra bija Grifidora torņa vecākā, bet tas nebija viņai traucējis vakar uzdot viņiem veselu lērumu ar mājas darbiem.

Tajā brīdī pienāca pasts. Nu jau Harijs pie tā bija pieradis, bet pirmajā brīdī gan jutās pārsteigts, kad pēkšņi brokastu laikā Lielajā zālē ielidoja kāds simts pūču, sāka riņķot virs galdiem, līdz sameklēja savus īpašniekus un nometa tiem klēpī vēstules un sainīšus.

Līdz šim Hedviga Harijam neko nebija nesusi. Viņa reizēm ielaidās zālē, lai paknibinātu viņam ausi un panašķotos ar maizes gabaliņu, bet tad kopā ar pārējām skolas pūcēm devās pie miera pūču mājā. Bet šorīt viņa nolaidās zemāk, starp marmelādes bļodiņu un cukurtrauku, un nometa uz Harija šķīvja zīmīti. Harijs to tūlīt atplēsa.

Mīļo Harij, (rokraksts gan bija gandrīz nesalasāms)

Zinu, ka piektdienas pēcpusdienas tev ir brīvas, tāpēc priecātos, ja tu atnāktu pie manis ap trijiem uz tasi tējas. Gribu dzirdēt visu par tavu pirmo nedēļu skolā. Atsūti atbildi ar Hedvigu.

Hagrids

Harijs, aizņēmies no Rona spalvu, zīmītes otrā pusē aši uzrakstīja: "*Labprāt vēlāk aiziešu pie tevis,*" un atdeva lapiņu Hedvigai.

Harijam par prieku, tējas dzeršana pie Hagrida izrādījās tas gaismas stariņš, kas palīdzēja izturēt mikstūru stundas, jo tās izrādījās visbriesmīgākais, ko viņš līdz šim skolā bija piedzīvojis.

Trimestra sākuma banketā Harijam bija radusies sajūta, ka profesoram Strupam viņš nepatīk. Un jau pirmās mikstūru stundas beigās zēnam bija skaidrs, ka viņš kļūdījies. Teikt, ka Strupam viņš nepatīk, nozīmēja nepateikt neko. Jo Strups Hariju *ienīda*.

Mikstūru stundas notika pazemē, vienā no labirintiem. Šeit bija krietni vēsāk nekā pārējā pilī un gana baisi arī bez preparētajiem dzīvniekiem, kas peldēja savās stikla burkās vai uz katra plaukta.

Strups, tāpat kā Zibiņš, stundu sāka ar klases žurnālu, un, tāpat kā Zibiņš, arī viņš apstājās pie Harija vārda.

— Ak, jā, — viņš klusi noteica, — Harijs Poters, mūsu jaunā — *slavenība.*

Drako Malfojs un viņa draugeļi Krabe un Goils, paslēpuši sejas plaukstās, iespurdzās. Strups pabeidza lasīt skolēnu sarakstu un paskatījās uz klasi. Viņa acis bija tikpat melnas kā Hagridam, tikai tajās nebija ne vēsts no Hagrida skatiena siltuma. Strupa skatiens likās auksts un tukšs un uzvēdīja domas par tumšiem tuneļiem.

— Jūs atrodaties šeit, lai apgūtu mikstūru jaukšanas netveramo zinātni un precīzo mākslu, — viņš sāka savu stāstījumu. Viņa vārdi skanēja tikai mazliet skaļāk par čukstiem, tomēr skolnieki dzirdēja katru zilbi — tāpat kā profesorei Maksūrai, arī Strupam piemita spēja bez kādas piepūles panākt pilnīgu klusumu klasē. — Tā kā šeit nenotiks gandrīz nekāda bērnišķīga vicināšanās ar zižļiem, daudziem no jums varbūt radīsies šaubas, vai šī vispār ir maģija. Es neceru, ka jūs jau šodien izpratīsiet lēni virstoša, vieglas dūmakas tīta katla skaistumu, šķidrumu maigo spēku, to, kā tie lavās pa dzīvas radības dzīslām, apburdami prātu, sapīdami sajūtas... Es spēju jums iemācīt, kā uzliet slavu, sabrūvēt godu, pat paslēpt zem aizbāžņa nāvi — ja vien jūs neesat tādi aitasgalvas, kādus man parasti nākas mācīt.

Pēc šiem ievadvārdiem iestājās klusums. Harijs un Rons izbrīnītām acīm saskatījās. Hermione Grendžera sēdēja uz pašas sola maliņas — viņai tā kārojās pierādīt, ka viņa nav aitasgalva.

— Poter! — pēkšņi ierunājās Strups. — Kas notiks, ja mēs pievienosim sagrūstai asfodeles saknei vērmeļu izvilkumu?

Kā sagrūstai saknei kādu izvilkumu? Harijs uzmeta skatienu Ronam, bet draugs izskatījās tikpat apstulbis. Gaisā uzšāvās Hermiones roka.

— Es nezinu, profesor, — sacīja Harijs.

Strupa lūpas savilkās smīnā.

— Tā, tā, tā — izrādās, slava vēl nebūt nav viss.

Pasniedzējs nelikās zinis par Hermiones roku.

— Mēģināsim vēlreiz, Poter. Kur jūs meklētu bezoaru, ja es lūgtu to sagādāt?

Hermione izstiepa savu roku tik augstu, cik tas bija iespējams, paliekot sēdus, turpretī Harijam nebija ne mazākās jausmas, kas bezoars tāds ir. Viņš centās neskatīties uz Malfoju, Krabi un Goilu, kuri kratījās smieklos.

— Es nezinu, profesor.

— Jums laikam neienāca prātā ielūkoties grāmatā pirms nākšanas uz šejieni, ko, Poter?

Harijs ar pūlēm izturēja viņa skatienu un turpināja raudzīties tieši melnajos bezdibeņos. Viņš *bija* izskatījis savas mācību grāmatas vēl Dērsliju namā, bet vai tiešām Strups uzskatīja, ka viņam jāatceras katrs "Tūkstoš burvju augu un sēņu" vārds?

Strups turpināja ignorēt Hermiones drebošo roku.

— Kāda, Poter, ir atšķirība starp kurpīti un akonītu?

Pēc šī jautājuma Hermione piecēlās stāvus, it kā pūlēdamās aizsniegt labirinta griestus.

— Es nezinu, — klusi atbildēja Harijs. — Bet, šķiet, ka Hermione to zina — varbūt pavaicājiet viņai?

Vairāki skolēni iesmējās. Harijs pamanīja Šīmusa skatienu, un Šīmuss piemiedza viņam ar aci. Strupu gan tāda atbilde neapmierināja.

— Apsēdieties, — viņš asi uzsauca Hermionei. — Jūsu zināšanai, Poter, asfodeles sajaukums ar vērmelēm veido tik iedarbīgas miega zāles, ka tās dēvē par dzīvo miroņu mikstūru. Bezoars ir akmens, ko atrod kazu kuņģos, un tas pasargā cilvēku no vairuma inžu. Kas attiecas uz kurpīti un akonītu, tas ir viens un tas pats augs. Nu? Kāpēc neviens to nepieraksta?

Pēkšņi sāka čaukstēt pergamenti un švīkstēt spalvas. Pāri šim troksnim Strups piebilda: — Un par jūsu asprātību, Poter, Grifidora tornim tiek atņemts viens punkts.

Arī atlikusī mikstūru nodarbības daļa grifidoriem nebija veiksmīga. Strups sadalīja visus pāros un lika pagatavot vienkāršu maisījumu pret augoņiem. Viņš klīda pa klasi savā melnajā apmetnī, vērodams, kā audzēkņi sver žāvētas nātras un saberž piestā čūsku ilkņus. Profesors izteica aizrādījumus gandrīz ikvienam, izņemot Malfoju, kurš pasniedzējam, šķiet, patika. Brīdī, kad Strups pievērsa klases vērību tam, cik lieliski Malfojs izvārījis savus vīngliemežus, labirintu piepildīja kodīgi zaļu dūmu mutuļi un skaļa šņākoņa. Nevilam nezin kā bija izdevies pārvērst Šīmusa katlu bezveidīgā, izkususā burbulī, un viņu virums lēnām plūda pa akmens grīdu, svilinādams caurumus apavos. Pēc mirkļa visa klase stāvēja uz soliem, bet ar šķidrumu no galvas līdz kājām nolijušais Nevils sāpēs vaidēja — uz rokām un kājām nabagam strauji veidojās nelāgi, sarkani augoņi.

— Stulbais puišelis! — noņurdēja Strups, ar vienu zižļa vēzienu likdams pazust izlijušajam maisījumam. — Cik noprotu, tu pieliki dzeloņcūku adatas, nenoņēmis katlu no uguns?

Nevils iekunkstējās, jo tajā brīdī vairāki augoņi uzmetās viņam uz deguna.

— Aizved viņu uz slimnīcas spārnu, — Strups strupi pavēlēja Šīmusam. Tad pasniedzējs pienāca pie Harija un Rona, kuri strādāja blakus Nevilam.

— Poter, kāpēc tu neteici viņam, lai neliek klāt adatas? Tev likās, ka izskatīsies pārāks, ja viņš ko salaidīs grīstē, ko? Tavas vainas dēļ Grifidora tornis zaudē vēl vienu punktu.

Tā bija tik klaja netaisnība, ka Harijs jau pavēra muti, lai apstrīdētu šo lēmumu, taču Rons iespēra viņam pa potīti.

— Neiebilsti, — viņš nomurmināja. — Esmu dzirdējis, ka Strups mēdz kļūt pilnīgi nevaldāms.

Kad stundu vēlāk visi kāpa pa kāpnēm augšā no pagrabiem, Harija galvā šaudījās dažādas domas un sajūta bija pagalam nelāga. Jau pirmajā nedēļā viņš bija zaudējis Grifidora tornim divus punktus — *kādēļ* gan Strups viņu tā nīda?

— Nebēdājies, — draugu mēģināja uzmundrināt Rons, — Strups vienmēr atņem punktus Fredam un Džordžam. Vai es varu iet pie Hagrida kopā ar tevi?

Bez piecām trijos viņi izgāja no pils un devās pāri pagalmam. Hagrids dzīvoja mazā koka namiņā pašā Aizliegtā meža malā. Pie ārdurvīm stāvēja stops un galošu pāris.

Kad Harijs pieklauvēja pie durvīm, iekšpusē atskanēja nikna skrāpēšanās un vairāki dobji rējieni. Un Hagrida balss: — *Mierā*, Ilkni, mierā!

Durvju spraugā parādījās Hagrida noaugusī galva.

— Pagaidiet, — viņš teica. — *Mierā*, Ilkni.

Viņš ielaida zēnus mājā, pats tikmēr pūlēdamies aiz kaklasiksnas novaldīt milzīgu melnu suni, kādus parasti izmanto mežacūku medībās.

Mājā bija tikai viena istaba. Pie griestiem karājās šķiņķi un fazāni, uz atklātas uguns virda kapara katls, bet stūrī stāvēja pamatīga gulta ar pāri pārklātu lupatdeķi.

— Jūtiets kā mājās, — noteica Hagrids un palaida vaļā Ilkni. Suns metās pie Rona un sāka laizīt zēna ausis. Tāpat kā Hagrids, arī Ilknis acīmredzot nebija tik briesmīgs, kā izskatījās.

— Tas ir Rons, — Harijs pavēstīja Hagridam, kurš lēja verdošu ūdeni lielā tējkannā un kārtoja uz šķīvja smilšu kūkas.

— Vēl viens Vīzlijs, ko? — jautāja Hagrids, uzmezdams skatu Rona vasarraibumiem. — Man nāks pavadīt vai pus dzīves, dzenājot tavus dvīņubrāļus ārā no meža.

Smilšu kūkas izrādījās stipri cietas, bet Harijs un Rons izlikās, ka tās abiem varen garšo un stāstīja, kā viņiem klājies pirmajās stundās. Ilknis sēdēja, nolicis galvu Harijam uz ceļa un noslienādams visu viņa tērpu.

Zēnus iepriecināja, ka Hagrids dēvē Filču par "to veco nūģi".

— Un, ja runā par to kaķi, Norisa kundzi, tad es labprāt iepazīstināt šo ar savu Ilkni. Vai zi, katru reizi, kad es aizej uz skolu, šī man visur iet pakaļ! Netiek no šās vaļā — laikam tak Filčs man viņu uzsūt.

Harijs izstāstīja Hagridam par Strupa stundu. Hagrids, tāpat kā Rons, ieteica Harijam par to neuztraukties — Strupam reti kurš audzēknis izraisot kaut mazākās simpātijas.

— Bet liekas, ka mani viņš *ienīst*!

— Muļķības! — nepiekrita Hagrids. — Kāpēc lai šis to darīt?

Tiesa, Harijam nez kādēļ likās, ka, sakot šos vārdus, Hagrids novērsa skatienu.

— Kā tavs brālis Čārlijs? — Hagrids pavaicāja Ronam. — Man viņš ļoti patīk — kā viņš tik galā ar zvēriem!

Harijs prātoja, vai Hagrids sarunas tēmu nomainījis tīšām. Kamēr Rons stāstīja Hagridam par Čārlija darbu ar pūķiem, Harijs paņēma no galda papīra lapiņu. Tas izrādījās izgriezums no "Dienas Pareģa":

PĒDĒJĀS ZIŅAS PAR IELAUŠANOS GRINGOTOS

Turpinās izmeklēšana lietā par ielaušanos Gringotu bankā 31. jūlijā, ko uzskata par nezināmu tumšo burvju vai raganu roku darbu.

Gringotu goblini šodien vēlreiz apliecināja, ka nozagts nekas neesot. Uzlauztais kambaris esot iztukšots agrāk tajā pašā dienā.

— Tomēr mēs neziņosim, kas tur atradās, tāpēc nebāziet savus degunus tur, kur nevajag — dzīvosiet ilgāk, — šodien pēcpusdienā paziņoja Gringotu runasgoblins.

Harijs atcerējās — Rons vilcienā tika stāstījis, ka mēģināts aplaupīt Gringotu banku, bet Rons toreiz neminēja ielaušanās datumu.

— Hagrid, — Harijs jautāja. — Ielaušanās Gringotos notika manā dzimšanas dienā! Varbūt tas notika tobrīd, kad mēs bijām bankā!

Nu par to vairs nevarēja būt ne mazāko šaubu — šoreiz Hagrids noteikti nepaskatījās Harijam acīs. Viņš kaut ko norūca un piedāvāja Harijam vēl vienu smilšu kūku. Harijs vēlreiz pārlasīja rakstu. *Uzlauztais kambaris esot iztukšots agrāk tajā pašā dienā.* Hagrids todien iztukšoja septiņsimt trīspadsmito kambari, ja vien par iztukšošanu varēja saukt mazā, necilā sainīša paņemšanu. Varbūt tieši to arī meklēja zagļi?

Kad Harijs un Rons devās atpakaļ uz pili vakariņās, kabatas zēniem bija pilnas ar smilšu kūkām, no kurām viņi neatteicās pieklājības pēc. Harijs sprieda, ka neviena stunda nebija likusi viņam pārdomāt tik daudz kā šī tējas dzeršana pie Hagrida. Vai Hagridam bija izdevies paņemt sainīti tieši laikā? Kur tas atradās šobrīd? Un vai Hagrids zināja par Strupu kaut ko tādu, ko milzis nevēlējās stāstīt Harijam?

DEVĪTĀ NODAĻA

DIVĶAUJA PUSNAKTĪ

Harijs pat iedomāties nespēja, ka reiz satiks zēnu, ko nīdīs vairāk par Dūdiju. Līdz brīdim, kad viņš labāk iepazina Drako Malfoju. Pagaidām grifidoru pirmziemniekiem kopā ar slīdeņiem bija tikai mikstūru stundas, tāpēc Harijam nenācās paciest Malfoju pārāk bieži. Bet šim pamieram pienāca gals — kādu dienu grifidoru koptelpā pie ziņojumu dēļa parādījās zīmīte, kas lika visiem vienā balsī novaidēties. Tā vēstīja, ka ceturtdien sāksies lidošanas stundas — un tās notiks grifidoriem un slīdeņiem kopā.

— Tā jau tam vajadzēja būt, — drūmi noteica Harijs. — Notiek tas, par ko vienmēr esmu sapņojis. Kā pataisīšu sevi par muļķi Malfoja acīs, nezinādams, no kura gala ķerties slotaskātam klāt.

Un viņš vairāk par visu pasaulē bija gaidījis, kad sāksies lidošanas stundas...

— Tu vēl nezini, vai pataisīsi sevi par muļķi, — prātīgi iebilda Rons. — Kas par to, ka Malfojs vienmēr lielās ar savu kalambola prasmi! Varu saderēt, ka tās ir tikai runas.

Runāt par lidošanu Malfojs tiešām runāja daudz. Viņš skaļi žēlojās, ka pirmziemnieki gandrīz nekad netiekot torņa kalambola komandā, un gari un plaši lielījās par saviem lidošanas piedzīvojumiem, kas gandrīz vienmēr beidzās ar knapu izbēgšanu no vientiešu helikopteriem. Tiesa, viņš nebija vienīgais lielībnieks — arī no Šīmusa Finigana stāstītā izrietēja, ka viņš visu bērnību pavadījis, lidinādamies virs zaļās Anglijas plašajiem laukiem. Pat Ronam bija ko pavēstīt klausīties kārajiem, — reiz, traukdamies uz Čārlija vecās slotas, viņš gandrīz saskrējies ar deltaplānu. Visi burvju ģimeņu bērni nepārtraukti sprieda par kalambolu. Rons pat sastrīdējās ar Dīnu Tomasu, vēl vienu viņu istabiņas iemītnieku, par futbolu. Rons nespēja saprast, kas aizraujošs var būt spēlē, kurā ir tikai viena bumba un kurā neviens nelido. Reiz Harijs piekēra Ronu bikstām spēlētājus Dīna *West Ham* futbola komandas plakātā — Rons gribēja, lai tie izkustas no vietas.

Nevils savukārt nekad mūžā nebija kāpis uz slotas, jo viņa vecmāmiņa vienkārši nebija laidusi zēnu nevienam kātam pat tuvumā. Taisnību sakot, Harijs atzina, ka viņai bijusi taisnība, jo, arī ar abām kājām stāvot uz zemes, Nevils pamanījās iekulties neticamā skaitā dažādu negadījumu.

Hermione Grendžera uztraucās par lidošanu gandrīz tāpat kā Nevils. Tā nu reiz bija prasme, ko nevarēja izlasīt grāmatā un iemācīties no galvas, kaut arī viņa ļoti centās — ceturtdien pie brokastu galda viņa visiem krita uz nerviem ar padomiem lidošanā, ko bija izlasījusi grāmatā "Kalambols laiku lokos". Nevils kāri tvēra katru viņas vārdu, laikam izmisīgi cerēdams, ka šīs gudrības viņam līdzēs noturēties uz slotaskāta. Pārējie gan varen nopriecājās, kad pasta pūču parādīšanās pārtrauca Hermiones monologu.

Kopš Hagrida zīmītes Harijs nebija saņēmis ne sūtījuma. To, protams, ātri vien pamanīja Malfojs. Malfoja ūpis vai katru dienu atlidoja ar saldumu sainīšiem no mājām, kurus tad Drako lielīgi plēsa vaļā pie Slīdeņa galda.

Todien plīvurpūce atnesa Nevilam mazu sainīti no vecmāmiņas. Viņš dedzīgi to atvēra un parādīja pārējiem stikla bumbiņu apmēram valrieksta lielumā. Likās, ka bumbiņa ir pilna ar dūmiem.

— Tas ir Vīsatceris! — viņš paskaidroja. — Oma zina, ka esmu aizmāršīgs — un Vīsatceris tev atgādina, ka esi ko aizmirsis. Skatieties, to ir jātur cieši rokā, un, ja tas kļūst sarkans... ak... — Nevils pēkšņi sadrūma, jo Vīsatceris tiešām bija kļuvis sarkans, — ...tu tiešām esi kaut ko aizmirsis...

Kamēr Nevils prātoja, ko varētu būt aizmirsis, gar Grifidora galdu nāca Drako Malfojs un izrāva Vīsatceri puikam no rokas.

Harijs un Rons pielēca kājās. Viņi jau labu laiku meklēja iemeslu, lai izvillotos ar Malfoju, taču iejaucās profesore Maksūra, kura, šķiet, spēja briestošas nepatikšanas ieraudzīt ātrāk par jebkuru citu pasniedzēju.

— Kas te notiek?

— Profesore, Malfojs paņēma manu Vīsatceri!

Malfojs saviebās un aši nometa Vīsatceri uz galda.

— Es tikai paskatījos, — viņš novilka un gorīdamies devās projām. Krabe un Goils sekoja viņam pa pēdām.

* * *

Pusčetros tajā pēcpusdienā Harijs, Rons un pārējie jaunie grifidori steidzās lejā pa kāpnēm, lai laikus nokļūtu pagalmā, kur tūlīt vajadzēja sākties viņu pirmajai lidošanas stundai. Bija skaidra, vējaina diena. Pār zāli vēlās plati viļņi. Grifidori soļoja uz līdzena zāliena pusi. Tas pletās skolas teritorijā, Aizliegtajam mežam pretējā malā, bet arī no šejienes meža tumšais biezoknis likās draudīgs.

Slīdeņi jau gaidīja, tāpat kā divi desmiti zālē taisnās rindās saliktu slotaskātu. Harijs bija dzirdējis Fredu un Džordžu Vīzlijus sūdzamies par skolas slotām — viņi apgalvoja, ka dažas sākot drebēt, ja paceļoties tā paaugstāk, vēl citas vienmēr velkot mazliet uz kreiso pusi.

Ieradās pasniedzēja, Hūča madāma. Viņai bija īsi, pelēki mati un acis dzeltenas kā vanagam.

— Nu, ko jūs gaidāt? — viņa uzsauca. — Pieejiet katrs pie sava slotaskāta! Ātrāk, pasteidzieties!

Harijs paskatījās uz savu slotu. Tā likās paveca, turklāt daži žagari spurojās uz visām iespējamām pusēm.

— Paceliet labo roku virs slotas, — sauca Hūča madāma audzēkņu priekšā, — un sakiet: "Augšā!"

— AUGŠĀ! — visi kā viens iesaucās.

Harija slota tūlīt ielēca viņam rokā, bet viņš izrādījās viens no retajiem, kam tas izdevās. Hermiones Grendžeras kāts tikai apvēlās uz otriem sāniem, bet Nevila slota vispār nepakustējās. Iespējams, Harijs nodomāja, slotas, tāpat kā zirgi, sajūt to, vai tu baidies. Nevila balss drebēja tā, ka bija skaidrs — viņš labprātāk paliktu uz vecās labās zemes.

Pēc tam Hūča madāma parādīja, kā droši uzsēsties uz slotas, lai neslīdētu nost, apstaigāja visus audzēkņus, pārliecinādamās, vai viņiem ir pareizs tvēriens. Harijam un Ronam priekā nodrebēja sirds, kad Hūča norādīja Malfojam, ka viņam pirms gadiem iemācīts nepareizs tvēriens un nu nāksies to labot.

— Kolīdz es nosvilpšos, spēcīgi atsperieties no zemes, — skaidroja Hūča madāma. — Turiet savus slotaskātus gatavībā, pacelieties pāris pēdu virs zemes, tad tūlīt laidieties atpakaļ, — lai tas notiktu, mazliet jāpaliecas uz priekšu. Klausieties svilpi — trīs, divi...

Taču nervozais Nevils, kurš baidījās, ka paliks uz zemes viens pats, atspērās, vēl pirms svilpe pieskārās pasniedzējas lūpām.

— Laidies atpakaļ! — viņa iesaucās, bet Nevils šāvās augšup kā no pudeles izsprādzis korķis — divpadsmit pēdu, divdesmit pēdu. Harijs redzēja viņa bālo, pārbijušos seju, un jo tālāk projām lidoja zeme, jo bālāka tā kļuva. Tad Nevilam aizrāvās elpa, viņš sasvērās sānis, noslīdēja no slotas un...

BĀC! — atskanēja dobjš būkšķis un nelāgs krakšķis. Nevils gulēja ar seju pret zemi kā tāda nelaimes čupiņa. Viņa slotaskāts cēlās arvien augstāk un augstāk, pēc tam sāka laiski laisties uz Aizliegtā meža pusi, līdz izzuda tālumā.

Kad Hūča madāma noliecās pār Nevilu, viņas seja bija tikpat bāla kā zēna vaigs.

— Lauzta plauksta, — Harijs sadzirdēja. — Nu, puis, viss ir kārtībā, celies nu kājās.

Viņa pievērsās pārējiem bērniem.

— Nekustieties ne no vietas, kamēr es aizgādāšu zēnu līdz slimnīcai! Neaiztieciet slotas, citādi jūs izlidosiet no Cūkkārpas, pirms pagūsiet pateikt "kalambols". Iesim, dārgumiņ.

Hūča madāma aplika roku Nevilam ap pleciem un vadīja pro-jām noraudājušos zēnu, kurš veselajā rokā saudzīgi turēja savai-noto plaukstu.

Tikko pasniedzēja nozuda skolas ēkā, Malfojs sāka skaļi smie-ties.

— Vai redzējāt tā klumpuča ģīmi?!

Pārējie slīdeņi viņam piebiedrojās.

— Aizveries, Malfoj! — iešņācās Parvati Patila.

— Ai, ai, ai, aizstāvam Lēniņu? — jautāja Pansija Pārkinsone, Slīdeņa pirmziemniece ar skarbu sejiņu. — Nedomāju, ka *tev*, Parvati, patīk resni, raudoši bēbji!

— Skat! — iesaucās Malfojs, metās uz priekšu un pacēla kaut ko no zāles. — Tā ir tā stulbā lietiņa, ko Lēniņam atsūtīja viņa vecmutere.

Kad Malfojs pavēra plaukstu, tajā iemirdzējās Visatceris.

— Atdod to, Malfoj, — klusi sacīja Harijs. Sarunas apklusa.

Malfojs nelāgi pasmīnēja.

— Šķiet, es labāk to atstāšu kādā drošā vietiņā, kur Lēniņš pēc tam varēs to savākt, teiksim, kokā.

— Atdod! — Harijs uzbrēca, bet Malfojs jau bija paķēris savu slotaskātu un pacēlies gaisā. Viņš nemeloja, viņš tiešām lidoja *labi* — riņķodams ap ozola galotni, viņš sauca: — Poter, nāc un paņem!

Harijs pagrāba savu slotu.

— *Nē!* — iekliedzās Hermione Grendžera. — Hūča madāma piekodināja, lai mēs nekustētos — tu atkal ievilksi mūs visus nepatikšanās!

Harijs nelikās ne zinis par viņas vārdiem. Asinis dunēja zēnam ausīs. Viņš uzkāpa uz slotas un spēcīgi atspērās. Harijs pacēlās gaisā, vējš purināja viņa matus un drānas plandījās aiz muguras — un spriega prieka uzplūdā viņš aptvēra, ka atklājis kaut ko tādu, ko prot bez mācīšanās, — lidot bija tik viegli, lidot bija *brīnišķīgi*. Viņš pavērsa slotaskātu vēl mazliet uz augšu, lai paceltos augstāk. No zemes atskanēja meiteņu satrauktie kliedzieni un spiedzieni — un atzinīgs Rona uzsauciens.

Viņš strauji pagriezās pret Malfoju. Malfojs izskatījās apstulbis.

— Atdod Visatceri, — Harijs sauca, — citādi es tevi notriekšu!

— Tiešām? — Malfojs pūlējās atiezt zobus smīnā, tomēr varēja redzēt, ka viņš ir ne pa jokam nobažījies.

Harijs apjauta, kas jādara. Viņš sasvērās uz priekšu un, saķēris slotu cieši abās rokās, šāvās virsū Malfojam kā šķēps. Malfojs tik tikko paguva izvairīties, Harijs aši apmetās un savaldīja slotu. Uz zemes vairāki cilvēki aplaudēja.

— Te tevi, Malfoj, nepaglābs Krabe ar Goilu, — Harijs uzkliedza.

Likās, ka arī Malfojs bija nonācis pie šīs pašas atziņas.

— Nu, tad ķer to, ja spēj noķert! — Drako iesaucās un uzsvieda stikla lodīti augstu gaisā, bet pats pagriezās un laidās zemē.

Harijs kā palēninātā filmā redzēja, kā bumbiņa lido augšup, tad apstājas un sāk krist. Viņš paliecās uz priekšu un nolieca slotas kātu uz leju — un jau nākamajā mirklī, ātrumam pieaugot, viņš metās stāvā pikējumā, cenzdamies panākt lodīti. Vējš svilpoja zēnam ausīs un jaucās ar vērotāju kliedzieniem. Harijs pastiepa roku — pēdu virs zemes viņš noķēra stikla bumbiņu, turklāt paguva iztaisnot slotu un viegli novelties zālē ar visu Visatceri plaukstā.

— HARIJ POTER!

Harija dūša sašļuka straujāk, nekā viņš tikko bija traucies pretī zemei. Uz viņu pusi skrēja profesore Maksūra. Viņš drebēdams pieslējās kājās.

— *Nekad* — kopš es esmu Cūkkārpā...

Šoks bija tik liels, ka profesore Maksūra tikko spēja parunāt. Viņas acenes meta dusmīgus zibeņus: — ...kā tu *uzdrīkstējies*... tu varēji nolauzt kaklu...

— Tā nebija viņa vaina, lūdzu, profesor...

— Patilas jaunkundz, es jums neko nejautāju...

— Malfojs...

— Pietiek, Vīzlija jaunskungs. Poter, tagad nāciet man līdzi.

Harijs paguva ievērot Malfoja, Krabes un Goila triumfējošās sejas, tad pats padevīgi sekoja nopakaļ profesorei Maksūrai, kura platiem soļiem gāja uz pils pusi. Tagad viņu izslēgs, par to nevarēja būt ne mazāko šaubu. Zēns gribēja teikt kaut ko, lai aizstāvētu sevi, bet, likās, kaut kas nebija kārtībā ar viņa balsi. Profesore Maksūra burtiski lidoja uz priekšu, pat neatskatīdamās uz Hariju. Viņam nācās brīdi pa brīdim pieskriet, lai tiktu pasniedzējai līdzi. Tagad viss bija cauri. Viņš nebija izturējis ne divas nedēļas. Pēc desmit minūtēm viņš jau kravās mantas. Ko gan sacīs Dērsliji, kad viņš pārradīsies?

Augšup pa pakāpieniem pie ieejas, tad augstāk pa marmora kāpnēm. Profesore Maksūra vēl arvien nebilda ne vārda. Viņa rāva vaļā durvis un soļoja uz priekšu pa gaiteņiem, bet Harijs satriekts tecēja viņai aiz muguras. Varbūt profesore veda viņu pie

Dumidora? Harijs iedomājās Hagridu — arī viņu taču bija izslēguši, bet ļāvuši palikt par mežsargu. Varbūt viņš varētu piestrādāt par Hagrida palīgu. Harijam kļuva nelabi, iedomājoties, kā Rons un pārējie kļūst par burvjiem, kamēr viņš klīst apkārt skolai, stiepdams Hagrida somu.

Profesore Maksūra apstājās pie klases. Viņa pavēra durvis un ieskatījās telpā.

— Piedodiet par traucējumu, profesor Zibiņ, vai es varētu uz mirklīti palūgt Žagaru?

Žagaru? Apstulbušais Harijs nespēja saprast, kas tagad notiek. Vai profesore aizņemas žagaru, ar ko viņu noslānīt?

Tomēr izrādījās, ka Žagars ir cilvēks, depīgs piektā kursa audzēknis. Arī viņš iznāca no klases pagalam apmulsis.

— Nāciet abi man līdzi, — noskaldīja profesore Maksūra. Viņi sāka soļot pa gaiteni, un Žagars uzmeta Harijam vērīgu skatienu.

— Tagad šeit.

Profesore Maksūra norādīja uz tukšu klasi, kurā Nīgris uz tāfeles rakstīja dažādas rupjības.

— Ārā, Nīgri! — uzrēja profesore. Nīgris iesvieda krītu atkritumu urnā, kas skaļi nožvankstēja, un lamādamies izlidoja no klases. Profesore Maksūra aizcirta durvis un pagriezās pret abiem zēniem.

— Poter, iepazīsties, tas ir Olivers Žagars. Žagar — esmu atradusi tev meklētāju.

Žagara sejā apjukumu nomainīja sajūsma.

— Vai tiešām, profesor?

— Tiešām, — mundri noteica profesore Maksūra. — Šis zēns ir dzimis ar slotu starp kājām. Neko tādu iepriekš nebiju redzējusi. Vai tā, Poter, bija pirmā reize, kad jūs lidojāt ar slotu?

Harijs klusēdams pamāja. Viņš nesaprata, kas te notiek, tomēr likās, ka no skolas viņu ārā neslēdz. Kājās, šķiet, atkal sāka riņķot asinis.

— Viņš noķēra lodīti, ko tagad tur plaukstā, pēc pikējuma no piecdesmit pēdu augstuma, — profesore Maksūra paskaidroja Žagaram. — Ne skrambiņas. To nespētu izdarīt pat Čārlijs Vīzlijs.

Žagars izskatījās tā, it kā nupat būtu piepildījušies visi viņa sapņi.

— Poter, vai esi kādreiz redzējis, kā spēlē kalambolu? — viņš dedzīgi vaicāja.

— Žagars ir Grifidora komandas kapteinis, — paskaidroja profesore Maksūra.

— Viņam ir ideāla meklētāja miesasbūve, — sprieda Žagars, apiedams apkārt Harijam. — Viegls... žigls... Profesor, mums tikai jādabū viņam pieklājīga slota — divtūkstošais nimbs vai sep- tītais tīrslauķis.

— Es aprunāšos ar profesoru Dumidoru un lūkošu, vai mēs nevaram apiet noteikumu par pirmziemniekiem. Augstā debess, mums taču kā ēst ir vajadzīga labāka komanda nekā pagājušajā gadā. Tajā pēdējā spēlē ar Slīdeni mūs burtiski *noslaucīja* no zemes virsas, es vairākas nedēļas nespēju paskatīties Severusam Strupam acīs...

Profesore Maksūra pāri acenēm nopietni uzlūkoja Hariju.

— Un lai tu trenētos cītīgi, Poter, vai arī es pārdomāšu un tomēr tevi sodīšu.

Tad pēkšņi viņa pasmaidīja.

— Tavs tēvs būtu lepns par tādu dēlu, — viņa sacīja. — Arī viņš bija lielisks kalambola spēlētājs.

* * *

— Tu *joko*.

Viņi sēdēja pie vakariņu galda. Harijs bija tikko beidzis stāstīt Ronam, kas notika pēc tam kad profesore Maksūra aizveda Hariju no lidošanas stundas. Rons vēl arvien turēja rokā iekostu pīrāgu ar gaļas un nieru pildījumu, bet ēdamo viņš sen bija aizmirsis.

— *Meklētājs?* — Rons jautāja. — Bet pirmziemnieki *nekad*... tu būsi jaunākais spēlētājs pēdējos...

— ...pēdējos simt gados, — pabeidza Harijs, locīdams pīrāgu. Pēc visiem uztraukumiem viņš jutās īpaši izsalcis. — Tā teica Žagars.

Rons bija tā pārsteigts, ka spēja tikai sēdēt un blenzt uz Hariju.

— Es sākšu trenēties nākamnedēļ, — paskaidroja Harijs. — Tikai nestāsti nevienam, Žagars vēlas, lai pagaidām tas paliktu noslēpums.

Zālē ienāca Freds un Džordžs Vīzliji. Ieraudzījuši Hariju, viņi tūlīt piesteidzās klāt.

— Labi nostrādāts, — klusām sacīja Džordžs. — Žagars mums visu izstāstīja. Arī mēs esam komandā — tikai triecēji.

— Kā es te stāvu, šogad mēs noteikti vinnēsim kalambola kausu, — piebalsoja Freds. — Kopš Čārlijs pabeidza skolu, mēs vēl ne reizes neesam uzvarējuši, bet šogad mums būs lieliska komanda. Tev, Harij, laikam tiešām ir ķēriens, Žagars, stāstot par taviem varoņdarbiem, no priekiem vai lēkāja.

— Labi, mums tagad jāiet, Lī Džordans uzskata, ka atradis jaunu slepenu eju, kas ved ārā no skolas, — sacīja pirmais dvīnis.

— Varu derēt, ka tā ir tā pati, kuru mēs atradām pirmā trimestra pirmajā nedēļā, aiz Gregorija Lišķīgā statujas. Redzamies vēlāk.

Tikko Freds un Džordžs bija projām, parādījās mazāk gaidīti viesi — Malfojs ar Krabi pie viena un Goilu pie otra sāna.

— Pēdējās vakariņas, Poter? Ar kuru vilcienu tu atgriezīsies pie saviem vientiešiem?

— Tagad tu esi daudz drosmīgāks — laikam tāpēc, ka esi atpakaļ uz zemes un līdzi tev ir tavi mazie draudziņi, — vēsi noteica Harijs. Protams, ne Krabē, ne Goilā nekā maza nebija, bet, tā kā pie Augstā galda sēdēja vairāki skolotāji, Malfoja miesassargi varēja vien vīstīt dūres un vaikstīt ğīmjus.

— Es pats tikšu galā ar tevi kurā katrā laikā, — paziņoja Malfojs. — Šonakt pat, ja vēlies. Burvju divkauja. Tikai zižļi — nekāda kontakta. Kas tev lēcies? Nekad, kā liekas, neesi dzirdējis par burvju divkauju?

— Protams, ka ir, — apcirzdamies noskaldīja Rons. — Es būšu Harija sekundants. Kas būs tavējais?

Malfojs nopētīja vispirms Krabi, tad Goilu, laikam salīdzinādams abus.

— Krabe, — viņš atbildēja. — Tieši pusnaktī? Tiksimies trofeju istabā, tā nekad nav aizslēgta.

Kad Malfojs bija projām, Harijs un Rons saskatījās.

— Kas ir burvju divkauja? — jautāja Harijs. — Un ko nozīmē: "Es būšu Harija sekundants"?

— Nu, sekundants atrodas divkaujas vietā, lai iesaistītos cīņā, ja tu aizietu bojā, — nevērīgi paskaidroja Rons, beidzot ķerdamies pie sava atdzisušā pīrāga. Ievērojis satraukto izteiksmi Harija sejā, viņš aši piebilda: — Taču mirst tikai īstās divkaujās, nu, tādās, kurās cīnās īsti burvji. Viss, ko jūs ar Malfoju spēsiet, būs bārstīt dzirksteles pretinieka virzienā. Ne tu, ne viņš tik labi nepārvalda maģiju, lai nodarītu otram kādu nopietnu kaitējumu. Varu derēt, viņš cerēja, ka tu atteiksies.

— Un ko darīt, ja es savicināšu savu zizli, bet nekas nenotiks?

— Aizmet to un iekrauj viņam pa degunu, — pamācīja Rons.

— Piedodiet.

Abi zēni pacēla galvas. Tā bija Hermione Grendžera.

— Vai cilvēks vairs nedrīkst mierīgi paēst? — Rons nobolīja acis.

Hermione nelikās zinis par viņa izdarībām un pievērsās Harijam.

— Es nevarēju nedzirdēt to, par ko runājāt jūs ar Malfoju...

— Un kā vēl varēji... — nomurmināja Rons.

— ...un tu *nedrīksti* blandīties pa skolu naktī, padomā, cik punktu atkal atņems Grifidoram, ja tevi pieķers — un tevi noteikti pieķers. Tas tiešām ir ļoti savtīgi no tavas puses.

— Tā tiešām nav tava darīšana, — atteica Harijs.

— Visu labu, — novēlēja Rons.

* * *

Lai nu kā, bet par ideālu dienas noslēgumu to nevarēja nosaukt, prātoja Harijs, valstīdamies gultā un klausīdamies, kā Dīns un Šīmuss dodas pie miera (Nevils vēl nebija atgriezies no slimnīcas spārna). Visu vakaru Rons deva Harijam dažādus padomus, piemēram, "Ja viņš mēģina tevi nolādēt, labāk pieliecies, jo es īsti neatceros, kā lāsts jābloķē". Viņus, protams, varēja pieķert Filčs vai Norisa kundze, tas nemaz nebija tik mazticami, un Harijs juta, ka viņš izaicina likteni, pārkāpdams skolas noteikumus jau otro reizi vienas dienas laikā. No otras puses, Malfoja ņirdzošā seja atkal un atkal parādījās tumsā — un šī bija lieliska iespēja cīnīties ar Drako aci pret aci un pieveikt viņu. Harijs nedrīkstēja palaist to garām.

— Pusdivpadsmit, — beidzot pačukstēja Rons. — Labāk taisāmies.

Viņi uzrāva savus rītasvārkus, paķēra zižļus, klusām pārlavījās pāri istabai un nokāpa pa spirālveida kāpnēm Grifidora koptelpā. Pavarda mutē vēl gailēja dažas oglītes, pārvērzdamas atzveltnes krēslus melnās, uzkumpušās ēnās. Viņi jau gandrīz bija nonākuši līdz portreta aizsegtajam caurumam, kad no tuvākā krēsla atskanēja balss: — Es neticēju, ka tu, Harij, to tiešām darīsi.

Iedegās lampiņa. Tā bija Hermione Grendžera, kurai mugurā bija rozā rītasvārki, bet sejā — sāpjpilna grimase.

— *Tā esi tu*! — nikni nočukstēja Rons. — Tūlīt pazūdi gultā!

— Es jau taisījos modināt tavu brāli, — atcirta Hermione.
— Persijs ir prefekts, viņš jūs aizkavētu.

Harijs nespēja noticēt, ka šī meitene atkal bāza savu degunu svešās darīšanās.

— Ejam, — viņš sacīja Ronam. Viņš pastūma malā Resnās kundzes portretu un iekāpa caurumā.

Hermione netaisījās padoties tik vienkārši. Viņa sekoja Ronam cauri portreta ejai, šņākdama uz zēniem kā nikna zoss.

— Jums galīgi *nerūp* Grifidors, jums rūpat *tikai* jūs paši, *es* nevēlos, lai Skolas kausu atkal iegūst Slīdenis un lai jūs izniekojat visus punktus, ko es saņēmu no profesores Maksūras par to, ka pratu pastāstīt par pārslēgšanas buramvārdiem.

— Tinies.

— Lai būtu, tikai nesakiet, ka es jūs nebrīdināju, jūs vēl pieminēsiet, ko es teicu, kad rīt sēdēsiet vilcienā uz mājām, jūs esat tik...

Bet to, kādi viņi ir, zēni tā arī neuzzināja. Pagriezusies, lai dotos atpakaļ tornī, Hermione ieraudzīja, ka Resnā kundze no portreta aizgājusi un viņai pretī veras tukšs gleznas rāmis. Resnā kundze kaut kur ciemojās, tāpēc bija skaidrs, ka tagad Hermione Grifidora mītnē atpakaļ netiks.

— Ko lai tagad iesāk? — viņa uzstājīgi jautāja.

— Tā nu ir tava rūpe, — atteica Rons. — Mums jāiet, citādi nokavēsim.

Zēni vēl nebija sasnieguši gaiteņa galu, kad Hermione viņus panāca.

— Es iešu kopā ar jums, — viņa paziņoja.

— Nē, tu *nenāksi*.

— Jūs domājat, ka es te stāvēšu un gaidīšu, lai Filčs mani pieķer? Ja viņš noķers mūs visus trīs, es izstāstīšu, kā viss notika, ka es centos jūs aizkavēt — un jūs varēsiet apliecināt, ka tā tiešām bija.

— Tev nu gan ir iekšas... — skaļi nošķendējās Rons.

— Vai jūs abi varat paklusēt? — strīdniekus apsauca Harijs. — Es kaut ko dzirdēju.

Varēja dzirdēt tādu kā šņākuļošanu.

— Norisa kundze? — izdvesa Rons, pūlēdamies kaut ko saredzēt tumsā.

Tomēr tā nebija Norisa kundze. Tas izrādījās Nevils. Saritinājies uz grīdas, viņš cieši gulēja, bet, kad nācēji piezagās tuvāk, viņš pēkšņi satrūkās un pamodās.

— Paldies Dievam, jūs mani atradāt! Es te nīkstu jau vairākas stundas. Es nevarēju atcerēties jauno paroli un netiku iekšā tornī.

— Runā klusāk, Nevil. Parole ir "Cūkas šņukurs", bet šobrīd tā tev nelīdzēs — Resnā kundze ir aizgājusi ciemos.

— Kā tava roka? — apjautājās Harijs.

— Viss kārtībā, — Nevils sacīja, parādīdams to klasesbiedriem. — Pomfreja madāma to sadakterēja minūtes laikā.

— Lieliski... redzi, Nevil, mums šonakt te šis tas kārtojams, tāpēc tiksimies vēlāk...

— Neatstājiet mani! — iesaucās Nevils un pielēca kājās. — Es negribu palikt te viens, es jau divas reizes gaitenī redzēju Asiņaino baronu!

Rons ieskatījās pulkstenī un tad uzmeta dusmīgu mirkli Hermionei un Nevilam.

— Ja mūs noķers jūsu dēļ, es nerimšos, kamēr nebūšu apguvis Bubuļu lāstu, par kuru toreiz stāstīja Drebelis, un nolādējis vainīgo.

Hermione jau pavēra muti, iespējams, lai izstāstītu, kā pareizi uzlikt Bubuļu lāstu, taču Harijs nošņācās, lai visi apklust, un pamāja ar roku, vedinādams pārējos sev līdzi.

Viņi aizslīdēja pa gaiteņiem, kurus ik pa pāris metriem pārsvītroja augsto logu mestās mēnessgaismas švīkas. Harijs bažījās, ka aiz katra stūra viņiem var uzglūnēt Filčs vai Norisa kundze, tomēr šonakt viņiem veicās. Viņi uzskrēja pa trepēm līdz ceturtajam stāvam un uz pirkstgaliem lavījās uz trofeju istabas pusi.

Malfoja un Krabes vēl nebija. Mēness staros kristāla trofeju vitrīnas zaigoja. Zelta un sudraba kausi, vairogi, šķīvji un statujas mirdzēja tumsā. Viņi lavījās uz priekšu gar sienu, cenzdamies paturēt acīs durvis abos telpas galos. Harijs izvilka savu zizli — ja nu Malfojs iedrāztos telpā un uzreiz uzbruktu. Minūtes ritēja.

— Viņš kavējas — varbūt nobijies, — pačukstēja Rons.

Tad blakus telpā kaut kas nograbēja, un visi salēcās. Harijs jau pacēla zizli, bet tad viņi izdzirdēja balsi — un tā nebija Malfoja balss.

— Ošņā, dārgumiņ, ošņā, viņi var būt paslēpušies kādā kaktā.

Tas bija Filčs, un viņš runāja ar Norisa kundzi. Šausmu pārņemts, Harijs izmisīgi māja pārējiem, lai tie viņam seko, cik ātri iespējams. Viņi klusi metās uz pretējām durvīm, tālāk no Filča balss. Nevils tikko bija pazudis aiz stūra, kad viņi dzirdēja veramies otras durvis un Filču ienākam trofeju istabā.

— Viņiem te kaut kur jābūt, — bērni saklausīja sarga murmināšanu, — droši vien kaut kur ielīduši.

— Uz to pusi! — Harijs bez skaņas, tikai ar mutes kustībām nokomandēja, un viņi, stīvi no bailēm, sāka zagties pa garu galeriju, kas bija pilna ar bruņutērpiem. Varēja dzirdēt, ka Filčs tuvojas. Nevils pēkšņi šausmās iepīkstējās un metās skriet — tad viņš paklupa, apķērās Ronam ap vidukli, un viņi uzkrita tieši virsū kāda sena bruņinieka tērpam.

Troksnim un dārdoņai vajadzēja pamodināt visu pili.

— SKRIENAM! — nokliedzās Harijs, un četrinieks, ko kājas nes, drāzās uz priekšu cauri galerijai, pat neskatīdamies, vai Filčs viņiem seko. Izskrējuši pa galerijas durvīm, viņi izlēkšoja cauri vienam gaitenim, tad otram. Harijs skrēja pa priekšu, kaut gan viņam pašam nebija ne mazākās nojausmas, kur viņi atrodas vai kur viņi grasās nokļūt. Zem senas sienassegas viņi atrada slepenu eju, aizskrēja līdz tās otram galam un attapās netālu no burvestību klases, kura, kā viņi labi zināja, atradās pamatīgu gaisa gabalu no trofeju zāles.

— Šķiet, esam aizbēguši no Filča, — Harijs elsodams sacīja, atspiedās ar muguru pret auksto sienu un noslaucīja pieri. Nevils bija pārliecies viduklī kā nazītis, nabags elsa un šķaudīja.

— Es... jums... *teicu*, — Hermione centās atgūt elpu, turēdamās pie vīles savu rītasvārku priekšpusē. — Es... jums... teicu.

— Mums jātiek atpakaļ uz Grifidora torni, — prātīgi sacīja Rons, — un, jo ātrāk, jo labāk.

— Malfojs tevi piekrāpa, — Hermione uzrunāja Hariju. — Tu taču to saproti? Viņš nemaz netaisījās cīnīties ar tevi — Filčs zināja, ka trofeju telpā kāds būs, Malfojs būs sargam to pateicis.

Harijs nodomāja, ka Hermionei droši vien taisnība, tomēr zēns nolēma to tagad viņai neteikt.

— Ejam.

Tomēr ķibeles vēl nebeidzās. Viņi nebija nogājuši ne desmit soļu, kad nograbēja durvju rokturis un kaut kas izšāvās no klases viņu deguna priekšā.

Tas bija Nīgris. Ieraudzījis bērnus, viņš sajūsmā iespiedzās.

— Nīgri, lūdzu, klusāk, lūdzu, tevis dēļ mūs izslēgs no skolas.

Nīgris ļauni iesmējās.

— Klīstam pa skolu pēc pusnakts, ko? Nerātnie pirmziemnieciņi! Nu, nu, nu. Nav labi, nav labi, tā jūs vēl pieķers.

— Nepieķers, ja tu mūs nenodosi, Nīgri, lūdzu.

— Filčam būs jāpastāsta, būs gan, — Nīgris spriedelēja svētulīgā balstiņā, bet acis ļauni zibēja. — Tas ir jūsu pašu labā, jums taču jāsaprot.

— Vācies nost no ceļa, — neizturēja Rons un mēģināja iegāzt Nīgrim, bet tā izrādījās liela kļūda.

— STUDENTI PILĪ! — ieaurojās Nīgris. — STUDENTI PILĪ PIE BURVESTĪBU KLASES!

Viņi metās skriet tā, it kā uz likmes būtu viņu dzīvība. Gaiteņa galā viņi pieskrēja pie durvīm, mēģināja tās atvērt — bet tās izrādījās slēgtas.

— Te nu mēs esam! — Rons ievaidējās, bezspēcīgi raustīdams durvis. — Tagad ar mums ir cauri! Viss galā!

Varēja saklausīt soļus, uz Nīgra saucienu pusi steidzās Filčs.

— Labi, paejiet malā, — nošņācās Hermione. Viņa paķēra Harija zizli, piesita ar to pie slēdzenes un čukstus pateica: — *Alohomora!*

Slēdzenē kaut kas noklikšķēja, un durvis atvērās — viņi ieskrēja pa tām, atkal aiztaisīja viras un piespieda ausis pie visām iespējamām spraugām, lai dzirdētu, kas notiek ārpusē.

— Kurp viņi aizskrēja, Nīgri? — jautāja Filčs. — Ātrāk, parādi man!

— Pasaki "lūdzu".

— Nevazā mani aiz deguna, tūlīt pasaki, *kurp viņi aizskrēja?*

— Neteikšu neko, ja tu nesacīsi "lūdzu", — savā kaitinoši dziedošajā balsī kaitējās Nīgris.

— Labi, labi — *lūdzu.*

— NEKO! Ha, ha, hāāā! Es teicu, ka neteikšu neko, kamēr tu nesacīsi "lūdzu"! Ha, ha! Hāāāāā! — un viņi dzirdēja, kā Nīgris aizšvīkst no notikuma vietas, bet Filčs paliek, lādējoties bezspēcīgās dusmās.

— Viņš domā, ka šīs durvis ir slēgtas, — Harijs pačukstēja. — Varbūt mēs tiksim cauri sveikā — liecies *mierā*, Nevil.

Nevils visu pēdējo minūti nervozi raustīja Harija rītasvārku piedurkni. — *Kas noticis?*

Harijs pagriezās — un pats savām acīm skaidri ieraudzīja, kas bija noticis. Pirmajā mirklī viņam likās, ka viņš pavēris durvis uz savas dzīves ļaunāko lietuvēnu — pēc visa tā, ko bērni jau bija piedzīvojuši, tas nu reiz bija par daudz.

Viņi nebija ieskrējuši istabā, kā Harijs domāja. Viņi atradās gaitenī. Ceturtā stāva aizliegtajā gaitenī. Un tagad viņiem bija iespēja uzzināt, kāpēc ieiet šajā gaitenī ir aizliegts.

Gabaliņu tālāk stāvēja īsts nezvērs no suņa, suns, kas aizpildīja visu gaiteni no grīdas līdz griestiem. Tam bija trīs galvas. Trīs pāri mežonīgu, izvelbtu acu, trīs deguni, kuri viegli drebēja, ostot gaisu, trīs slienainas mutes, no kuru dzelteni_gajiem ilkņiem nokarājās gari siekalu staipekņi.

Suns stāvēja nekustīgi, visas sešas acis piekalis bērniem, un Harijs saprata, ka vienīgais iemesls, kādēļ viņi vēl nav saplosīti, bija tas, ka arī nezvēru viņu parādīšanās pārsteigusi. Tomēr varēja manīt, ka ilgi vairs šis sastingums nevilksies — par to liecināja pērkona dārdiem līdzīgie rūcieni.

Harijs mēģināja sataustīt durvju rokturi — ja vajadzēja izvēlēties starp Filču un nāvi, viņš tomēr deva priekšroku Filčam.

Bērni izmetās no baismās telpas — Harijs atkal aizcirta durvis, un viņi skrēja, nē, drīzāk lidoja, atpakaļ pa skolas gaiteni. Acīmredzot Filčs bija aizsteidzies dzīt viņu pēdas kaut kur citur, jo sargu nekur nemanīja. Tiesa, viņus tas īpaši neinteresēja — viņi vēlējās tikai vienu — nokļūt pēc iespējas tālāk no tikko redzētā briesmoņa. Viņi skrēja līdz pašam Resnās kundzes portretam pils astotajā stāvā.

— Kur gan jūs visi bijāt? — kundze vaicāja, nopētīdama no pleciem nošļukušos rītasvārkus un piesarkušās, nosvīdušās sejas.

— Ko nu par to — "cūkas šņukurs, cūkas šņukurs", — elsodams noskaitīja Harijs, un portrets pavērās. Viņi ievēlās koptelpā un drebēdami sabruka atzveltnes krēslos.

Krietnu brīdi neviens neko neteica. Izskatījās, ka Nevils varētu tā arī neatgūt valodu.

— Par ko gan viņi domā, turēdami tādu lopu ieslēgtu skolā? — visbeidzot izdvesa Rons. — Ja kādam sunim ir nepieciešama izskriešanās, tad šim jau nu noteikti.

Hermione tikmēr bija atguvusi gan elpu, gan nelāgos paradumus.

— Vai tad nevienam no jums nav acu? — viņa kašķīgi ierunājās. — Vai tad jūs neredzējāt, uz kā tas stāvēja?

— Uz grīdas? — Harijs minēja. — Es neskatījos uz viņa kājām, mani tobrīd vairāk interesēja galvas.

— Nē, *ne* uz grīdas. Suns stāvēja uz lūkas. Acīmredzot nezvērs kaut ko sargā.

Viņa piecēlās un uzmeta pārējiem vēl vienu iznīcinošu skatienu.

— Ceru, ka esat apmierināti ar padarīto. Mēs varējām dabūt galu, vai — vēl ļaunāk — mūs varēja izslēgt no skolas. Ja jums nekas nav iebilstams, es tagad labprāt dotos pie miera.

Ronam atkārās žoklis, un viņš ar skatienu pavadīja Hermioni.

— Nē, mums nav nekas iebilstams, — viņš beidzot sacīja. — Varētu iedomāties, ka mēs viņu ar varu vilkām līdzi!

Taču Harijam Hermiones teiktais lika vēlreiz pārdomāt ar Gringotiem saistītos notikumus. Pirms laišanās miegā viņš saprata — suns kaut ko sa̍rgā... Ko teica Hagrids? Gringoti ir drošākā vieta pasaulē tam, ko tu vēlies noglabāt drošībā — ja nu vienīgi Cūkkārpā ir vēl drošāk.

Likās, Harijs bija atklājis, kur atradās mazais, necilais sainītis no septiņsimt trīspadsmitā kambara.

DESMITĀ NODAĻA

VISU SVĒTO VAKARS

Malfojs nespēja noticēt savām acīm, kad nākamajā dienā ieraudzīja Hariju un Ronu Cūkkārpā — abi draugi gan izskatījās mazliet saguruši, tomēr citādi gana apmierināti ar dzīvi. Patiešām, jau tajā pašā rītā Harijs un Rons sprieda, ka tikšanās ar trīsgalvaino suni bijusi vien lielisks piedzīvojums un ka viņiem nebūtu pretī piedzīvot vēl kādu aizraujošu notikumu. Harijs izstāstīja Ronam par sainīti, kurš, kā varēja spriest, bija pārvests no Gringotu bankas uz Cūkkārpu, un viņi pēc tam ilgi sprieda, kas gan būtu tik svarīgs, lai izpelnītos rūpīgo sargāšanu.

— Šajā sainītī ir vai nu kas ļoti vērtīgs, vai arī kas ļoti bīstams, — ieminējās Rons.

— Vai gan vērtīgs, gan bīstams, — piebilda Harijs.

Bet, tā kā vienīgais, ko viņi zināja par noslēpumaino priekšmetu, bija tā garums — aptuveni divas collas, viņi saprata, ka noslēpumu neizdosies atminēt bez kādām papildu ziņām.

Nedz Nevils, nedz arī Hermione neizrādīja ne mazāko interesi par to, ko sargāja suns un lūka. Nevilam rūpēja vienīgi tas, lai otrreiz suņa tuvumā viņam nekad vairs nenāktos nokļūt.

Hermione savukārt ar Hariju un Ronu vispār nerunāja, tomēr, pazīstot viņu kā valdonīgu visszini, abi draugi to uztvēra kā papildu ieguvumu. Viņus pašus galvenokārt nodarbināja doma, kā atriebties Malfojam, un draugiem par lielu prieku kādu nedēļu vēlāk pa pastu pienāca ideāls atmaksas ierocis.

Kad pūces kā parasti salidoja Lielajā zālē, visi kā viens tūlīt ievēroja garu, tievu saini, kuru nesa sešas lielas purva pūces. Arī Harijam, tāpat kā pārējiem, kārojās uzzināt, kas tad ir šajā pamatīgajā nešļavā, un viņš bija ļoti pārsteigts, kad pūces noplanēja pār viņa vietu un nometa sūtījumu viņam tieši priekšā, notriekdamas speķi no zēna šķīvja uz grīdas. Tikko sešinieks atkal uzņēma augstumu, vēl viena pūce uz saiņa nometa vēstuli.

Harijs vispirms atplēsa vēstuli — un labi vien, ka viņš neķērās pie saiņa, jo vēstulē bija rakstīts:

NEATVER SAINI PIE GALDA.

Tajā ir tavs jaunais Nimbus Divtūkstoš *slotaskāts, bet es nevēlos, lai visi uzzinātu, ka esi saņēmis tādu slotaskātu, jo citādi visi gribēs sev tādu. Olivers Žagars šovakar septiņos gaidīs tevi kalambola laukumā uz pirmo treniņu.*

Profesore M. Maksūra

Lai kā pūlējās, Harijs nespēja noslēpt mirdzumu acīs, kad pasniedza zīmīti Ronam.

— Divtūkstošais nimbs! — Rons skaudīgi novilka. — Es pat *pieskāries* tādam neesmu!

Viņi raitā solī devās projām no zāles, vēlēdamies divatā izsaiņot slotaskātu vēl pirms pirmās stundas sākuma, tomēr, kad viņi bija Ieejas zāles vidū, draugus pie kāpnēm pārķēra Krabe un Goils. Malfojs izrāva saini Harijam no rokām un pasvārstīja to.

— Tas ir slotaskāts, — viņš noteica, pasviezdams to Harijam

atpakaļ ar nenovīdības un spīta izteiksmi sejā. — Šoreiz gan tu iekriti, Poter, pirmziemniekiem slotaskāti nav atļauti.

Rons nesavaldījās.

— Tas nav vis šāds tāds slotaskāts, — viņš iejaucās sarunā. — Tas ir divtūkstošais nimbs. Kas tev ir mājās, ar ko tu lielījies, Malfoj? Ar divsimt sešdesmito komētu? — Rons uzsmaidīja Harijam. — Komētas gan izskatās greznas, tomēr nimbiem tās līdzi netur.

— Ko gan tu, Vīzlij, par to zini, jūs nevarat atļauties pat pusi roktura, — atcirta Malfojs. — Tev un brāļiem slotaskātus droši vien nākas krāt zaru pa zariņam.

Pirms Rons paguva atbildēt, līdzās Malfojam parādījās profesors Zibiņš.

— Jūs, zēni, taču nestrīdaties? — pasniedzējs apvaicājās spiedzīgā balsī.

— Profesor, Poteram atsūtīts slotaskāts, — žigli izgrūda Malfojs.

— Kas tiesa, tas tiesa, — profesors Zibiņš atteica, ar platu smaidu sejā pavērdamies uz Hariju. — Man profesore Maksūra izskaidroja īpašos apstākļus, Poter. Un kāds modelis tas ir?

— *Nimbus Divtūkstoš*, kungs, — atteica Harijs, vērodams šausmas Malfoja sejā un valdīdamies, lai nebūtu jāsāk smieties. — Un īstenībā man jāsaka paldies Malfojam, ka es to saņēmu, — viņš piebilda.

Harijs un Rons devās augšup pa kāpnēm, vai smakdami nost no smiekliem par Malfoja bezpalīdzīgo niknumu un apjukumu.

— Galu galā, tā tiešām ir, — Harijs nospurcās, kad viņi sasniedza marmora kāpņu augšējo laukumiņu. — Ja viņš nebūtu nozadzis Nevila Visatceri, es netiktu komandā...

— Cik noprotu, tu uztver to kā balvu par skolas noteikumu pārkāpumu? — viņiem aiz muguras atskanēja dusmīga balss. Hermione dusmīgi uzstampāja augšā pa kāpnēm un veltīja sainim Harija rokā nosodošu skatienu.

— Man šķita, ka tu ar mums nerunā? — Harijs nobrīnījās.

— Vai ir vērts to tagad atsākt? — Rons piebilda. — Mums tava klusēšana ļoti patika.

Paslējusi degunu gaisā, Hermione uzgrieza draugiem muguru un lepni aizsoļoja.

Todien Harijs nekādi nespēja saņemties, lai sekotu nodarbībām. Domas atkal un atkal atgriezās te guļamtelpā, kur zem gultas viņu gaidīja jaunais slotaskāts, te kalambola laukumā, kur viņš šovakar sāks apgūt spēles smalkumus. Tajā vakarā Harijs vakariņas norija, nedomājot, ko viņš ēd, un tad viņi kopā ar Ronu metās projām no zāles, lai beidzot izsaiņotu divtūkstošo nimbu.

— Mī un žē, — noelsās Rons, kad slotaskāts noripoja uz Harija gultas pārklāja.

Pat Harijam, kurš neko nezināja par dažādiem slotu modeļiem, šis likās lielisks. Slaidajam, spīdīgajam kātam bija sarkankoka rokturis un gara, no rūpīgi atlasītiem, taisniem žagariem veidota aste. Kāta augšgalā ar zeltītiem burtiem bija rakstīts "Nimbus Divtūkstoš".

Īsi pirms septiņiem, kad jau krēsloja, Harijs devās uz kalambola laukuma pusi. Nekad iepriekš viņam nebija nācies būt stadionā. Apkārt laukumam slējās augstas tribīnes ar simtiem vietu. Tās bija veidotas tā, lai skatītāji atrastos pietiekami augstu un varētu labi redzēt to, kas norisinās spēles laikā. Katrā laukuma galā atradās trīs zeltītas kārtis ar cilpām augšgalā. Harijam tās atgādināja plastmasas ietaises, ar kuru palīdzību vientiešu bērni mēdz pūst ziepju burbuļus. Taču šīs kārtis bija piecdesmit pēdu augstas.

Harijam tā kārojās atkal palidot, ka, nesagaidījis Žagaru, viņš uzkāpa uz sava slotaskāta un atgrūdās no zemes. Tā tik bija sajūta — apriņķojis vārtu kārtis, viņš visā ātrumā sāka lidināties šurpu turpu pāri laukumam. Divtūkstošais nimbs klausīja viņa sīkākajai kustībai.

— Ei, Poter, laidies lejā!

Bija ieradies Olivers Žagars. Padusē viņš bija pasitis lielu koka kasti. Harijs nolaidās līdzās komandas kapteinim.

— Lieliski, — acīm spīdot, noteica Žagars. — Tagad es saprotu, par ko runāja Maksūra... Tev tas patiešām ir ielikts šūpulī. Šovakar es tev izskaidrošu spēles noteikumus, bet pēc tam tev trīs reizes nedēļā būs jāpiedalās treniņos.

Olivers atvēra kasti. Tajā glabājās četras dažāda lieluma bumbas.

— Tā, — noteica Žagars. — Kalambolu nav grūti izprast, toties spēlēt nav viegli. Katrā komandā ir pa septiņiem spēlētājiem. Trīs spēlētājus sauc par dzinējiem.

— Trīs dzinēji, — atkārtoja Harijs, bet Žagars tikmēr izņēma no kastes spoži sarkanu bumbu, kura pēc izmēra līdzinājās tai, ar ko spēlē futbolu.

— Šo bumbu sauc par sviedeni, — skaidroja Žagars. — Dzinēji piespēlē sviedeni cits citam un cenšas iemest vienā no cilpām. Katru reizi, kad tas izdodas, komanda gūst desmit punktu. Saproti?

— Dzinēji met sviedeni cilpās, lai gūtu punktus, — Harijs atkārtoja. — Tas ir kaut kas līdzīgs basketbolam uz slotaskātiem, tikai grozu ir vairāk — seši.

— Kas ir basketbols? — Žagars ar interesi pārvaicāja.

— Nekas svarīgs, — Harijs žigli atteica.

— Vēl katrā komandā ir pa sargam — es esmu Grifidora sargs. Mans uzdevums ir lidināties ap kārtīm mūsu laukuma pusē un censties pasargāt mūsu cilpas no pretinieka mestajām bumbām.

— Trīs dzinēji, viens sargs, — nobubināja Harijs, cieši apņēmies visu atcerēties ar pirmo reizi. — Un viņi spēlē ar sviedeni. Sapratu. Ko dara ar pārējām bumbām? — viņš jautāja un norādīja uz trim atlikušajām.

— Tūlīt tev parādīšu, — atbildēja Žagars. — Paņem šo.

Viņš iedeva Harijam nelielu vāli, kas atgādināja beisbola nūju.

— Tagad es nodemonstrēšu, ko dara āmurgalvas, — Žagars turpināja. — Šīs te abas ir āmurgalvas.

Viņš norādīja uz divām pilnīgi vienādām, spoži melnām bumbām, kas bija mazliet mazākas par sarkano sviedeni. Harijs ievēroja, ka tās it kā pūlas izrauties no saitēm, ar kurām nostiprinātas kastē.

— Pakāpies nost, — Žagars brīdināja Hariju. Viņš pieliecās un atbrīvoja vienu no āmurgalvām.

Melnā bumba strauji uzlidoja gaisā un tad krita lejup tieši Harijam sejā. Harijs no visa spēka iezvēla tai ar vāli, citādi bumba salauztu viņam degunu. Melnais lodveida zibens aizkūleņoja gaisā, apmeta loku ap viņu galvām un tad gāzās lejup otrreiz, tagad mērķēdams uz Žagaru. Kapteinis metās bumbai pretī un veikli piespieda to pie zemes.

— Redzēji? — Žagars elsodams iecīnīja raustīgo āmurgalvu atpakaļ kastē un rūpīgi piesprādzēja vietā. — Āmurgalvas lidinās pa laukumu, pūlēdamās notriekt spēlētājus no slotām. Lai cīnītos ar āmurgalvām, katrā komandā ir pa diviem triecējiem. Mūsu triecēji ir Vīzliju dvīņi — viņu uzdevums ir pasargāt savas komandas spēlētājus no āmurgalvām un raidīt tās virsū pretiniekiem. Vai tiktāl viss skaidrs?

— Trīs dzinēji cenšas gūt punktus ar sviedeni, sargs sargā kārtis mūsu pusē, triecēji dzenā āmurgalvas projām no savas komandas, — Harijs noskaitīja kā pantiņu.

— Ļoti labi, — atzina Žagars.

— Bet... vai āmurgalvas nav nevienu nogalinājušas? — Harijs iejautājās, pūloties, lai viņa balss skanētu pēc iespējas bezrūpīgi.

— Cūkkārpā nē. Pāris reižu tās kādam salauzušas žokli, bet nekas ļaunāks nav gadījies. Tā, un pēdējais komandas dalībnieks ir meklētājs. Tas būsi tu. Tev nav nekādas daļas par sviedeni vai āmurgalvām...

— ...ja vien tās neielauž manu pauri.

— Neuztraucies, Vīzliji tiek ar tām galā. Zini, viņi paši ir kā āmurgalvu pāris cilvēka paskatā...

Žagars pieliecās un izņēma no kastes ceturto, pēdējo bumbu. Salīdzinājumā ar sviedeni un āmurgalvām tā bija ļoti maza, apmēram krietna valrieksta lielumā. Tā mirdzēja spožā zelta krāsā, un tai bija mazi, strauji ziboši sudraba spārniņi.

— *Šis*, — svinīgi sacīja Žagars, — ir zelta zibsnis, un tā ir pati svarīgākā bumba. To ir ļoti grūti noķert, jo bumbiņa ir ļoti ātra un grūti pamanāma. Meklētāja uzdevums ir zibsni ieraudzīt un panākt. Tev būs jāriņķo starp dzinējiem, triecējiem, āmurgalvām un sviedeni un jānoķer zibsnis, pirms to izdara pretinieku meklētājs, jo noķerts zibsnis dod komandai papildu simt piecdesmit punktu, tāpēc tā gandrīz vienmēr uzvar. Tieši tāpēc pret meklētājiem visbiežāk pārkāpj noteikumus. Turklāt kalambola spēle beidzas tikai tad, kad noķer zibsni, tātad teorētiski viens mačs var turpināties bezgalīgi — ilguma rekords, šķiet, ir trīs mēneši, komandām nācās pastāvīgi mainīt spēlētājus, lai viņi varētu kaut nedaudz pagulēt. Tas nu būtu viss. Vai vēlies ko jautāt?

Harijs noliedzoši papurināja galvu. To, kas būs jādara, viņš saprata gluži labi, grūtāk droši vien klāsies, kad būs jāķeras pie lietas spēles laikā.

— Šodien mēs zibsni neizmēģināsim, — noteica Žagars, rūpīgi ieliekdams bumbiņu atpakaļ kastē. — Ir pārāk tumšs, mēs varam to pazaudēt. Labāk izmēģināsim tavas spējas ar šīm.

Žagars no kabatas izvilka maisiņu ar parastām golfa bumbiņām, un dažus mirkļus vēlāk viņi abi ar Hariju jau šaudījās gaisā. Žagars no visa spēka meta golfa bumbiņas uz visām debesu pusēm, bet Harijs centās tās noķert.

Redzēdams, ka jaunais meklētājs noķer arī pēdējo bumbiņu,

Žagars no prieka vai apraudājās. Pēc pusstundas galīgi satumsa, un nodarbību nācās beigt.

— Šogad uz kalambola kausa rotāsies mūsu vārds, — laimīgi sprieda Žagars, kad abi soļoja atpakaļ uz pils pusi. — Es nebrīnītos, ja tu izrādīsies labāks par pašu Čārliju Vīzliju, bet viņš būtu ticis Anglijas izlasē, ja vien nebūtu izlēmis doties uz ārzemēm, lai pētītu pūķus.

* * *

Tagad, kad visiem mājas darbiem klāt nāca vēl trīs kalambola treniņi nedēļā, laiks skrēja nemanot, tāpēc kādu dienu, aptvēris, ka mācās Cūkkārpā jau divus mēnešus, Harijs bija visai pārsteigts. Dzīvžogu ielas nams viņam nekad nebija paticis, tāpēc pilī viņš pirmo reizi dzīvē jutās kā mājās. Turklāt arī stundas kļuva arvien interesantākas, jo paši pamati nu bija apgūti.

No rīta pirms Visu Svēto vakara skolniekus pamodināja cepta ķirbja pasakainā smarža, kas pildīja skolas gaiteņus. Vēl vairāk visus iepriecināja profesora Zibiņa paziņojums burvestību stundā — viņaprāt, audzēkņi esot gatavi likt dažādiem priekšmetiem lidināties gaisā. Par to taču visi sapņoja jau kopš brīža, kad, Zibiņa noburts, pa klasi spurdza Nevila krupis! Pirms izmēģinājumu sākuma profesors sadalīja visu klasi pa pāriem. Harija partneris izrādījās Šimuss Finigens (Harijs atviegloti uzelpoja, jo arī Nevils meta bažīgus skatus uz viņa pusi). Savukārt Rons tika vienā pārī ar Hermioni Grendžeru. Grūti pat teikt, kuram tas sagādāja lielākus sirdsēstus — Ronam vai Hermionei, kura kopš dienas, kad Harijs saņēma slotaskātu, nebija bildusi ne pušplēsta vārda ne vienam, ne otram.

— Tā, lūdzu, neaizmirstiet vieglo plaukstas pagriezienu, kuru mēs iepriekš apguvām! — nometies ierastajā vietā uz grāmatu kaudzes, čiepstēja profesors Zibiņš. — Vēziens un piecirtiens, atcerieties, vēziens un piecirtiens. Turklāt ļoti svarīgi ir pareizi izrunāt burvju vārdus — nekad neaizmirsīsim burvi Barufio, kurš "l" vietā reiz izrunāja "m" un atjēdzās uz grīdas, bet uz krūtīm viņam tupēja bullis...

Tas nemaz nebija tik viegli. Harijs un Šīmuss vēzēja un piecirta, vēzēja un piecirta, bet spalviņa, kuru viņiem vajadzēja sūtīt pret griestiem, tā arī palika guļam uz galda. Šīmuss kļuva tik nepacietīgs, ka mēģināja pabakstīt spalvu ar savu zizli, tā aizdegās — un Harijam nācās likt lietā savu cepuri, lai uguni apdzēstu.

Arī Ronam pie blakus sola īpaši neveicās.

— *Spārnardium Lidiosa*! — viņš sauca, vēcinādams rokas kā vējdzirnavu spārnus.

— Tu izrunā to nepareizi, — Hermione neizturēja. — Jāsaka: "Spārn-*ar*-dium Lidi-*o*-sa, un pastiep "ar" mazliet garāku!

— Dari to pati, ja jau esi tik gudra! — noņurdēja Rons.

Atrotījusi tērpa piedurknes, Hermione novicināja savu zizli un sacīja: — *Spārnardium Lidiosa*!

Spalviņa tiešām pacēlās no sola un palika peldam gaisā četras pēdas virs skolēnu galvām.

— Ak, teicami! — aplaudēdams iesaucās profesors Zibiņš. — Visi palūkojieties šurp, Grendžeras jaunkundze ir izpildījusi uzdevumu!

Stundas beigās Rons bija pagalam nelāgā omā.

— Nav brīnums, ka viņu neviens nespēj ciest, — viņš žēlojās Harijam, kad abi spraucās uz priekšu cauri skolēnu pieblīvētajam gaitenim. — Viņa ir kā lietuvēns, goda vārds!

Kāds sāpīgi uzgrūdās Harijam un aizsteidzās tālāk. Tā izrādījās Hermione. Harijs paguva ievērot meitenes seju — un pārsteigts aptvēra, ka viņas vaigi mirkuši asarās.

— Šķiet, viņa dzirdēja, ko tu teici.

— Nu, un tad? — attrauca Rons, kaut varēja just, ka viņš jūtas mazliet neomulīgi. — Viņa droši vien ir pamanījusi, ka draugu viņai nav.

Hermione neieradās uz nākamo stundu, un neviens viņu nemanīja visu pēcpusdienu. Dodoties uz Visu Svēto vakara mielastu Lielajā zālē, Harijs un Rons dzirdēja, kā Parvati Patila stāstīja savai draudzenei Lavandai, ka Hermione raudot meiteņu tualetē un lūdzot, lai viņu liek mierā. Ronu tas samulsināja vēl vairāk, bet pēc mirkļa viņi jau bija sasnieguši Lielo zāli, un svētku rotājumi lika aizmirst Hermioni.

Pie sienām un griestiem plivinājās melnais tūkstotis dzīvu siksparņu, bet vēl vismaz tikpat zemos mākoņos lidinājās virs galdiem, liekot sveču liesmiņām ķirbjos pastāvīgi raustīties. Uz tukšajiem galdiem pēkšņi parādījās zelta šķīvji ar mielastu, tāpat kā mācību gada sākuma banketā.

Brīdī, kad Harijs sniedzās pēc kartupeļa kažokā, zālē trakā ātrumā iedrāzās profesors Drebelis, tā sabijies, ka pat viņa turbāns bija nošķiebies uz vienu pusi. Visi pārsteigti vēroja, kā viņš piestreipuļo pie profesora Dumidora krēsla, smagi atspiežas pret galdu un izdveš: — Trollis... labirintā... domāju, jums tas būtu jāzina.

Tad viņš pağība un nogāzās uz grīdas.

Zālē sacēlās milzīgs troksnis, kas nenorima, pirms profesora Dumidora zizlis neizšāva vairākas purpurkrāsas petardes.

— Prefekti, — viņš komandēja, — tūlīt vediet savu torņu audzēkņus atpakaļ uz guļamtelpām!

Persijs jutās savā stihijā.

— Aiz manis! Pirmziemnieki, turieties ciešāk kopā! Jums nav jābīstas no troļļa, ja klausīsiet manām pavēlēm! Tā, turieties tieši aiz manis. Lūdzu, pašķirieties, dodiet ceļu pirmziemniekiem! Piedodiet, es esmu prefekts!

— Kā gan trollis iekļuvis skolā? — ievaicājās Harijs.

— Nejautā man, runā, tie esot pagalam stulbi radījumi, — atteica Rons. — Varbūt to ielaidis Nīgris, mēğinādams pajokot Visu Svēto vakarā.

Viņi pagāja garām vairākiem cilvēku pūlīšiem, kuri steidzās uz dažādām pusēm. Brīdī, kad viņi cīnījās cauri apjukušu elšpūšu bariņam, Harijs pēkšņi satvēra Ronu aiz rokas.

— Es tikko iedomājos par Hermioni.

— Kas tad šai?

— Viņa nezina par trolli.

Rons iekoda lūpā.

— Tas tiesa, — viņš atzina. — Bet laižamies tā, lai Persijs mūs nepamana.

Pieliekušies viņi iejuka starp elšpūšiem, kuri gāja pretējā virzienā, tad ieslīdēja tukšā sānu gaitenī un tad skrēja, ko kājas nes, uz meiteņu tualetes pusi. Apmetušies ap stūri, viņi pēkšņi aiz muguras izdzirda straujus soļus.

— Persijs! — nošņāca Rons, paraujot Hariju aiz liela akmens grifa.

Tomēr gar grifa sāniem pamestais slepus skatiens liecināja, ka tas nav vis Persijs, bet gan Strups. Viņš šķērsoja gaiteni un pazuda no skata.

— Ko viņš te dara? — Harijs nočukstēja. — Kāpēc viņš nav labirintā kopā ar citiem skolotājiem?

— Kā lai es zinu?

Cik klusu iespējams, viņi zagās pa nākamo gaiteni nopakaļ tālumā dzirdamajiem Strupa soļiem.

— Viņš dodas uz ceturto stāvu, — Harijs ierunājās, bet Rons pacēla roku.

— Vai tu kaut ko saod?

Harijs paostīja gaisu, un viņam nāsīs iesitās nelāga smaka, kas atgādināja sen netīrītas tualetes notekūdeņos marinētas vecas zeķes.

Un tad viņi saklausīja briesmoni — atskanēja dobja ņurdēšana un milzīgu pēdu šļūcošie soļi. Rons norādīja ar roku — no ejas, kas atradās pa kreisi no draugiem, dziļuma uz viņu pusi lēnām virzījās kaut kas milzīgs. Viņi paslēpās ēnā un vēroja, kā radījums iznāk laukumiņā, ko apgaismoja mēness stari.

Tas bija drausmīgs skats. Trollis slējās divpadsmit pēdu augstumā, tā āda bija nespodri granītpelēka, bet uz lempīgā milzu ķermeņa uzsēdinātais mazais, plikais paurītis atgādināja kokosriekstu. Īsās, koku stumbriem līdzīgās kājas beidzās ar plakanām, aprepējušām pēdām. Gaisā virmoja neciešama smaka. Troļļa rokas bija tik garas, ka milzīgā koka vāle vilkās briesmonim nopakaļ pa zemi.

Trollis apstājās pie kādas durvju ailas un ieskatījās telpā. Viņš sakustināja garās ausis, laikam sīkajā galviņā mēģinādams izlemt, ko darīt tālāk, tad lēnām iešļūca istabā.

— Atslēga ir slēdzenē, — Harijs nomurmināja. — Mēs varētu viņu tur ieslēgt.

— Laba doma, — Rons nervozi piekrita.

Viņi izkaltušām mutēm sāka lavīties uz atvērto durvju pusi, lūgdamies, kaut tik trollis neiznāktu atpakaļ gaitenī. Kad līdz ailai bija atlicis pāris soļu, Harijs strauji metās pie atslēgas, aizcirta durvis un aizslēdza tās.

— *Darīts*!

Piesarkuši no uzvaras prieka, draugi metās projām pa gaiteni, bet, pirms viņi bija sasnieguši pagriezienu, atskanēja troksnis, kas lika sirdīm sastingt zēnu krūtīs — augsts, izmisīgs kliedziens. Un tas skanēja no telpas, kuru viņi tikko aizslēdza.

— Tikai ne to! — iesaucās Rons, bāls kā Asiņainais barons.

— Tā bija meiteņu tualete! — Harijs noelsās.

— *Hermione*! — viņi vienā balsī iekliedzās.

Draugi saprata, ka viņiem ir tikai viena iespēja, lai kā viņiem šī iespēja nepatiktu, bet ko gan citu varēja darīt? Viņi apcirtās un skrēja atpakaļ, sasnieguši durvis, satraukumā uzreiz nespēja tās atslēgt, tad beidzot Harijam izdevās tās atraut un draugi iebrāzās telpā.

Hermione Grendžera stāvēja, piespiedusies pie pretējās sienas, likās, viņa teju teju zaudēs samaņu. Trollis lēnām virzījās uz viņas pusi, pa ceļam šķaidīdams izlietnes.

— Samulsini viņu! — Harijs izmisis uzsauca Ronam, paķēra zemē nokritušu krānu un no visa spēka svieda to pret sienu.

Trollis apstājās pāris soļu no Hermiones. Tas lēnām pagriezās, lai, muļķīgi mirkšķinādams acis, paskatītos, kas tas par troksni. Mazās, ļaunās ačeles pamanīja Hariju. Mirkli svārstījies, trollis pacēla vāli un metās virsū jaunajam upurim.

— Ak, tu, biezpienpauri! — telpas pretējā malā nokliedzās Rons un meta radījumam ar dzelzs cauruli. Trollis, šķiet, pat nemanīja, ka caurule trāpa tam pa plecu, taču nezvērs bija dzirdējis kliedzienu. Nezvērs atkal apstājās un pagrieza neglīto purnu pret Ronu, tā ļaudams Harijam aizslīdēt sev aiz muguras.

— Nu, bēdz, *bēdz*! — Harijs kliedza uz Hermioni, vilkdams meiteni uz durvju pusi, tomēr viņa nespēja pakustēties. Viņa vēl arvien stāvēja, cieši pieplakusi pie sienas un šausmās papletusi muti.

Kliedzieni un atbalsis, šķiet, arvien vairāk tracināja trolli. Tas atkal ierēcās un metās virsū Ronam, kurš atradās neradījumam vistuvāk un kuram nebija kur sprukt.

Tad Harijs izdarīja ko ļoti pārdrošu un muļķīgu: ieskrējies, cik jaudas, viņš uzlēca trollim mugurā un paguva saķert troļļa kaklu ar rokām. Trollis droši vien pat nejuta Harija svaru, toties tas juta pagaru koka nūju sev degunā — lecot zizlis bija palicis Harijam rokā un trāpījis trollim vienā no nāsīm.

Kaukdams no sāpēm, trollis locījās un vicināja savu vāli, savukārt Harijs, saprazdams, ka no tā var būt atkarīga viņa dzīvība, turējās no visa spēka. Kuru katru brīdi trollis varēja zēnu nokratīt vai trāpīt viņam ar savu briesmīgo rungu.

Hermione bija saļimusi uz grīdas bailēs. Rons izrāva savu zizli — īsti nezinādams, ko pats grasās darīt, viņš izdzirda savu balsi izkliedzam pirmos prātā iešāvušos burvju vārdus: — *Spārnardium Lidiosa!*

Runga pēkšņi izšļuka trollim no rokas, pacēlās augstu jo augstu gaisā, tad pagriezās — un ar šausminošu krakšķi nokrita uz saimnieka galvas. Trollis sazvārojās un nogāzās kā nopļauts uz sejas tā, ka nošūpojās visa telpa.

Harijs piecēlās. Viņam trūka elpas, turklāt viņš drebēja pie visām miesām. Rons stāvēja plāniņa vidū ar gaisā vēl arvien paceltu zizli, vērodams savas rīcības sekas.

Hermione ierunājās pirmā.

— Vai tas... ir pagalam?

— Šaubos, — atbildēja Harijs. — Domāju, ka trieciens tikai apdullinājis trolli.

Viņš pieliecās un izvilka zizli no troļļa nāss. To klāja kaut kas pelēkai, kunkuļainai līmei līdzīgs.

— Pē — troļļu puņķi!

Harijs noslaucīja zizli troļļa biksēs.

Pēkšņi visi trīs pacēla galvas — kaut kur tuvumā atskanēja duvju vēršanās troksnis un skaļi soļi. Klasesbiedri nemaz neaptvēra, kādu troksni bija sacēluši, bet, protams, zemākajos stāvos gan blīkšķus, gan troļļa rēcienus varēja dzirdēt. Vēl pēc mirkļa telpā iesteidzās profesore Maksūra, viņai cieši pa pēdām ienāca Strups, bet aiz viņiem sekoja Drebelis. Ieraudzījis trolli, Drebelis vārgi ievaidējās un, saķēris sirdi, apsēdās uz poda maliņas.

Strups pārliecās pār trolli. Profesore Maksūra tikmēr skatījās uz Ronu un Hariju. Harijs nekad vēl nebija redzējis viņu tik pārskaitušos. Profesores balti sakniebtās lūpas ātri izgaisināja Harija cerības, ka grifidori varētu iegūt piecdesmit punktu.

— Par ko gan jūs domājāt? — ledainu dusmu pilnā balsī jautāja profesore Maksūra. Harijs palūkojās uz Ronu, kurš vēl arvien stāvēja, pacēlis zizli gaisā. — Jums palaimējies, ka esat dzīvi. Kāpēc jūs nebijāt guļamtelpā?

Strups uzmeta Harijam ašu, caururbjošu skatienu. Harijs no-
dūra acis. Viņa vienīgā vēlēšanās bija, lai Rons nolaistu savu zizli.

Tad no ēnas atskanēja vārga balstiņa.

— Profesore Maksūra, ja drīkst, — viņi meklēja mani.

— Grendžeras jaunkundz!

Hermionei beidzot izdevās pieslieties stāvus.

— Es devos meklēt trolli, jo domāju... es domāju, ka spēšu
pati tikt ar to galā, jūs saprotat, man likās, ka esmu visu par tiem
izlasījusi.

Ronam izkrita zizlis. Vai tā bija Hermione Grendžera, kura,
acīs skatīdamās, meloja pasniedzējai?

— Ja viņi nebūtu mani atraduši, es būtu pagalam. Harijs
iegrūda trollim degunā savu zizli, un Rons iegāza tam pa galvu ar
paša neradījuma rungu. Viņiem nebija laika meklēt vēl kādu. Kad
viņi parādījās, trollis nupat taisījās mani nonāvēt.

Harijs un Rons centās izturēties tā, it kā šis stāsts viņus ne-
pārsteigtu.

— Nu, tādā gadījumā... — profesore Maksūra novilka, skatī-
damās uz trijotni. — Grendžeras jaunkundz, negaidīju, ka jūs
muļķīgi piedēvēsiet sev spēju vienatnē tikt galā ar kalnu trolli!

Hermione raudzījās zemē. Harijs nespēja bilst ne vārda. Lai
nu kurš, bet Hermione nekad nedarīja neko, kas pārkāptu skolas
noteikumus, bet te nu viņa stāvēja, apgalvodama, ka darījusi ko
aizliegtu — un tikai tāpēc, lai paglābtu Hariju un Ronu no ne-
patikšanām. Tikpat labi Strups varēja sākt cienāt viņus ar saldu-
miem.

— Grendžeras jaunkundz, šī nodarījuma dēļ grifidori zaudē
piecus punktus, — paziņoja profesore Maksūra. — Es esmu ļoti
sarūgtināta par jūsu rīcību. Ja neesat cietusi, ejiet uz Grifidora
torni. Svētku maltīte turpinās audzēkņu mītnēs.

Hermione aizgāja.

Profesore Maksūra pievērsās Harijam un Ronam.

— Nu, ko, es vēlreiz atkārtošu — jums ir laimējies, tomēr ne katram pirmziemniekam izdotos pieveikt pieaugušu kalnu trolli. Katrs no jums iegūst Grifidoram pa pieciem punktiem. Par notikušo es ziņošu profesoram Dumidoram. Varat iet.

Viņi izgāja no telpas un nebilda ne vārda, pirms nebija uzkāpuši divus stāvus augstāk. Tas bija patiess atvieglojums — vairs nejuta troļļa smaku, turklāt arī pārējās nepatikšanas bija garām.

— Mums vajadzēja saņemt vairāk nekā desmit punktu, — norūca Rons.

— Paliks tikai pieci, kad viņa atņems Hermiones piecus.

— Labi, ka viņa mūs izpestīja, — atzina Rons. — Bet mēs viņu *tiešām* izglābām.

— Iespējams, viņai šī glābšana nebūtu vajadzīga, ja mēs neieslēgtu trolli tualetē, — Harijs atgādināja.

Viņi bija nonākuši līdz Resnās kundzes portretam.

— Cūkas šņukurs, — viņi sacīja un iegāja tornī.

Koptelpā bija pilns ar audzēkņiem. Visapkārt valdīja troksnis. Visi mielojās ar gardumiem, kas bija uznesti no Lielās zāles. Tikai Hermione viena stāvēja pie durvīm un gaidīja viņus. Sekoja mulsa klusuma brīdis. Tad, neskatīdamies cits citam acīs, viņi visi korī pateica "Paldies!" un aizsteidzās pēc šķīvjiem.

Kopš tā brīža Hermione Grendžera kļuva par viņu draudzeni. Ir notikumi, kurus kopīgi pārdzīvojot, atliek tikai viens — sadraudzēties. Un uzvara pār divpadsmit pēdu kalnu trolli ir viens no šādiem notikumiem.

VIENPADSMITĀ NODAĻA

KALAMBOLS

Sākoties novembrim, laiks kļuva krietni aukstāks. Kalni ap skolu slējās ledaini pelēki, un ezers atgādināja stindzinošu tēraudu. Zemi katru rītu klāja sarma. No augšstāva loga varēja redzēt Hagridu — viņš, ietinies garā kurmjādas mētelī, trušādas cimdos un milzīgos bebrādas zābakos, kalambola laukumā atsarmoja slotaskātus.

Bija sākusies kalambola sezona. Sestdien bija paredzēta Harija pirmā spēle: Grifidors pret Slīdeni. Aiz muguras bija treniņi vairāku nedēļu garumā. Ja Grifidors uzvarētu, tornis izvirzītos otrajā vietā Skolas čempionātā.

Gandrīz neviens nebija redzējis Hariju spēlējam, jo Žagars bija izlēmis — ja reiz tas ir viņu slepenais ierocis, tad tas arī jātur slepenībā. Tomēr baumas, ka viņš spēlēšot meklētāja pozīcijā, kaut kā bija izplatījušās pa skolu, un Harijs pat nesaprata, kuri bija ļaunāki — vai vieni, kas sita uz pleca un teica, ka viņš būšot lielisks, vai otri, kas ņirdza, ka skraidīšot pa laukumu zem viņa ar matraci.

Taču bija arī kas tāds, kas Hariju iepriecināja — Hermione tagad bija viņu draudzene. Viņš apzinājās, ka bez meitenes nespētu tikt galā ar visiem mājasdarbiem, īpaši tagad, kad pēdējā gatavošanās kalambola spēlei aizņēma tik daudz brīvā laika. Turklāt Hermione aizdeva viņam grāmatu "Kalambols laiku lokos", kas izrādījās visai aizraujoša lasāmviela.

Harijs uzzināja, ka kalambolā ir septiņsimt dažādu pārkāpumu un ka visi šie pārkāpumi fiksēti 1473. gada spēlē par Pasaules kausu; ka meklētāji parasti ir mazākie un ātrākie spēlētāji komandā un ka bīstamākie negadījumi parasti notiek tieši ar šīs pozīcijas spēlētājiem; ka kalambola spēlēs ļoti reti kāds gājis bojā, bet tiesneši pēc mača reizēm pazuduši, lai vairākus mēnešus vēlāk atkal uznirtu, teiksim, Sahāras tuksnesī.

Kopš Harijs un Rons izglāba Hermioni no kalnu troļļa, skolas kārtības noteikumu pārkāpšana meiteni vairs tā nesatrauca, līdz ar to viņas sabiedrība likās daudz patīkamāka. Starpbrīdī dienu pirms Harija pirmās kalambola spēles trijotne stāvēja izsalušajā pagalmā, un Hermione bija uzbūrusi spilgti zilu ugunskuru, ko varēja pārnēsāt ievārījuma burciņā. Viņi stāvēja ar muguru pret uguni, cenzdamies sasildīties, kad pagalmā parādījās Strups. Harijs uzreiz ievēroja, ka Strups klibo. Harijs, Rons un Hermione sastājās ciešāk, lai aizsegtu pasniedzēja acīm uguni; bērni nebija pārliecināti, ka tas ir atļauts. Diemžēl vainas apziņu viņu sejās pamanīja Strups, un profesors devās uz viņu pusi. Uguni gan viņš nebija redzējis, bet likās, viņš tik un tā meklē iemeslu, lai grifidoriem aizrādītu.

— Kas jums, Poter, tā par grāmatu?

Tā bija "Kalambols laiku lokos". Harijs iedeva to pasniedzējam.

— Bibliotēkas grāmatas ir aizliegts iznest no skolas, — paziņoja Strups. — Dodiet to man. Grifidors zaudē piecus punktus.

— Viņš šo noteikumu tikko izdomāja, — Harijs dusmīgi nomurmināja, kad Strups bija aizklibojis. — Kas gan varētu būt noticis ar viņa kāju?

— Nezinu, bet ceru, kas tas ir sāpīgi, — rūgti piebilda Rons.

* * *

Tovakar Grifidora koptelpā valdīja pamatīgs troksnis. Harijs, Rons un Hermione sēdēja kopā netālu no loga. Hermione pārbaudīja Harija un Rona burvestību mājasdarbu. Viņa nekad neļāva zēniem vienkārši norakstīt ("Kā jūs to iemācīsieties?"), bet viņi tik un tā tika pie pareizajām atbildēm, lūdzot Hermioni mājasdarbus pārlasīt.

Harijam nebija miera. Viņš vēlējās palasīt "Kalambolu laiku lokos", lai nebūtu jānervozē par rītdienu. Kāpēc gan viņam jābaidās no Strupa? Piecēlies kājās, viņš paziņoja Ronam un Hermionei, ka sameklēs Strupu un lūgs, lai atdod grāmatu.

— Ej vien pats, — abi draugi vienā balsī atsaucās, bet Harijam likās, ka Strups viņam neatteiks, ja sarunu dzirdēs vēl kāds skolotājs.

Viņš nogāja lejā līdz skolotāju istabai un pieklauvēja. Neviens neatsaucās. Viņš pieklauvēja vēlreiz. Klusums.

Varbūt Strups ir atstājis grāmatu kaut kur uz galda? Bija vērts par to pārliecināties. Viņš pavēra durvis un ieskatījās telpā — un zēna acīm pavērās drausmīga aina.

Skolotāju istabā bija tikai Strups un Filčs. Strups bija pacēlis savas drānas virs ceļa. Vienu kāju klāja asiņojošas, dziļas brūces. Filčs sniedza Strupam apsējus.

— Nolādētais lops! — Strups runāja. — Kā gan iespējams vienlaikus sekot trīs galvām?

Harijs mēģināja klusiņām aizvērt durvis, bet...

— POTER!

Strupa seju izķēmoja dusmas, viņš zibenīgi atlaida drānu malu, lai paslēptu kāju. Harijam aizrāvās elpa.

— Es tikai gribēju dabūt atpakaļ savu grāmatu.

— ĀRĀ! *ĀRĀ, ES TEICU!*

Harijs izmetās no skolotāju istabas, pirms Strups bija atņēmis Grifidoram vēl kādus punktus. Viņš skriešus metās atpakaļ uz torni.

— Vai dabūji grāmatu? — vaicāja Rons, kad Harijs atgriezās koptelpā. — Kas notika?

Harijs čukstus pastāstīja, ko bija redzējis.

— Vai saprotat, ko tas nozīmē? — viņš, palicis galīgi bez elpas, beidza. — Visu Svēto vakarā viņš mēģināja tikt garām trīsgalvu sunim! Kad mēs viņu redzējām, viņš devās uz aizliegto gaiteni — viņš vēlas iegūt to, ko sargā briesmonis! Un es esmu gatavs savu slotaskātu likt ķīlā, ka *viņš* ielaida skolā trolli, lai novērstu pārējo uzmanību!

Hermionei acis vien iepletās.

— Nē, viņš to nedarītu, — meitene iebilda. — Es zinu, viņš nav pārāk jauks, tomēr viņš taču nemēģina nozagt ko tādu, ko Dumidors noglabājis!

— Tiešām, Hermione, vai tu domā, ka visi skolotāji ir svētie?! — Rons brīnījās. — Esmu vienisprātis ar Hariju. Strups ir spējīgs uz visu. Bet ko gan viņš meklē? Ko sargā suns?

Kad Harijs apgūlās, arī viņam galvā zumēja šie paši jautājumi. Nevils skaļi krāca, bet Harijs nespēja aizmigt. Viņš centās visu aizmirst — viņam vajadzēja pagulēt, jo līdz pirmajai kalambola spēlei viņa dzīvē bija atlicis tikai pāris stundu — tomēr Strupa sejas izteiksme, kad profesors saprata, ka Harijs redzējis viņa kāju, nebija tik viegli aizmirstama.

* * *

Nākamais rīts uzausa ļoti skaidrs un auksts. Lielajā zālē brīnišķīgi smaržoja pēc ceptām desiņām, un visa skola priecīgi čaloja labas kalambola spēles gaidās.

— Apēd kaut ko brokastīs.

— Es negribu.

— Kaut vai grauzdiņu, — mudināja Hermione.

— Neesmu izsalcis.

Harijs jutās briesmīgi. Pēc stundas viņam bija jāiziet laukumā.

— Harij, tev būs vajadzīgs spēks, — sarunā iesaistījās Šīmuss Finigans. — Meklētājus pretinieks dzenā visvairāk.

— Paldies, Šīmus, par uzmundrinājumu, — noteica Harijs, skatīdamies, kā klasesbiedrs gāž uz desiņām kečupu.

Kad pienāca vienpadsmit, izskatījās, ka visa skola ir sapulcējusies tribīnēs ap kalambola laukumu. Daudziem studentiem kaklā karājās tālskati. Lai cik augstu būtu izvietotas krēslu rindas, reizēm bija grūti izšķirt, kas īsti notiek.

Rons un Hermione apsēdās līdzās Nevilam, Šīmusam un *West Ham* fanam Dīnam pašā augšējā rindā. Par pārsteigumu Harijam, viņi uz viena no Kaška sapostītajiem palagiem bija uzzīmējuši milzīgu plakātu. Uz tā bija rakstīts "Poteru par prezidentu", un Dīns, kuram labi padevās zīmēšana, zem uzraksta bija uzzīmējis lielu Grifidora lauvu. Hermione savukārt bija izmantojusi mazu, bet nebūt ne vienkāršu burvestību, kas lika zīmējumam zaigot visās varavīksnes krāsās.

Tikmēr ģērbtuvēs Harijs kopā ar komandas biedriem vilka mugurā Grifidora sarkanos kalambola tērpus (Slīdeņa komandai bija zaļi tērpi).

Pilnīgā klusumā nokrekšķinājās Žagars.

— Tā, kungi, — viņš sāka.

— Un dāmas, — piebilda dzinēja Endželīna Džonsone.

— Un dāmas, — piekrita Žagars. — Te nu mēs esam.

— Šī ir izšķirošā spēle, — ierunājās Freds Vīzlijs.

— Spēle, kuru mēs visi esam tā gaidījuši, — stafeti pārņēma Džordžs.

— Mēs zinām Olivera runu no galvas, — Freds paskaidroja Harijam. — Mēs bijām komandā arī pagājušā gadā.

— Jūs abi, apklustiet, — Žagars apsauca dvīņubrāļus. — Šī ir labākā komanda, kāda pēdējo gadu laikā bijusi Grifidoram. Mēs uzvarēsim. Es esmu par to pārliecināts.

Viņš pārlaida savējiem draudīgu skatienu, kas, likās, teica: — Ja ne, es jums parādīšu.

— Labi. Ir laiks. Veiksmi visiem.

Harijs iznāca no ģērbtuves cieši aiz Freda un Džordža un, cerot, ka ceļgali nepievils, devās uz laukumu. Tribīnes skaļi sveica savus varoņus.

Tiesāja Hūča madāma. Viņa stāvēja laukuma centrā ar slotu rokā, gaidīdama, līdz abas komandas nostāsies vietās.

— Es gribu redzēt tīru spēli, tas attiecas uz visiem, — tiesnese paziņoja, kad spēlētāji bija sapulcējušies ap viņu. Harijam likās, ka šī piezīme veltīta īpaši Markusam Flintam, sestās klases audzēknim un Slīdeņa komandas kapteinim. Harijs nosprieda, ka Flints izskatās tā, it kā viņa dzīslās ritētu ne viena vien lāse troļļu asiņu. Ar acs kaktiņu viņš pamanīja virs pūļa plīvojošo plakātu, uz kura zaigoja "Poteru par prezidentu". Viņam salēcās sirds. Viņš jutās drošāk.

— Uz slotām, lūdzu.

Harijs uzkāpa uz sava divtūkstošā nimba.

Hūča madāma pielika pie lūpām sudraba svilpi un griezīgi nosvilpās.

Piecpadsmit slotu uzšāvās augstu jo augstu gaisā. Spēle bija sākusies.

— Sviedeni izcīna Grifidora spēlētāja Endželīna Džonsone... Viņa ir lieliska dzinēja un, hm, turklāt visai pievilcīga...

— DŽORDAN!

Dvīņubrāļu Vīzliju draugs Lī Džordans šoreiz iejutās spēles komentētāja lomā, tiesa, viņu pieskatīja profesore Maksūra.

— Viņa nesas uz priekšu, laba piespēle Alisijai Spinnetai, lielisks Olivera Žagara atradums, pagājušā gada komandas rezerviste... piespēle atpakaļ Džonsonei un... nē, sviedeni pārtver Slīdenis, to iegūst Slīdeņa kapteinis Markuss Flints, viņš traucas uz priekšu... Flints lido kā ērglis... viņš tūlīt gūs pirmo... nē, lieliski aizsargājas grifidoru sargs Žagars, un Grifidors atgūst sviedeni... tā ir grifidoru dzinēja Keitija Bella, teicami aplido Flintu, dodas augšup pa laukumu un — UPS! — tas bija sāpīgi, viņai pa pakausi trāpa āmurgalva... sviedene atkal ir pie Slīdeņa spēlētājiem... Adriāns Pjūsijs uzņem ātrumu un raujas uz grozu pusi, bet viņu bloķē otra āmurgalva, ko viņa virzienā raidīja Freds vai Džordžs Vīzlijs, nespēju jums pateikt, kurš... lai nu kā, lieliska Grifidora triecēja spēle. Sviedene atkal ir Džonsonei, viņai priekšā nav neviena pretinieka komandas spēlētāja... un viņa lido, tiešām, kā uz vēja spārniem... izvairās no āmurgalvas... līdz groziem atliek vairs tikai kāds nieks... uz priekšu, Endželīna! Slīdeņa sargs Blēčlijs pikē... bet nepagūst... GRIFIDORS GŪST GROZU!

Grifidoru urravas uzvilnīja aukstajā gaisā, bet no Slīdeņa tribīnēm atskanēja šķendēšanās un vaidi.

— Pavirzieties, saspiedieties!

— Hagrid!

Rons un Hermione saspiedās ciešāk, lai atbrīvotu vietu Hagridam.

— Skatījs no savas būds, — paskaidroja Hagrids, paplikšķinādams pa milzīgu tālskati, kas karājās viņam kaklā. — Bet barā tomēr savādāk. Zibsnis jau vēl nav manīts, ko?

— Nav gan, — atteica Rons. — Harijam nav bijis īpaši daudz darba.

— Bet arī nepatikšanās viņš nav iekūls, arī tas nav maz, — noteica Hagrids, paceldams tālskati pret debesīm, kur lidinājās mazs punktiņš — Harijs.

Harijs planēja augstu virs laukuma un tribīnēm, uzmanīgi vērodams, vai kaut kur neparādīsies zibsnis. Šādu spēles taktiku viņi bija izstrādājuši kopā ar Žagaru.

— Turies nostāk, līdz ieraudzīsi zibsni, — Žagars bija teicis. — Mēs negribam, lai tev būtu jāriskē, pirms tas ir to vērts.

Kad Endželīna guva grozu, Harijs apmeta pāris cilpu, lai

mazliet izlādētos. Viņš atkal ar acīm meklēja zibsni. Reiz viņš pamanīja zeltītu uzzibsnījumu, bet tas izrādījās viena Vīzlija rokaspulkstenis, otrreiz viņam uzbruka āmurgalva, bet viņš izvairījās no bumbas un to aiztrieca Freds Vīzlijs.

Nikni sizdams āmurgalvu uz Markusa Flinta pusi, dvīņubrālis vēl paguva uzsaukt: — Viss kārtībā, Harij?

— Sviedene pie Slīdeņa, — ziņoja Lī Džordans. — Dzinējs Pjūsijs izvairās no divām āmurgalvām, diviem Vīzlijiem un dzinējas Bellas un šaujas uz... pagaidiet... vai tas bija zibsnis?

Pūli pāršalca sačukstēšanās, Adriāns Pjūsijs pameta sviedeni un atskatījās, jo viņa prātu šobrīd nodarbināja tikai zeltītais uzplaiksnījums, kas bija aizzibējis gar slīdeņa kreiso ausi.

Harijs to ieraudzīja. Iededzies spēles kaismē, viņš metās lejup pakaļ zelta svītrai. Arī Slīdeņa meklētājs Terenss Higss bija pamanījis zibsni. Plecu pie pleca abu komandu meklētāji traucās pakaļ mazajai lodītei — bet visi dzinēji, šķiet, bija piemirsuši, ko viņiem vajadzēja darīt, jo viņi apstājās gaisā un skatījās, kas tagad notiks.

Harijs bija ātrāks par Higsu... viņš redzēja mazo apaļo lodīti, tās zibošos spārnus... zibsnis traucās augšup... Harijs palielināja ātrumu, ja tas vispār bija iespējams...

BĀC! Saniknots vaids pāršalca Grifidora tribīnes lejā — Markuss Flints bija tīšām nobloķējis Hariju, un Harijs uz mirkli zaudēja orientāciju, tikko noturēdamies uz slotas.

— Sods! — sauca grifidori.

Hūča madāma bargi nostrostēja Flintu un piešķīra soda metienu pie Slīdeņa groziem. Bet visā šajā apjukumā zelta zibsnis, protams, atkal bija pagaisis.

Lejā tribīnēs Dīns Tomass pilnā balsī auroja: — Tiesnes, nodzeniet viņu no laukuma! Parādiet sarkano kartīti!

— Šis, Dīn, nav futbols, — Rons atgādināja. — Kalambolā spēlētājus nenoraida — un kas īsti ir sarkanā kartīte?

Taču Hagrids piekrita Dīna viedoklim.

— Tos noteikums vajag mainīt. Viņš tak varēja notriekt Hariju no slotas.

Lī Džordanam kļuva arvien grūtāk palikt neitrālam.

— Tātad pēc šī klaji nožēlojamā un krāpnieciskā gājiena...

— Džordan! — komentētāju apsauca profesore Maksūra.

— Es gribēju teikt, pēc šī atklātā un pretīgā pārkāpuma...

— *Džordan, es jūs brīdinu!*

— Labi jau, labi. Flints gandrīz nogalina Grifidora meklētāju — bet tas taču var gadīties jebkuram, esmu par to pārliecināts, tāpēc sods par labu Grifidoram. To izpilda Spinneta, metiens ir precīzs. Spēle turpinās, sviedene paliek pie Grifidora.

Tas sākās, kad Harijs tikko bija izvairījies no kārtējās āmurgalvas, kas aizgriezās bīstami tuvu viņa galvai. Viņa slotaskāts pēkšņi draudsmīgi noraustījās. Pirmajā mirklī zēnam likās, ka viņš nokritīs. Viņš cieši satvēra slotaskātu ar abām rokām un saspieda ar ceļgaliem. Nekad iepriekš neko tādu viņš nebija jutis.

Vēl viens rāviens. Likās, ka slota mēģina viņu nomest. Taču divtūkstošais nimbs nebija slota, kas pēkšņi izdomā tikt vaļā no lidotāja. Harijs mēģināja pagriezties un lidot atpakaļ uz Grifidora grozu pusi. Viņam prātā iešāvās doma, ka vajadzētu palūgt Žagaram, lai piesaka pārtraukumu... un tad Harijs saprata, ka slota viņam vairs neklausa. Viņš nespēja to pagriezt. Viņš nespēja to vadīt. Slotaskāts meta asus līkločus un brīdi pa brīdim pēkšņi vai nu šāvās gaisā, vai gāzās lejup tā, ka Harijs tikko spēja noturēties pie slotas.

Lī vēl arvien komentēja.

— Ar bumbu Slīdenis... Flints ar sviedeni... tiek garām Spinnetai... tiek garām Bellai... viņam sejā ar labu ātrumu trāpa āmurgalva, ceru, tā salauza viņam degunu... tas, profesore, bija joks... Slīdenis gūst grozu... tas nevar būt...

Slīdeņi gavilēja. Šķiet, neviens nemanīja, ka Harija slota

uzvedas savādi. Tā raustīdamās un griezdamās lēni cēla zēnu arvien augstāk, projām no spēles laukuma.

— Nesaprot, ko Harijs tur dar, — nomurmināja Hagrids. Viņš skatījās savā tālskatī. — Izskats, ka viņš nespēj valdīt savu slotu... Bet tas nevar būt...

Pēkšņi cilvēki pamanīja Hariju un sāka rādīt augšup. Zēna slota sāka velties apkārt un apkārt, un viņš tikko turējās pie tās. Tad pūlis novaidējās. Vēl viens negants rāviens — un Harijs nokrita no kāta. Tagad viņš karājās pie slotas, turēdamies tajā ar vienu roku.

— Vai slotai varēja kaut kas saiet dēlī, kad Flints viņu bloķēja? — čukstus jautāja Šīmuss.

— Nevar būt, — drebošā balsī atbildēja Hagrids. — Nekas nespēj iespaidot slotaskāt — tik ļoti spēcīga tumšā maģija. Pusaudzs divtūkstošajam nimbam neko tādu nespēj padarīt.

Noklausījusies šos vārdus, Hermione pagrāba Hagrida tālskati. Tikai viņa to nepacēla augšup uz Hariju, bet sāka izmisīgi pētīt skatītāju pūli.

— Ko tu dari? — ievaidējās izmisušais Rons.

— Tā jau es domāju. — Hermionei aizrāvās elpa. — Tas ir Strups — paskaties.

Rons paķēra tālskati. Strups stāvējā tribīnēs tieši viņiem pretī. Viņa skatiens bija piekalts Harijam, un viņš kaut ko nepārtraukti murmināja.

— Viņš kaut ko dara — droši vien riebj Harija slotu, — sacīja Hermione.

— Ko darīsim?

— Atstāj to manā ziņā.

Pirms Rons paguva bilst kaut vārdu, Hermione bija projām. Rons atkal pacēla tālskati pret Hariju. Slota vibrēja tik spēcīgi, ka likās — viņš ilgi vairs neizturēs un atlaidīs roku. Visi skatītāji bija pielēkuši kājās un pārbijušies vēroja notiekošo. Tikmēr dvīņubrāļi Vīzliji pielidoja tuvāk Harijam un mēģināja pārcelt viņu uz vienas no savām slotām, bet tas neizdevās — tikko viņi piekļuva pietiekami tuvu, Harija slota parāvās vēl augstāk. Tad dvīņi nolaidās zemāk un sāka mest lokus zem Harija — laikam cerēdami, ka pagūs noķert zēnu, ja viņš kritīs. Tikmēr Markuss Flints bija paķēris sviedeni un, nevienam neredzot, iemetis piecus grozus pēc kārtas.

— Pasteidzies, Hermion, — izmisis murmināja Rons.

Hermione bija izlauzusies līdz tribīnei, kurā stāvēja Strups, un tagad steidzās uz priekšu pa rindu profesoram aiz muguras. Viņa pat neapstājās, lai atvainotos, notriekusi profesoru Drebeli uz galvas nākamajā rindā. Tikusi līdz Strupam, viņa notupās, iz- vilka savu zizli un noskaitīja pāris vārdu. No viņas zižļa uz Strupa apmetņa apakšmalu pārlēca spilgti zilas liesmas.

To, ka viņš deg, Strups saprata pēc sekundēm trīsdesmit. Pēkšņs kliedziens liecināja, ka viņa savu padarījusi. Viņa norausa liesmas no Strupa drānām atpakaļ ievārījuma burciņā, paslēpa trauku kabatā un lavījās atpakaļ pa augšējo rindu. Strups tā arī nesaprata, kas noticis.

Ar to pietika. Slota pēkšņi aprima, un Harijs spēja atkal uz- rāpties uz tās.

— Nevil, vari atkal skatīties! — Rons sacīja. Pēdējās piecas minūtes Nevils raudāja, paslēpis seju Hagrida kamzolī.

Harijs traucās uz zemes pusi, kad skatītāji ievēroja, ka viņš pēkšņi piešauj roku pie mutes — it kā viņam būtu palicis slikti. Harijs nokrita uz laukuma uz visām četrām, ieklepojās — un viņam rokā ievēlās kaut kas zeltīts.

— Man ir zibsnis! — viņš iesaucās, paceldams to virs galvas, un spēle beidzās pilnīgā apjukumā.

— Viņš to nenoķēra, viņš gandrīz norija to, — vēl divdesmit minūtes pēc spēles beigām auroja Markuss Flints, bet bez panā- kumiem — Harijs noteikumus nebija pārkāpis, un Lī Džordans laimīgs izziņoja rezultātu — Grifidors uzvarējis Slīdeni ar simtu septiņdesmit pret sešdesmit. Tiesa, Harijs to vairs nedzirdēja. Tobrīd viņš kopā ar Ronu un Hermioni sēdēja Hagrida būdā un atguvās pie stipras tējas tases.

— Tas bija Strups, — skaidroja Rons. — Mēs ar Hermioni redzējām viņu. Viņš murminādams nolādēja tavu slotaskātu, viņš nenolaida acu no tevis.

— Blēņas, — nepiekrita Hagrids, kurš nebija dzirdējis Rona un Hermiones sarunu tribīnēs. — Kāpēc lai Strups ko tādu darīt?

Harijs, Rons un Hermione saskatījās, lauzīdami galvu, ko lai pastāsta milzim. Harijs nolēma izstāstīt patiesību.

— Esmu par viņu kaut ko uzzinājis, — zēns sacīja Hagridam. — Visu Svēto vakarā viņš mēģināja tikt garām trīsgalvu sunim. Tas sakoda profesoru. Mēs domājam, ka viņš grib nozagt to, ko suns sargā.

Hagridam no rokām izvēlās tējkanna.

— Kā jūs zināt par Pūkainīti?

— *Pūkainīti?*

— Jā, tas ir mans suns, es to nopirk no viena grieķu puiš, ko satik pirms gada krogā... Es šo aizdev Dumidoram, lai sargā...

— Ko? — kaismīgi iesaucās Harijs.

— Tā, vairāk neko man nevaicā, — apmulsis noteica Hagrids. — Tas ir briesmīgs noslēpums, un viss.

— Bet Strups to mēģina *nozagt*!

— Blēņas, — Hagrids vēl arvien nebija pārliecināms. — Strups ir pasniedzējs Cūkkārpā, viņš neko tād nedarīt.

— Tad kādēļ viņš tikko mēģināja nogalināt Hariju? — iesaucās Hermione.

Šīs pēcpusdienas notikumi, kā varēja skaidri redzēt, bija likuši viņai mainīt savu attieksmi pret Strupu.

— Es zinu, kas ir riebšana, ja es redzu, kā to dara, Hagrid, es esmu visu par to izlasījusi! Tev visu laiku ir jāsaglabā acu kontakts, un Strups pat nemirkšķināja, es pati to redzēju!

— Es jums sak, jums nav taisnīb! — iekarsis nepiekāpās Hagrids. — Es nezin, kāpēc Harija slota tā uzveds, bet Strups nemēģināt nonāvēt studentu! Tā, klausiets, jūs visi trīs — jūs jaucs lietās, kas neattiecs uz jums. Tas ir bīstami. Aizmirst to suni un aizmirst, ko tas sargā, tā ir tikai profesora Dumidora un Nikolasa Fleimela darīšana...

— Ahā! — iesaucās Harijs. — Tātad te ir iejaukts vēl kāds, ko sauc par Nikolasu Fleimelu!

Hagrids izskatījās nikns pats uz sevi.

DIVPADSMITĀ NODAĻA

SAGĻI SPOGULIS

Tuvojās Ziemassvētki. Kādu rītu decembra vidū Cūkkārpa pamodās, ieputināta vairākas pēdas dziļā sniegā. Ezers aizsala, un dvīņubrāļus Vīzlijus sodīja par to, ka viņi nobūra vairākas sniega pikas, lai tās visur seko Drebelim un atkal un atkal trāpa pa viņa turbānu. Nedaudzās pūces, kurām izdevās izlauzties cauri vētrai ar pastu, Hagridam nācās apārstēt, pirms tās spēja atkal doties lidojumā.

Visi ar nepacietību gaidīja brīvdienu sākumu. Grifidora koptelpā un Lielajā zālē nemitīgi rūca milzu pavardi, bet gaiteņu caurvējš bija kļuvis netīkami ledains. Arī klasēs vējš nikni purināja logu rūtis. Visnepatīkamākās bija profesora Strupa nodarbības, jo tās notika pazemē, kur elpa no mutes cēlās baltos mutuļos un vienīgais glābiņš bija turēties pēc iespējas tuvu siltajiem katliem.

— Man tiešām žēl, — kādā mikstūru stundā paziņoja Drako Malfojs, — visu to, kuriem nāksies pa Ziemassvētkiem palikt Cūkkārpā, jo viņus mājās neviens negaida.

To teikdams, viņš skatījās uz Hariju. Krabe un Goils iesmējās. Harijs, kurš tobrīd mērīja saberztu lauvaszivs skrimsli, nelikās par viņiem ne zinis. Kopš kalambola spēles Malfojs izturējās vēl riebīgāk nekā līdz šim. Sarūgtināts par Slīdeņa komandas zaudējumu, viņš izdomāja joku, ka nākamajā spēlē Hariju meklētāja postenī aizstāšot koku varde ar plaši atplestu muti. Taču neviens nesmējās, nevienam tas nelikās smieklīgi, jo visi apbrīnoja, kā Harijam bija izdevies noturēties uz nevaldāmās slotas. Tā nu greizsirdīgais un dusmīgais Malfojs atkal ķērās pie vecā ieroča un mēģināja sāpināt Hariju ar to, ka Poteram neesot īstas ģimenes.

Tiesa kas tiesa, pa Ziemassvētkiem Harijs netaisījās atpakaļ uz Dzīvžogu ielu. Pirms nedēļas, kad koptelpā ieradās profesore Maksūra, lai sastādītu to audzēkņu sarakstu, kuri gatavojās brīvdienās palikt Cūkkārpā, Harijs pierakstījās viens no pirmajiem. Viņu tas itin nemaz neapbēdināja. Viņš sprieda, ļoti iespējams, ka šie būs jaukākie Ziemassvētki viņa dzīvē. Turklāt skolā palika arī Rons ar brāļiem, jo viņu vecāki posās uz Rumāniju ciemos pie Čārlija.

Kad pēc mikstūru stundas beigām viņi iznāca no pazemes, gaiteni priekšā bija aizsprostojusi pamatīga egle. Divas milzīgas pēdas un skaļās elsas lieciināja, ka koku stiepj Hagrids.

— Sveiks, Hagrid, vai palīdzēt? — jautāja Rons, pabāzdams galvu starp zariem.

— Nē, pats tikš galā, bet paldies, Ron.

— Vai jūs nepavāktos malā? — aiz muguras atskanēja Malfoja ledainā balss. — Vai tu, Vīzlij, mēģini piepelnīties? Droši vien pats sapņo kļūt par pārzini, kad pabeigsi Cūkkārpu, — Hagrida būda tev varētu likties kā pils salīdzinājumā ar jūsu ģimenes mitekli.

Rons metās virsū Malfojam, bet tajā brīdī kāpnēs parādījās Strups.

— VĪZLIJ!

Rons atlaida Malfoja drēbes.

— Viņu izprovocēja, profesor Strup, — paskaidroja Hagrids, pabāzdams savu milzīgo, noaugušo galvu no zaru starpas. — Malfojs apvainoj viņa ģimeni.

— Lai kā, kaušanās Cūkkārpā nav atļauta, Hagrid, — zīdainā

balsī nodūdoja Strups. — Vīzlij, Grifidors zaudē piecus punktus, un esiet pateicīgs, ka saņemat tik vieglu sodu. Ejiet, visi!

Malfojs, Krabe un Goils, smīkņādami un notraukdami skujas, rupji paspraucās garām eglei.

— Gan es tikšu viņam klāt, — griezdams zobus un noskatīdamies pakaļ Malfojam, novilka Rons, — vienreiz es tikšu viņam klāt.

— Es ienīstu viņus abus, — piebilda Harijs, — gan Malfoju, gan Strupu.

— Liecies mierā, pasmaid! Tuvojas Ziemassvētki, — viņu uzmundrināja Hagrids. — Zin, ko, nāk ar mani kopā uz Lielo zāli, izskat's smalk.

Tā nu Harijs, Rons un Hermione Hagridam un viņa nešļavai pa pēdām devās uz Lielo zāli, kur profesore Maksūra un profesors Zibiņš tobrīd greznoja egles.

— Tā, Hagrid, beidzamais koks — noliec to tālajā stūrī, esi tik laipns!

Zāle izskatījās iespaidīgi. Akmeņozola un āmuļu virtenes greznoja sienas, un telpā atradās veselas divpadsmit milzīgas egles. Dažās zaigoja mazītiņas lāstekas, vēl citas greznoja mirgojošu sveču simti.

— Cik dienu vēl atlics līdz mācību beigām? — jautāja Hagrids.

— Tikai viena, — atbildēja Hermione. — Starp citu, tas man ko atgādināja — Harij, Ron, mums līdz pusdienām vēl ir pusstunda laika, vajadzētu aiziet līdz bibliotēkai.

— Ak, jā, tev taisnība, — piekrita Rons, ar piepūli atraudams acis no profesora Zibiņa, no kura zižļa tobrīd vērpās zeltainu burbuļu virtene un klājās uz tikko atnestās egles zariem.

— Uz bibliotēku? — nobrīnījās Hagrids, kopā ar bērniem iznākdams no zāles. — Tieši pirms brīvdienām? Nepārcentiets!

— Mēs nemācīsimies, — mundri paskaidroja Harijs. — Kopš tu pieminēji Nikolasu Fleimelu, mēs cenšamies noskaidrot, kas viņš tāds ir.

— Ko jūs *mēģināt noskaidrot*? — Hagrids izskatījās sašutis.
— Paklausiets — es tak teic — lieciets mierā. Jums nav jāzin, ko tas suns sarg.

— Mēs vēlamies uzzināt tikai to, kas ir Nikolass Fleimels, — milzi mierināja Hermione.

— Vai varbūt tu mums aiztaupīsi pūliņus? — Harijs piebilda.

— Esam izskatījuši jau pāris simtu grāmatu, bet nevaram viņu nekur atrast... vismaz kādu norādi... es zinu, ka esmu viņa vārdu kaut kur lasījis.

— Es neko neteikš, — strupi noskaldīja Hagrids.

— Tad nāksies meklēt pašiem, — noteica Rons, un trijotne, pametusi sapīkušo Hagridu vienatnē, aizsteidzās uz bibliotēku.

Tiešām, kopš Hagrida izpļāpāšanās viņi meklēja grāmatās Fleimela vārdu, jo kā gan citādi viņi uzzinātu, ko Strups mēģina nozagt? Nelaime tā, ka viņi īsti nezināja, kur sākt, jo viņiem nebija ne jausmas, ko ievērojamu Fleimels varētu būt paveicis un par kādiem sasniegumiem pieminēts grāmatā. Viņa vārda nebija ne "Divdesmitā gadsimta izcilākajos burvjos", ne "Mūsdienu ievērojamākajos vārdos maģijā", ne "Nozīmīgākajos jaunlaiku maģiskajos atklājumos", ne "Pētījumā par burvības attīstību nesenā pagātnē". Un, protams, viņiem vajadzēja ņemt vērā bibliotēkas lielumu — grāmatu vien te bija desmitiem tūkstošu, tad vēl tūkstošiem plauktu, simtiem šauru eju starp tiem.

Hermione sameklēja lapiņu, uz kuras bija sarakstījusi jomas un nosaukumus, kurus viņa šodien grasījās pārlūkot, bet Rons tikmēr iegāja vienā no ejām un sāka uz labu laimi vilkt no plauktiem ārā vienu sējumu pēc otra. Harijs aizklīda līdz Slēgtajai nodaļai. Jau kādu laiciņu viņš prātoja, ka ziņas par Fleimelu varētu glabāties šeit. Diemžēl, lai ieskatītos Slēgtās nodaļas grāmatās, bija nepieciešama īpaša atļauja ar pasniedzēja parakstu, un Harijs zināja, ka to viņam nedabūt. Šajās grāmatās bija bīstama tumšā maģija, ko Cūkkārpā nevienam nemācīja, un šīs grāmatas galvenokārt lasīja vecāko klašu audzēkņi, dziļāk apgūstot aizsardzību pret tumšajām zintīm.

— Ko tu, puis, tur pēti?

— Neko, — atbildēja Harijs.

Bibliotekāre Pinsa madāma padraudēja viņam ar spalvu slauķi.

— Tad labāk ej projām. Ej, ej vien!

Norādams sevi par neapķērību un nespēju izdomāt kādu ticamu stāstu, Harijs izgāja no bibliotēkas. Viņi ar Ronu un Hermioni jau bija vienojušies, ka labāk Pinsa madāmai par Fleimelu nejautāt. Bērni bija pārliecināti, ka bibliotekāre zinātu, kur šo uzvārdu meklēt, tomēr sazvērnieki negribēja riskēt, ka par viņu interesi varētu uzost Strups.

Harijs gaidīja gaitenī pie bibliotēkas, lai uzzinātu, vai pārējiem izdevies ko atrast, bet ne uz ko īpašu viņš necerēja. Galu galā, viņi meklēja Fleimela vārdu jau divas nedēļas, bet, tā kā viņu rīcībā bija tikai īsi brīži starp stundām, nebija nekāds brīnums, ka pagaidām viņi neko nebija atraduši. Kā šobrīd noderētu, Harijs sprieda, iespēja mierīgi, nesteidzoties izskatīt bibliotēku, turklāt bez Pinsa madāmas, kas pastāvīgi skatās pār plecu.

Pēc minūtēm piecām, noraidoši papurinājuši galvu, iznāca arī Rons un Hermione. Visi kopā viņi devās pusdienās.

— Jums jāapsola, ka turpināsiet meklēt, kamēr es būšu projām, labi? — lūdza Hermione. — Un atsūtiet man pūci, ja ko atrodat.

— Bet tu pajautā saviem vecākiem, vai viņi nezina, kas ir Fleimels, — piekodināja Rons. — Tam vajadzētu būt droši.

— Ļoti droši, viņi abi ir zobārsti, — noteica Hermione.

* * *

Kad sākās brīvdienas, Ronam un Harijam gāja tik jautri, ka par Fleimelu galvu lauzīt diez ko negribējās. Guļamistabā viņi bija palikuši divi vien, un arī koptelpa bija daudz tukšāka nekā parasti. Tagad pat uz labākajiem krēsliem — pie pašas uguns — nekādas konkurences nebija, un tā nu viņi tur pavadīja stundu pēc stundas, ēzdami visu, ko varēja uzdurt uz iesmiem — maizi, bulciņas, cukurotus augļus — un prātodami, kā varētu panākt, lai Malfoju izslēdz no skolas. Tās bija patīkamas sarunas, pat ja šie plāni nekad neīstenotos.

Rons sāka mācīt Harijam burvju šahu. Tas bija tieši tāds pats kā vientiešu šahs, tikai šeit figūras bija dzīvas, līdz ar to spēle vairāk atgādināja kauju, kurā vadonis raida cīņā armijas. Rona kauliņi bija veci un daudz cietuši. Tāpat kā visa viņa mantība, arī šahs reiz bija piederējis kādam citam Vīzliju ģimenes loceklim, šajā gadījumā — vectēvam. Tomēr kauliņu vecums nebūt nebija trūkums. Rons savas šaha figūras pazina tik labi, ka viņam nekad nesagādāja grūtības panākt, lai tās dara, kas viņam nepieciešams.

Harijs savukārt spēlēja ar Šīmusa Finigana aizdotajiem kauliņiem, un tie viņam nemaz neuzticējās. Harijs arī nebija īpaši labs spēlētājs, tāpēc figūras nemitīgi deva viņam dažādus padomus, kas vēl vairāk jauca zēnam galvu. — Nesūti mani uz to lauciņu, vai tad tu neredzi viņa laidni?! Sūti *viņu*, mēs varam atļauties *viņu* zaudēt!

Ziemassvētku priekšvakarā Harijs devās pie miera īstu svētku priekšnojautā. Viņš zināja, ka būs gan lielisks mielasts, gan jautrība, tiesa, dāvanas gan viņš negaidīja. Bet, kad viņš nākamajā rītā pamodās, pirmais, ko viņš ieraudzīja, bija neliela dāvanu kaudzīte pie viņa gultas kājgaļa.

— Priecīgus Ziemassvētkus! — miegaini novēlēja Rons, kad Harijs izrausās no gultas un uzmeta plecos rītasvārkus.

— Tev arī, — atteica Harijs. — Skaties, arī man ir dāvanas!

— Ko tad tu gaidīji, kāļus, vai? — sacīja Rons, paskatīdamies uz savu dāvanu kaudzi — tā bija krietni lielāka.

Harijs paņēma augšējo sainīti. Tas bija ietīts biezā, brūnā papīrā, un uz tā bija uzšķāpts "Harijam no Hagrida". Sainītī bija rupja griezuma koka flauta — acīmredzot Hagrids to bija taisījis pats. Harijs iepūta stabulē — tās skaņa mazliet atgādināja pūces balsi.

Otrā, pavisam niecīgā sainītī, bija zīmīte.

Mēs saņēmām Tavu ziņu un nosūtām Tev Ziemassvētku dāvanu. No tēvoča Vernona un Petūnijas tantes. Pie zīmītes ar līmlenti bija pielipināta piecdesmit pensu monēta.

— Draudzīgs žests, — teica Harijs.

Rons aizrautīgi aplūkoja piecdesmit centu monētu.

— *Savādi!* — viņš sacīja. — Kāda forma! Vai tā ir *nauda*?

— Vari to paturēt sev, — novēlēja Harijs, smiedamies par to, cik apmierināts Rons izskatījās. — Hagrids un mans tēvocis ar tanti — bet kas sūtījis pārējās?

— Šķiet, es zinu, no kā ir šī te, — piesarkdams sacīja Rons un norādīja uz palielu, nelīdzenu paku. — No mūsu mammas. Es viņai ieminējos, ka tu negaidi dāvanas un — ak, tikai ne to, — viņš ievaidējās, — viņa tev ir uzadījusi Vīzliju džemperi!

Harijs atplēsa paciņu, kurā atradās biezs, rokām adīts svīteris smaragdzaļā krāsā, kā arī liela kārba ar mājās gatavotām īrisa konfektēm.

— Katru gadu viņa uzada mums pa džemperim, — skaidroja Rons, izsaiņojot savējo, — un manējais *vienmēr* ir kastaņbrūns.

— Tas ir jauki no viņas puses, — sacīja Harijs, nogaršodams vienu īrisu. Konfekte izrādījās ļoti garšīga.

Arī nākamajā dāvanā bija saldumi — liela šokolādes varžu kārba no Hermiones.

Atlika vēl tikai viens sainis. Harijs paņēma to rokā un pasvārstīja. Sainītis likās ļoti viegls. Harijs atvēra to.

No paciņas uz grīdas izslīdēja kaut kas gaisīgs un sudrabaini pelēks. Smalkā drāna gulēja uz grīdas zaigojošās ielocēs. Ronam aizrāvās elpa.

— Es esmu par šīm mantiņām tikai dzirdējis, — bijīgā balsī ierunājās Rons, kuram no pārsteiguma no rokām izvēlās Hermiones dāvinātā "Visgaršu zirnīšu" kārba. — Ja tas ir tas, ko es domāju, tad šī ir ļoti reta un *ļoti* vērtīga lieta.

— Kas tas ir?

Harijs pacēla mirgojošo, sudrabaino audumu no grīdas. Pieskaroties tam, pārņēma dīvaina sajūta — likās, it kā drēbē būtu ieausts ūdens.

— Tas ir Paslēpnis, — ar apbrīnas izteiksmi sejā sacīja Rons. — Esmu par to pārliecināts — uzvelc.

Harijs uzmeta apmetni plecos, un Rons iekliedzās.

— Tiešām! Paskaties uz leju!

Harijs paskatījās uz savām kājām, bet to uz grīdas vairs nebija. Viņš metās pie spoguļa. Atspulgam, ko zēns ieraudzīja, bija tikai gaisā peldoša galva, bet viss ķermenis bija pagaisis. Harijs uzmeta apmetni uz galvas — un atspulgs pazuda.

— Te ir zīmīte! — pēkšņi iesaucās Rons. — No tā izkrita zīmīte!

Harijs novilka apmetni un paķēra vēstuli. Nedaudzie teikumi bija rakstīti šaurā, vijīgā rokrakstā, ko Harijs nekad iepriekš nebija redzējis.

> *Pirms nāves Tavs tēvs atstāja šo glabājamies pie manis.*
> *Nu ir pienācis laiks atdot to Tev.*
> *Lieto prātīgi.*
> *Priecīgus Ziemassvētkus!*

Paraksta nebija. Harijs nespēja atraut skatu no zīmītes, bet Rons tikmēr apbrīnoja Paslēpni.

— Par šādu mantiņu es atdotu *jebko*, — draugs sacīja. — *Jebko.* Kas notika?

— Nekas, — atbildēja Harijs. Viņš jutās ļoti savādi. Kas bija sūtījis apmetni? Vai tas tiešām reiz piederējis viņa tēvam?

Pirms viņš paguva ko pateikt vai vismaz nodomāt, guļamistabas durvis atsprāga vaļā, un iedrāzās Freds un Džordžs Vīzliji. Harijs žigli nolika apmetni. Viņš šobrīd nevēlējās par to stāstīt vēl kādam citam.

— Priecīgus Ziemassvētkus!

— Skaties, arī Harijam ticis Vīzliju džemperis!

Fredam un Džordžam mugurā bija zili svīteri, vienam uz krūtīm bija izadīts liels, dzeltens "F", bet otram — liels, dzeltens "D".

— Harija džemperis ir labāks par mūsējiem, — nosprieda Freds, aplūkodams adījumu. — Ja tu neesi ģimenes loceklis, viņa laikam cenšas rūpīgāk.

— Kāpēc tu, Ron, neesi uzvilcis savējo? — Džordžs vaicāja brālim. — Nu, velc taču mugurā — tas ir jauks un silts.

— Man riebjas kastaņbrūna krāsa, — Rons novaidējās, vilkdams svīteri pāri galvai.

— Uz tava džempera nav burta, — ievēroja Džordžs. — Šķiet, viņa domā, ka tu nemēdz aizmirst savu vārdu. Bet mēs taču arī neesam stulbi — mēs zinām, ka mūs sauc par Džedu un Frordžu.

— Kas te par bļaušanu?

Galvu pa durvīm pabāza Persijs Vīzlijs — viņš izskatījās neapmierināts. Arī viņš acīmredzot bija iztraucēts dāvanu izsaiņošanas procesā, jo pāri rokai bija pārmests rupja adījuma džemperis, kuru Freds tūlīt pamanījās paķert.

— "P" nozīmē prefekts! Uzvelc to, Persij, mums visiem tādi ir, pat Harijam!

— Es... negribu... — Persija balss skanēja neskaidri, jo tajā brīdī dvīņi vilka viņam svīteri pār galvu, sašķiebdami brāļa brilles.

— Un šodien tu nesēdēsi kopā ar prefektiem, — piekodināja Džordžs. — Ziemassvētkos jāatrod kāds laiks ģimenei.

Tad viņi kā sargi izveda Persiju no istabas — vecākā brāļa rokas vēl arvien saistīja džemperis.

* * *

Harijs nekad savā mūžā nebija baudījis tādu Ziemassvētku mielastu. Vesels simts treknu tītara cepešu, ceptu un vārītu kartupeļu kalni, paplātes ar sulīgām medniekdesiņām, sviestā apceptu zirņu bļodas, sudraba trauki ar biezu, gardu mērci un dzērveņu ievārījumu — turklāt uz galdiem vēl ik pēc soļa slējās burvju petardu kaudzes. Līdzās šīm fantastiskajām petardēm nobālēja jebkurš vientiešu izstrādājums. Dērsliju pirktajās parasti bija sīka plastmasas rotaļlietiņa un plāna papīra cepure. Kad Harijs kopā ar Fredu vienu burvju petardi uzspridzināja, tas nebija vis šāds tāds blīkšķītis, tas bija lielgabala cienīgs grāviens. Visu apkārtni ietina biezi, zili dūmi, bet no petardes izsprāga viceadmirāļa cepure un vairākas dzīvas baltās pelītes. Pie Augstā galda Dumidors bija nomainījis savu smailo burvja cepuri pret puķainu aubi un laimīgi smējās par joku, ko profesors Zibiņš viņam tikko bija nolasījis.

Pēc tītariem pienāca kārta liesmojošiem Ziemassvētku pudiņiem. Persijs gandrīz nolauza zobu uz sudraba sirpa, kas trāpījās viņa šķēlē. Harijs vēroja, kā Hagrida seja līdz ar katru izdzerto vīna kausu kļūst arvien sarkanāka un sarkanāka, līdz beidzot viņš nobučoja profesori Maksūru uz vaiga, un viņa, Harijam par milzīgu pārsteigumu, iesmējās un nosarka.

Kad Harijs beidzot cēlās no galda, kabatas viņam bija pilnas ar dažnedažādām dāvaniņām, ko viņš atrada petardēs. Te bija gan nepārplēšami, mirdzoši baloni, gan ziede kārpu uzaudzēšanai — un pat jauns burvju šaha figūru komplekts. Baltās peles gan bija pagaisušas, un Hariju māca nelāgas aizdomas, vai tik tās Ziemassvētku vakariņās nav notiesājusi Norisa kundze.

Harijs un Vīzliji pēcpusdienu pavadīja, no sirds izpikodamies. Tad nosaluši, izmirkuši un aizelsušies viņi atgriezās Grifidora koptelpā pie uguns, kur Harijs iemēģināja jaunās figūras, neglābjami zaudēdams Ronam. Harijam gan likās, ka viņš nebūtu paspēlējis tik bezcerīgi, ja ne Persija dedzīgie padomi.

Pēc launaga, kurā viņi mielojās ar tītara sviestmaizēm, apaļmaizītēm, trifelēm un Ziemassvētku kūku, visi bija tā pieēdušies un jutās tik miegaini, ka pirms gulētiešanas tik vien spēja, kā sēdēt un vērot Persiju dzenājam Fredu un Džordžu pa visu Grifidora torni — dvīņi bija viņam nozaguši prefekta nozīmi.

Tuvojās vakaram laimīgākā Ziemassvētku diena Harija dzīvē. Tomēr visu dienu kaut kas nelika viņam miera. Tikai tad, kad zēns tika gultā, viņam bija iespēja vēlreiz pārdomāt visu par Paslēpni un cilvēku, kas viņam to sūtījis.

Rons, pieēdies tītaru un kūku, bet bez noslēpumainām domām galvā, aizmiga vai tajā pašā brīdī, kad aizvilka gultas aizkarus. Harijs pieliecās un izvilka no gultapakšas Paslēpni.

Tēva apmetnis... Viņš ļāva audumam slīdēt pār rokām, izbaudīdams par zīdu maigāko maigumu un gaisam līdzīgo vieglumu. *Lieto prātīgi.*

Viņam tas bija vēlreiz jāpiemēra. Tagad. Viņš izslīdēja no gultas un uzmeta Paslēpni sev plecos. Pavēries lejup uz kājām, viņš saskatīja tikai mēnessgaismu un ēnas. Dīvaina sajūta.

Lieto prātīgi.

Pēkšņi no miega vairs nebija ne miņas. Šajā apmetnī viņam bija pieejama visa Cūkkārpa! Harijs stāvēja tumsā un klusumā, un viņa dzīslām izskrēja cauri karsts satraukuma vilnis. Ietinies apmetnī, viņš varēja doties, kurp vien vēlējās, un Filčs par to nekad neuzzinās.

Rons kaut ko norūca miegā. Modināt draugu? Kaut kas atturēja Hariju. Tēva apmetnis — viņš juta, ka šajā reizē, šajā pirmajā reizē, vēlas izmantot to vienatnē.

Viņš izlavījās no guļamistabas, nogāja lejup pa kāpnēm, šķērsoja koptelpu un izlīda ārā pa portreta caurumu.

— Kas tur ir? — jautāja Resnā kundze. Harijs neko neatbildēja. Viņš žigli devās projām pa gaiteni.

Kurp iet? Sirdij strauji sitoties, viņš apstājās un brīdi domāja. Un tad viņam ienāca prātā — bibliotēkas Slēgtā nodaļa. Viņš varēs sēdēt tur un lasīt tik ilgi, cik vēlēsies, tik ilgi, cik būs nepieciešams, lai noskaidrotu, kas ir Nikolass Fleimels. Savilcis Paslēpni ciešāk ap sevi, Harijs sāka iet uz bibliotēkas pusi.

Bibliotēkā valdīja piķa melna tumsa un baisa gaisotne. Harijs aizdedza lampu, lai spētu saskatīt ceļu starp plauktu rindām. Izskatījās, it kā lampa peldētu gaisā, un, lai gan Harijs juta, kā paša roka to tur, šis skats lika tirpām pārskriet pār muguru.

Slēgtā nodaļa atradās pašā bibliotēkas dziļumā. Uzmanīgi pārkāpis pāri virvei, kas nodalīja aizliegtās grāmatas no pārējām, Harijs pacēla lampu augstāk, lai redzētu grāmatu nosaukumus.

Nosaukumi zēnam neko daudz neizteica. To nobružātie, pabalējušie zelta burti lielākoties bija valodās, kuras Harijs nesaprata. Dažām grāmatām nosaukumu vispār nebija. Uz viena no sējumiem bija tumšs traips, kas baismīgā kārtā atgādināja asinis. Harijs juta, kā viņam mati saceļas stāvus. Varbūt tā bija tikai iedoma, bet viņam likās, ka no grāmatām nāk tikko saklausāmi čuksti, it kā tās zinātu, ka līdzās atrodas kāds, kuram te nevajadzētu būt.

Kaut kur bija jāsāk. Uzmanīgi nolicis lampu uz grīdas, viņš sāka pētīt apakšējo plauktu, cerēdams ieraudzīt kādu interesanta izskata grāmatu. Zēna skatienu piesaistīja liels melni sudrabots sējums. Ar grūtībām izvilcis to no plaukta, jo grāmata izrādījās ļoti smaga, Harijs nolika to uz ceļa un ļāva tai atkrist vaļā.

Klusumu pārcirta caurubjošs, asinis stindzinošs spiedziens — kliedza grāmata! Harijs aizcirta sējumu, tomēr kliedziens neapklusa, tas arvien turpinājās — spalga, nepārtraukta, bungādiņas plosoša nots. Viņš paklupa un apgāza lampu — tā tajā pašā mirklī izdzisa. Viņu pārņēma panika — ārpusē pa gaiteni zēns dzirdēja tuvojamies soļus. Iegrūdis spiedzošo grāmatu atpakaļ plauktā, Harijs metās bēgt. Gandrīz pašās durvīs viņš paskrēja garām Filčam. Filča bālās, satrauktās acis skatījās tieši uz viņu, bet neko neredzēja. Harijs pieliecās zem vienas no sarga izplestajām rokām un aizsteidzās projām pa gaiteni, bet ausīs viņam vēl arvien skanēja grāmatas spiedziens.

Pie milzu auguma bruņutērpa viņš apstājās kā zemē iemiets. Tā kā pirmkārt zēns bija vēlējies tikt pēc iespējas tālāk projām no bibliotēkas, viņš nebija pievērsis uzmanību, kurp dodas. Vainīga, iespējams, bija tumsa, taču Harijs nespēja aptvert, kur tagad atrodas. Arī pie virtuves stāvēja līdzīgs bruņutērps, tomēr viņam vajadzēja būt stāvus piecus augstāk.

— Profesor, jūs lūdzāt, lai ziņoju tieši jums, ja kāds naktī klīst pa pili. Kāds tikko bija bibliotēkas Slēgtajā nodaļā.

Harija sirds pamira. Lai kur zēns būtu nonācis, Filčs zināja taisnāku ceļu, jo tā bija viņa klusā, lipīgā balss, kas arvien tuvojās. Kad viņam atbildēja Strups, Harijs no bailēm gandrīz zaudēja samaņu.

— Slēgtajā nodaļā? Viņi nevarētu būt tikuši tālu, mēs viņus noķersim.

Harijs stāvēja kā piekalts pie zemes, kad mazliet tālāk no stūra parādījās Filčs un Strups. Protams, viņi zēnu neredzēja, taču gaitenis bija visai šaurs un ejot garām, viņi noteikti uzskrietu Harijam virsū — Paslēpnis padarīja cilvēkus neredzamus, bet ne nejūtamus.

Viņš sāka klusi, klusi kāpties atpakaļ. Pa kreisi atradās kādas puspavērtas durvis. Tā bija Harija vienīgā cerība. Viņš, aizturējis elpu un cenzdamies neizkustināt pašas durvis, iespraucās telpā. Zēns atviegloti uzelpoja, jo viņam izdevās iekļūt istabā, nācējiem nemanot. Filčs un Strups aizgāja cieši garām, un Harijs, smagi elpodams, piespiedās sienai un klausījās, kā abu soļi noklust tālumā. Viņš bija par mata tiesu paglābies no pamatīgām nepatikšanām. Tikai pēc krietna brītiņa viņš palūkojās apkārt, lai redzētu, kur nokļuvis.

Telpa izskatījās pēc klases, kuru vairs neizmanto. Pie sienām bija sakrautas galdu un krēslu kaudzes, uz grīdas mētājās apgāzts papīrgrozs — bet pie pretējās sienas atradās priekšmets, kas noteikti neiederējās šajā telpā, priekšmets, kuru, kā likās, kāds uz laiku ienesis šeit, lai citur tas nemaisītos pa kājām.

Pasakaini skaists spogulis. Tas sniedzās līdz pašiem griestiem, greznā lējuma zelta rāmis balstījās uz divām ķetnām. Spoguļa augšmalā bija iegravēts uzraksts: *Sagli savat nag teba jesa vaten.*

Tagad, kad Filču un Strupu vairs nedzirdēja, Harija bailes pamazām norima. Viņš piegāja tuvāk spogulim, vēlēdamies paskatīties pats uz sevi — un atkal neredzēt savu atspulgu. Viņš nostājās spoguļa priekšā.

Viņam nācās aizšaut mutei priekšā plaukstu, lai apslāpētu kliedzienu. Viņš apmetās riņķī. Zēna sirds sitās izmisīgāk nekā tad, kad iespiedzās grāmata — jo spogulī viņš bija ieraudzījis ne tikai sevi, bet sev aiz muguras — nelielu cilvēku pūlīti.

Tomēr istaba bija tukša. Ātri elpodams, Harijs vēlreiz lēni pagriezās pret spoguli.

Te nu viņš bija, bāls un nobijies, jā, un atspulgā aiz viņa bija redzami vēl vismaz desmit cilvēki. Harijs atskatījās pāri plecam — nē, tur vēl arvien neviena nebija. Vai varbūt arī viņi bija neredzami? Varbūt viņš atradās telpā, kas bija pilna ar neredzamiem cilvēkiem, un šī spoguļa maģiskās īpašības ļāva atspoguļot arī neredzamo?

Zēns vēlreiz ielūkojās spogulī. Sieviete, kas stāvēja tieši aiz muguras viņa atspulgam, smaidīja un māja ar roku. Viņš pastiepa roku atpakaļ — aiz viņa nekā nebija. Ja sieviete tur tiešām atrastos, Harijs varētu viņai pieskarties, viņu atspulgi atradās tik cieši blakus, taču aiz viņa bija tikai gaiss — tātad sieviete un visi pārējie pastāvēja tikai spogulī.

Sieviete bija ļoti skaista. Viņai bija tumši rudi mati, un viņas acis — viņai ir tieši tādas pašas acis kā man, nodomāja Harijs, pieliekdamies mazliet tuvāk spogulim. Spoži zaļā krāsā — un arī forma tāda pati. Tad zēns pamanīja, ka sieviete smaida un vienlaikus arī raud. Garais, tievais, tumšmatainais vīrietis, kurš stāvēja līdzās, aplika viņai ap vidukli roku. Viņš nēsāja brilles, un viņa mati likās nepieglausti. Tāpat kā Harijam, aizmugurē tie slējās gaisā.

Harijs atradās tik tuvu spogulim, ka viņa un atspulga degungali gandrīz saskārās.

— Mammu? — viņš nočukstēja. — Tēt?

Viņi tikai skatījās uz zēnu un smaidīja. Harijs pamazām izpētīja arī pārējo spogulī redzamo cilvēku sejas — lūk, tur bija vēl viens viņa zaļo acu pāris, tur, lūk, viens viņa deguns, tur otrs, jā, un kādam mazam, vecam vīriņam, likās, pat bija Harija mezglainie ceļgali. Pirmo reizi dzīvē Harijs redzēja savu ģimeni.

Poteri smaidīja un māja Harijam, un zēns alkaini skatījās uz saviem tuviniekiem. Viņš stāvēja, piespiedis rokas stiklam, it kā cerētu spert vēl pēdējo soli cauri atspulgam un aizsniegt savējos. Visu viņa būtni pāršalca neaprakstāma, varena sajūta, kurā prieks jaucās ar drausmīgām skumjām.

Viņš nezināja, cik ilgi bija nostāvējis pie spoguļa. Atspulgi nepagaisa, un zēns skatījās, skatījās, līdz tālīns troksnis lika attapties. Viņš nedrīkstēja palikt šeit, viņam vajadzēja tikt atpakaļ gultā. Atrāvis acis no mātes sejas, viņš čukstus apsolīja: — Es vēl atgriezīšos. — Tad Harijs izgāja no istabas.

* * *

— Varēji mani pamodināt, — pārmeta Rons.

— Nāc līdzi šonakt, es vēlreiz iešu uz turieni. Es labprāt parādīšu tev spoguli.

— Un es labprāt paskatītos uz tavu mammu un tēti, — dedzīgi piekrita Rons.

— Un es gribētu redzēt visu tavu ģimeni, visus Vīzlijus, tu varētu parādīt man savus pārējos brāļus un citus radus.

— Tos nu gan nav nekādu grūtību satikt, — sacīja Rons. — Atbrauc vasarā pie manis. No otras puses, varbūt tas rāda tikai mirušos. Tomēr žēl, ka tev neizdevās uzzināt neko jaunu par Fleimelu. Ko tev piedāvāt — speķīti vai ko citu. Kāpēc tu neko neēd?

Harijs nespēja domāt par brokastīm. Zēns bija redzējis savus vecākus, un šonakt viņš tos redzēs atkal. Par Fleimelu viņš bija gandrīz aizmirsis. Kāda kuram daļa, ko sargāja trīsgalvu suns? Un kas mainītos, ja Strups to nozagtu?

— Vai ar tevi viss kārtībā? — vaicāja Rons. — Tu izskaties savādi.

* * *

Visvairāk Harijs baidījās, ka nespēs otrreiz atrast istabu ar spoguli. Šoreiz, kad zem Paslēpņa atradās arī Rons, viņiem nācās iet krietni lēnāk. Viņi mēģināja atrast ceļu, pa kuru Harijs bija nācis no bibliotēkas, bet veselu stundu zēni pavadīja, bezmērķīgi klīstot pa tumšajiem gaiteņiem.

— Man salst, — žēlojās Rons. — Izmetam to spoguli no galvas un ejam atpakaļ!

— *Nē!* — nošņācās Harijs. — Es zinu, ka tam tepat kaut kur jābūt.

Viņi pagāja garām slaidas raganas rēgam, kurš slīdēja pretējā virzienā, bet nevienu citu zēni nesastapa. Tajā brīdī, kad Rons sāka vaidēt par savām pārsalušajām kājām, Harijs beidzot pamanīja vajadzīgo bruņutērpu.

— Te tas ir, es redzu!

Viņi atrāva durvis. Harijs nolaida apmetni uz pleciem un skriešus piesteidzās pie spoguļa.

Te nu viņa mīļie bija. Ieraudzījuši zēnu, māte un tēvs atplauka smaidā.

— Vai redzi? — Harijs čukstēja.

— Es neko neredzu.

— Skaties! Te viņi visi ir... cik viņu daudz...

— Es redzu tikai tevi.

— Ieskaties ciešāk, nāc, nostājies manā vietā.

Harijs pakāpās sāņus, bet, līdzko spoguļa priekšā nostājās Rons, Harija ģimeni vairs nevarēja saskatīt. Atspulgā bija viens pats Rons savā rakstainajā pidžamā.

Tiesa, tagad sastindzis spogulī skatījās Rons.

— Paskaties uz mani! — viņš nomurmināja.

— Vai tu redzi ap sevi visu savu ģimeni?

— Nē... Es esmu viens pats. Tikai citāds — izskatos vecāks. Un es esmu Zēnu vecākais.

— *Kas?*

— Man ir... man ir tāda pati nozīme, kāda kādreiz bija Bilam... Es turu rokās gan Skolas kausu, gan kalambola kausu — es esmu kalambola komandas kapteinis!

Rons atrāva acis no žilbinošā skata, kas pavērās spogulī, un satraukts paskatījās uz Hariju.

— Vai tu domā, ka spogulis rāda nākotni?

— Tas nav iespējams. Visi manējie ir miruši — ļauj, es paskatīšos vēlreiz...

— Tu te pavadīji visu pagājušo nakti, atvēli man vēl kādu mirklīti.

— Tu tikai turi kalambola kausu, kas tur interesants? Es gribu redzēt savus vecākus.

— Negrūd mani...

Pēkšņs troksnis gaitenī pārtrauca zēnu strīdu. Tikai tagad viņi aptvēra, ka runā paceltās balsīs.

— Ātrāk!

Rons paguva uzsviest abiem pāri Paslēpni, bet jau nākamajā mirklī durvīs parādījās Norisa kundzes zalgojošās acis. Rons un

Harijs stāvēja sastinguši, un abiem prātā bija viena doma — vai apmetnis iedarbojas uz kaķiem? Pēc brīža, kas vilkās veselu mūžību, kaķene pagriezās un aizgāja.

— Šeit vairs nav droši — varbūt viņa aizgāja pēc Filča, varu derēt, ka viņa dzirdēja mūsu balsis. Ejam.

Ar šiem vārdiem Rons izvilka Hariju no istabas.

* * *

Arī nākamajā rītā sniegs vēl nebija izkusis.

— Harij, gribi uzspēlēt šahu? — ierosināja Rons.

— Negribu.

— Varbūt aiziesim pie Hagrida?

— Nē... ej viens.

— Es zinu, Harij, tu domā par spoguli. Neej šonakt uz turieni.

— Kāpēc ne?

— Nezinu. Man ir nelāga sajūta — un, galu galā, tu jau vairākas reizes esi bijis par mata tiesu no nelaimes. Pa skolu klīst Filčs, Strups un Norisa kundze. Un kas par to, ka viņi tevi neredz? Ja nu viņi uzskrien tev virsū? Ja nu tu kaut ko apgāz?

— Tu runā kā Hermione.

— Neej, Harij, es tevi nopietni lūdzu.

Taču Harijam galvā bija tikai viena doma — atkal nokļūt spoguļa priekšā, un Rons viņu neaizkavēs.

* * *

Trešajā naktī viņš ceļu atrada daudz ātrāk nekā iepriekš. Zēns apzinājās, ka, iedams tik žigli, viņš saceļ lielāku troksni, tomēr ceļā neviens negadījās.

Te nu atkal viņi bija — māte un tēvs vēlreiz uzsmaidīja Harijam, un viens no vectēviem priecīgi pamāja ar galvu. Harijs apsēdās uz grīdas spoguļa priekšā. Nekas viņu neatturēs, viņš pavadīs visu nakti kopā ar savu ģimeni. Nekas.

Ja vien...

— Atnāci atkal, Harij?

Harijs juta, ka viņa sirds, plaušas, aknas, nieres, kuņģis, žults saraujas vienā bezveidīgā ledus kamolā. Viņš atskatījās. Pie viena no soliem netālu no loga sēdēja neviens cits kā Baltuss Dumidors. Acīmredzot Harijs, steidzoties pie spoguļa, bija pagājis profesoram garām, nepamanot sirmgalvi.

— Es... es jūs neredzēju, profesor.

— Dīvaini, cik tuvredzīgu cilvēku padara apziņa, ka viņš ir neredzams, — sacīja Dumidors un, Harijam par milzīgu atvieglojumu, pasmaidīja.

— Jāsaka gan, — turpināja Dumidors, izslīdēdams no sola un apsēzdamies līdzās Harijam uz grīdas, — tu izskaties tieši tāpat kā simti citu, kas atklāja Sagli spoguļa valdzinājumu vēl pirms tevis.

— Es nezināju, ka to tā sauc.

— Bet ceru, ka nu būsi izpratis, ko tas rāda?

— Nu... man tas rāda manu ģimeni...

— Un tavam draugam Ronam tas rādīja viņu pašu, tikai kā zēnu vecāko.

— Kā jūs to zināt?

— Man nav nepieciešams apmetnis, lai kļūtu neredzams, — klusi paskaidroja Dumidors. — Tagad padomā, ko gan mums visiem rāda Sagli spogulis?

Harijs papurināja galvu.

— Ļauj, es tev izskaidrošu. Laimīgākais cilvēks zemes virsū varētu izmantot Sagli spoguli kā parastu spoguli, proti, viņš ieskatītos tajā un redzētu sevi tādu, kāds viņš tajā brīdī ir. Vai tas tev palīdzēja?

Harijs domāja. Tad viņš lēni ierunājās: — Tas rāda mums to, ko mēs vēlamies... lai ko arī mēs vēlētos...

— Jā un nē, — klusiņām sacīja Dumidors. — Tas rāda mums ne vairāk un ne mazāk kā mūsu sirds visdziļāko, visvairāk alkto vēlēšanos. Tu nekad neesi redzējis savu ģimeni, tāpēc spogulī tu redzi viņus stāvam līdzās. Ronalds Vīzlijs, kurš vienmēr audzis savu brāļu ēnā, redz sevi vienatnē — turklāt pārspējis viņus visus. Diemžēl — šis spogulis nedod mums nedz zināšanas, nedz patiesību. Vīri ir izniekojuši savas dzīves, spogulī skatītā apburti, vai zaudējuši prātu, nespēdami saprast, vai spoguļa rādījums ir īstenība vai kaut tikai iespējamība.

— Rīt, Harij, — turpināja Dumidors, — spoguli pārvietos uz tā jaunajām mājām. Gribu lūgt — nemeklē vairs to. Ja kādreiz tev *iznāks* ar to sastapties, tu būsi gatavs. Neklājas gozēties sapnī un aizmirst par dzīvi, to gan atceries. Un tagad — ietinies atkal savā apskaužamajā apmetnī un dodies pie miera!

Harijs piecēlās.

— Profesor? Vai drīkstu jums ko vaicāt?

— Tu nupat to jau izdarīji, — Dumidors pasmaidīja. — Bet tu drīksti uzdot vēl vienu jautājumu.

— Ko redzat jūs, kad skatāties spogulī?

— Es? Es redzu sevi ar biezu vilnas zeķu pāri rokā.

Harijs apjuka.

— Zeķu nekad nevar būt par daudz, — noteica Dumidors. — Ir pagājuši vēl vieni Ziemassvētki, bet man neuzdāvināja nevienu pašu pārīti. Visiem šķiet, ka man jādāvina grāmatas.

Tikai atgriezies guļamistabā, Harijs pēkšņi saprata, ka, iespējams, Dumidors nav bijis gluži patiess. Tomēr, nodzīdams Kašķi no sava spilvena, Harijs nosprieda, ka uzdotais jautājums bijis pārāk personisks.

TRĪSPADSMITĀ NODAĻA

NIKOLASS FLEIMELS

Dumidora vārdi bija pārliecinājuši Hariju, un Sagli spoguli zēns vairs nemeklēja. Līdz pat Ziemassvētku brīvdienu beigām Paslēpnis nogulēja Harija kofera dibenā neaiztikts. Harijs vēlējās, kaut spogulī redzēto izdotos aizmirst tikpat viegli, tomēr viņš to nespēja. Naktīs viņu sāka mocīt murgi. Atkal un atkal viņš sapņoja, kā vecāki izgaist zaļas gaismas uzliesmojumā, bet kaut kur līdzās skan spalgi, ķērcoši smiekli.

— Redzi, Dumidoram bijusi taisnība — spoguļa dēļ tiešām var zaudēt prātu, — atzina Rons, kad Harijs pastāstīja draugam par saviem sapņiem.

Hermione atgriezās skolā dienu pirms mācību atsākšanās, tomēr viņai par notikušo bija atšķirīgs viedoklis. Viņa svaidījās starp šausmām par to, ka Harijs trīs naktis pēc kārtas nav bijis gultā, bet klīdis pa skolu ("Ja Filčs tevi būtu noķēris!"), un nožēlu, ka Harijam tomēr nav izdevies uzzināt vismaz to, kas ir Nikolass Fleimels.

Viņi jau gandrīz bija zaudējuši cerības atrast Fleimelu kādā bibliotēkas grāmatā, kaut arī Harijs bija pārliecināts, ka šo vārdu kaut kur ir lasījis. Kad atsākās mācības, viņi atkal ķērās pie desmitminūšu iebrukumiem bibliotēkā nodarbību starpbrīžos. Harijam laika bija vēl mazāk nekā abiem pārējiem, jo ar jaunu sparu sākās arī kalambola treniņi.

Žagars nodzenāja komandu vēl trakāk nekā iepriekš. Pat nebeidzamie lieti, kas nomainīja sniegu, nespēja samērcēt viņa kaujiniecisko garu. Vīzliji žēlojās, ka Žagars kļūstot par fanātiķi, tomēr Harijs bija Žagara pusē. Ja viņi uzvarētu nākamajā spēlē pret Elšpūti, viņi pirmo reizi septiņos gados apsteigtu Slīdeni Skolas čempionātā. Turklāt Hariju neinteresēja uzvara vien — zēns atklāja, ka pēc grūtiem treniņiem viņš retāk murgo.

Tad kāda īpaši slapja un dubļaina treniņa vidū Žagars pavēstīja komandai vēl kādu ziņu. Brīdī, kad viņu bija nokaitinājuši Vīzliji, kuri pikēja viens uz otru un izlikās krītam nost no savām slotām, kapteinis uzkliedza:

— Beidziet taču ākstīties! Mēs tāpēc varam zaudēt spēli! Šoreiz tiesās Strups, un viņš noteikti meklēs, kur piesieties, lai atņemtu Grifidoram punktus!

Pēc šiem vārdiem Džordžs Vīzlijs patiešām novēlās no slotas.

— *Strups* tiesās? — viņš pārjautāja, vispirms izspļāvis no mutes dubļus. — Kad gan viņš ir tiesājis kalambolu? Viņš nebūs godīgs, jo mums ir radusies iespēja panākt Slīdeni!

Arī pārējie spēlētāji nolaidās līdzās Džordžam, lai izteiktu savu neapmierinātību.

— Tā nav *mana* vaina, — taisnojās Žagars. — Tomēr mums ir jāspēlē ļoti tīri, lai Strupam nebūtu iemesla piesieties.

Tiktāl viss būtu skaidrs, tikai Harijam bija vēl kāds iemesls, kāpēc viņš nevēlējās, lai spēles laikā Strups nebūtu viņa tuvumā...

Treniņa beigās, kā parasti, komanda palika pļāpājot par šo un to, bet Harijs tūlīt steidzās uz Grifidora koptelpu. Rons un Hermione spēlēja šahu. Šahā, kā par brīnumu, Hermione mēdza arī zaudēt, un gan Harijs, gan Rons uzskatīja, ka tas viņai nāk tikai par labu.

— Lūdzu, paklusē brīdi, — sacīja Rons, kad Harijs apsēdās viņam līdzās. — Man jāapdo...

Tad draugs pamanīja Harija sejas izteiksmi. — Kas noticis? Tu izskaties šausmīgi.

Runādams pēc iespējas klusu, tā, lai neviens cits nedzirdētu, Harijs izstāstīja abiem draugiem par Strupa pēkšņo, nelabu vēstošo vēlmi tiesāt kalambola spēli.

— Nepiedalies, — Hermione tūlīt izšāva.

— Saki, ka esi saslimis, — teica Rons.

— Izliecies, ka esi salauzis kāju, — ieteica Hermione.

— *Salauz* kāju, — precizēja Rons.

— Es nevaru, — Harijs papurināja galvu. — Mums nav rezerves meklētāja. Ja es nobīšos, Grifidors nevar iziet laukumā.

Tajā brīdī koptelpā ievēlās Nevils. Kā viņam bija izdevies ierāpties pa portreta caurumu, neviens nesaprata, jo viņa kājas bija kā sasietas — grifidori uzreiz noprata, ka viņiem ir darīšana ar Kājsējas lāstu. Nevilam, nabagam, acīmredzot līdz Grifidora tornim bija nācies lēkt lēkšus.

Visi sāka smieties, tikai Hermione uzreiz ķērās pie darba un veica pretlāstu. Nevila kājas atdalījās viena no otras, un viņš, trīcēdams pie visām miesām, piecēlās stāvus.

— Kas notika? — vaicāja Hermione, vedinādama viņu apsēsties līdzās Harijam un Ronam.

— Malfojs, — drebot paskaidroja Nevils. — Es satiku viņu pie bibliotēkas. Viņš smējās, ka esot meklējis kādu, uz kura šo lāstu izmēģināt.

— Aizej pie profesores Maksūras! — Hermione mudināja Nevilu. — Izstāsti viņai visu!

Nevils papurināja galvu.

— Es negribu iedzīvoties vēl lielākās nepatikšanās, — viņš nomurmināja.

— Tu, Nevil, nedrīksti ļaut, lai viņš kāpj tev uz galvas! — uzstāja Rons. — Viņš pierod iet pāri visam, arī dzīviem cilvēkiem, taču tas nenozīmē, ka tev jāguļas Malfoja priekšā uz vēdera, lai viņam būtu ērtāk.

— Neatgādini man, lūdzu, ka neesmu pietiekami drošsirdīgs, lai būtu Grifidorā, Malfojs jau to man pateica, — Nevils bija tuvu asarām.

Harijs iebāza roku kabatā un izvilka šokolādes vardi, pēdējo no Hermiones Ziemassvētku dāvanas. Viņš atdeva to Nevilam, cenzdamies nomierināt klasesbiedru.

— Tu es divpadsmit Malfoju vērts, — Harijs sacīja. — Šķirmice iedalīja tevi Grifidorā, vai ne? Un kur ir Malfojs? Smirdīgajā Slīdenī!

Attīdams vardi, Nevils tikko jaušami pasmaidīja.

— Paldies, Harij... Es, šķiet, došos pie miera... Vai tu negribi kartīti — tu taču tās krāj, vai ne?

Kad Nevils aizgāja, Harijs paskatījās uz Slavenā burvja kartīti.

— Atkal Dumidors, — Harijs noteica. — Tā bija pirmā...

Viņam aizrāvās elpa. Viņš kā apstulbis blenza uz kartītes otru pusi. Tad paskatījās uz Ronu un Hermioni.

— *Es atradu viņu!* — viņš nočukstēja. — Es atradu Fleimelu! Es jums *teicu*, ka kaut kur biju lasījis viņa vārdu, es to izlasīju vilcienā, braucot uz šejieni — paklausieties: "Profesors Dumidors īpašu ievērību izpelnījies, 1945. gadā pieveicot ļauno burvi Grindelvaldu, kā arī atklājot pūķu asins divpadsmit lietojuma veidus *un veicot pētījumus alķīmijā kopā ar savu partneri Nikolasu Fleimelu.*"

Hermione pielēca kājās. Viņa nebija izskatījusies tik satraukta kopš dienas, kad viņi saņēma atpakaļ izlabotus savus pirmos mājasdarbus.

— Palieciet tepat! — viņa pavēlēja un metās augšup pa kāpnēm uz meiteņu guļamistabām. Harijs un Rons tik tikko paguva mulsi saskatīties, kad viņa jau skrēja atpakaļ ar milzīgu, senu sējumu padusē.

— Man neienāca prātā ieskatīties šeit! — viņa uztraukti čukstēja. — Es šo grāmatu paņēmu bibliotēkā pirms vairākām nedēļām, lai būtu kāda viegla lasāmviela brīžos, kad gribas atpūsties.

— *Viegla?* — pārjautāja Rons, bet Hermione lūdza viņu paklusēt, bet pati tikmēr sameklēja kaut kādu norādi un pēc tam, murminādama pie sevis, sāka drudžaini šķirstīt lappuses.

Visbeidzot viņa atrada meklēto.

— Es zināju! *Es zināju!*

— Vai tagad mēs drīkstam runāt? — mazliet sapīcis ievaicājās Rons. Hermione nelikās par viņu zinis.

— Nikolass Fleimels, — viņa mazliet uzspēlēti čukstēja, — ir *vienīgais zināmais filozofu akmens izgatavotājs.*

Diemžēl reakcija uz šo frāzi neatbilda Hermiones gaidītajai.

— Kā izgatavotājs? — Rons un Harijs pārjautāja.

— *Žēlīgā debess*, vai jūs vispār kaut ko lasāt? Skatieties — palasiet šeit.

Viņa vēlreiz pastūma grāmatu uz viņu pusi, un Harijs kopā ar Ronu izlasīja.

Senās alķīmijas zinātnes galvenais mērķis ir filozofu akmens pagatavošana. Filozofu akmens ir leģendāra substance ar satriecošām īpašībām. Akmens spēj pārvērst jebkuru metālu tīrā zeltā. Ar tā palīdzību var radīt arī dzīvības eliksīru, kas padara tā lietotāju nemirstīgu.

Gadsimtu laikā ne vienreiz vien ir ziņots par filozofu akmeni, bet vienīgais pašlaik zināmais akmens pieder Nikolasam Fleimela kungam, pazīstamam alķīmiķim un operas mīļotājam. Fleimela kungs, kurš pagājušajā gadā svinēja savu sešsimt sešdesmit piekto dzimšanas dienu, bauda klusu, savrupu dzīvi Devonā kopā ar sievu Perenelli, kurai ir sešsimt piecdesmit astoņi gadi.

— Saprotat? — vaicāja Hermione, kad Harijs un Rons beidza lasīt. — Suns, visticamāk, sargā Fleimela filozofu akmeni! Varu saderēt, ka viņš lūdzis Dumidoru, lai direktors to noglabā drošībā — kā nekā, viņi ir draugi un Fleimels laikam nojauta, ka akmeni kāds mēģina sagrābt savos nagos. Tāpēc Fleimels gribēja dabūt akmeni projām no Gringotiem!

— Akmens, kas pārvērš visu zeltā un padara tevi nemirstīgu! — nevarēja rimties Harijs. — Nav nekāds brīnums, ka Strups to meklē! *Jebkurš* kārotu to iegūt.

— Un nav nekāds brīnums, ka "Pētījumā par burvības attīstību nesenā pagātnē" Fleimela vārda nebija, — sacīja Rons. — Viņš īsti neiederas nesenuma kategorijā, ja reiz viņam ir sešsimt sešdesmit pieci, vai ne?

Nākamajā rītā, sēžot aizsardzībā pret tumšajām zintīm un skribelējot piezīmes, kā apstrādāt vilkaču kodiena brūces, Harijs un Rons vēl arvien sprieda, ko viņi darītu ar filozofu akmeni, ja viņiem tāds būtu. Tikai tad, kad Rons ieminējās, ka nopirktu savu kalambola komandu, Harijs atcerējās Strupu un gaidāmo spēli.

— Es spēlēšu, — viņš paziņoja Ronam un Hermionei. — Ja es neiziešu laukumā, slīdeņi nodomās, ka es baidos pat atrasties Strupa tuvumā. Es viņiem parādīšu... ja mēs uzvarēsim, tad gan viņiem tie smīniņi no ģīmjiem pazudīs!

— Ka tikai tu mums nepazūdi debesīs uz nevaldāmas slotas, — nomurmināja Hermione.

* * *

Jo tuvāk nāca spēles diena, jo Harijs kļuva nervozāks, kaut arī Ronam un Hermionei viņš stāstīja gluži ko citu. Arī pārējo komandu māca nemiers. Iespēja apsteigt Slīdeni Skolas čempionātā likās brīnišķīga, nevienam tas nebija izdevies nu jau septiņus gadus, bet vai ieinteresētais tiesnesis to pieļaus?

Harijs īsti nesaprata, vai tā bija viņa iedoma, taču viņam šķita, ka, lai kur iedams, viņš vienmēr uzskrien virsū Strupam. Reizēm zēns pat pieļāva, ka Strups izseko viņu, meklēdams iespēju pārsteigt Hariju vienu. Mikstūru stundas bija pārvērtušās iknedēļas spīdzināšanā, tik neganti Strups izturējās pret Hariju. Vai Strups kaut ko nojauta par viņu atklājumiem filozofu akmens sakarā? Harijam tas likās neiespējami — taču reizēm viņu pārņēma drausmīga sajūta, ka Strups spēj lasīt domas.

* * *

Kad spēles pēcpusdienā Rons un Hermione pie ģērbtuvēm novēlēja viņam veiksmi, Harijs nojauta, ka draugi nav īsti pārliecināti, vai redzēs viņu atgriežamies no spēles dzīvu. Tā nu reiz nebija uzmundrinoša sajūta. Ģērbjoties kalambola formā un ņemdams savu divtūkštošo nimbu, Harijs nedzirdēja gandrīz ne vārda no Žagara pirmsspēles uzrunas.

Rons un Hermione tikmēr atrada sev vietas tribīnēs līdzās Nevilam, kurš nesaprata ne to, kāpēc klasesbiedri izskatās tik drūmi un norūpējušies, ne to, kāpēc viņi paņēmuši uz spēli līdzi savus zižļus. Arī Harijs pat nenojauta, ka Rons un Hermione slepus no viņa vēl un vēlreiz atkārtoja Kājsējas lāstu. Šo ideju, mocīdams Nevilu, viņiem bija pametis Malfojs, un nu draugi bija gatavi to likt lietā pret Strupu, ja profesors izrādītu kaut mazāko vēlmi nodarīt pāri Harijam.

— Tikai neaizmirsti, vārdi ir *Ciešum kājpiekājs*, — Hermione nomurmināja, kad Rons ieslidināja piedurknē savu zizli.

— Es *zinu*, — strupi noteica Rons. — Nemāci.

Tikmēr ģērbtuvē Žagars bija pavedis Hariju nostāk no pārējiem.

— Poter, es nevēlos tevi mudināt uz nevajadzīgiem varoņdarbiem, taču, ja ir bijusi kāda reize, kad mums nepieciešams ātri tikt pie zibšņa, tā ir šodien. Pabeidz spēli, pirms Strups pagūst pietiesāt Elšpūtim pārāk daudz.

— Tribīnēs sapulcējusies visa skola! — palūrējis pa durvju spraugu, ziņoja Freds Vīzlijs. — Pat — zili brīnumi — Dumidors atnācis uz spēli!

Harija sirds apmeta salto.

— *Dumidors?* — viņš pārjautāja, mezdamies pie durvīm, lai pārliecinātos par to pats savām acīm. Tiešām, sudraboto bārdu nebija iespējams sajaukt ne ar ko citu.

Harijam no atvieglojuma gribējās skaļi iesmieties. Viņš bija drošībā. Strups nu nekādi neuzdrīkstēsies nodarīt pāri Harijam Dumidora acu priekšā.

Iespējams, tieši šī iemesla dēļ Strups izskatījās tik dusmīgs, kad abas komandas iznāca laukumā. Profesora izteiksmi pamanīja arī Rons.

— Nekad vēl neesmu redzējis Strupu tik negantu, — viņš sacīja Hermionei. — Skaties — spēle sākas. Au!

Kāds bija iesitis Ronam pa pakausi. Rons pagriezās — aiz viņiem sēdēja Malfojs.

— Ak, piedod, Vīzlij, neievēroju, ka tur kāds sēž.

Malfojs plati smaidīja, gozēdamies starp Krabi un Goilu.

— Interesanti, cik ilgi Poters noturēsies uz slotas šoreiz? Varbūt kāds vēlas noslēgt derības? Kā ar tevi, Vīzlij?

Rons neatbildēja. Strups tikko bija piešķīris soda metienu par labu Elšpūtim, jo Džordžs Vīzlijs esot triecis āmurgalvu tiesneša virzienā. Hermione, sažņaugusi abus īkšķus klēpī, nenolaida acis no Harija, kurš riņķoja virs spēles kā vanags, cenzdamies ieraudzīt zibsni.

— Vai zināt, man liekas, es esmu sapratis, kā viņi izvēlas spēlētājus Grifidora komandai? — pēc pāris minūtēm Malfojs sāka skaļi stāstīt blakussēdētājiem, bet Elšpūtis tikmēr izpildīja vēl vienu soda metienu, par kura iemesliem skaidrība, šķiet, bija tikai vienam pašam Strupam. — Viņi izvēlas cilvēkus, kuru viņiem ir žēl, kuriem kaut kā pietrūkst. Redzat, Poteram nav vecāku, Vīzlijiem nav naudas — arī tev vajadzētu būt komandā, Lēniņ, tev taču nav smadzeņu.

Nevils nosarka kā biete, tomēr pagriezās, lai paskatītos Malfojam sejā.

— Es esmu divpadsmit tādu Malfoju vērts, — viņš stostīdamies atcirta.

Malfojs, Krabe un Goils smējās, vēderus turēdami, bet Rons, vēl arvien neuzdrīkstēdamies atraut acis no spēles, uzmundrināja klases biedru: — Nepadodies, Nevil.

— Lēniņ, ja smadzenes būtu zelts, tu izrādītos vēl nabagāks par Vīzliju, un tas jau kaut ko nozīmē.

Rona nervi bija saspringti līdz pēdējam Harija dēļ.

— Malfoj, es tevi brīdinu, vēl viens vārds...

— Ron! — pēkšņi iesaucās Hermione. — Harijs!

— Kas? Kur?

Harijs strauji krita, kas tribīnēs lika atskanēt gan izbaiļu, gan uzmundrinājuma saucieniem. Hermione stāvēja kājās, piespiedusi dūres ar paslēptajiem īkšķiem pie mutes, bet Harijs kā lode šāvās uz zemi.

— Tev laimējies, Vīzlij. Poters, liekas, pamanījis uz zemes kādu monētu! — komentēja Malfojs.

Rons neizturēja. Malfojs vēl smaidīja, kad Rons jau bija pārkāpis pāri savai rindai un nogāzis Drako zemē. Nevils mirkli vilcinājās, bet tad arī kāpa pāri krēsliem palīgā Ronam.

— Harij, Harij! — kliedza Hermione, uzlēkdama stāvus uz savas vietas un skatīdamās, kā Harijs šaujas tieši virsū Strupam — viņa pat nemanīja ne to, ka Malfojs un Rons cīnās zem viņas krēsla, ne būkšķus un vaidus, kas nāca no dūru vējdzirnavām, kurās kaut kur iekšā bija Nevils, Krabe un Goils.

Gaisā Strups pagriezās uz sava slotaskāta īstajā brīdī, lai vēl ar acs kaktiņu pamanītu, kā viņam garām dažu collu attālumā aizšaujas kaut kas sarkans — nākamajā mirklī Harijs nobremzēja kritienu un triumfējoši pacēla roku — tajā mirdzēja zibsnis.

Tribīnes uzsprāga. Tas bija rekords, neviens neatcerējās, kad iepriekš zibsnis būtu noķerts tik ātri.

— Ron! Ron! Kur tu esi? Spēle ir beigusies! Harijs uzvarēja! Mēs uzvarējām! Grifidors ir vadībā! — sajūsmā spiedza Hermione, lēkādama pa savu vietu un apskaudama Parvati Patilu, kura stāvēja priekšējā rindā.

Pēdu no zemes Harijs nolēca no slotas. Viņš nespēja tam noticēt. Viņš to bija paveicis — spēle bija galā. Tā bija ilgusi labi ja piecas minūtes. Laukumā izskrēja pirmie grifidoru līdzjutēji. Harijs redzēja, ka turpat līdzās piezemējas bālais Strups cieši sakniebtām lūpām, tad zēns sajuta uz pleca uzliktu roku un atskatījās, lai ieraudzītu Dumidora smaidošo vaigu.

— Teicami, — Dumidors sacīja tik klusi, lai to dzirdētu tikai Harijs. — Labi, ka tu neskumsti par spoguli... centies nodarbināt sevi ar citām lietām... lieliski...

Strups rūgti nospļāvās.

* * *

Visi jau bija devušies uz Lielo zāli vakariņot. Harijs no ģērbtuvēm iznāca viens pats, lai aiznestu savu divtūkstošo nimbu uz slotu novietni. Nekad iepriekš viņš nebija juties pacilātāks. Tagad viņš tiešām bija paveicis kaut ko lepošanās vērtu — neviens vairs nedrīkstēs teikt, ka viņš ir tikai daudzināts vārds. Vakara gaiss agrāk nekad nebija licies tik smaržīgs. Viņš gāja pa miklo zāli, vēlreiz atsaukdams atmiņā pēdējās stundas notikumus. Viss saplūda priecīgā virtenē: pieskrien grifidori, lai paceltu viņu uz pleciem, Rons un Hermione lēkā augšup lejup, un Rons kliedz no prieka par spīti pārsistajam degunam.

Harijs pienāca pie slotu novietnes. Viņš atspiedās pret koka durvīm un pārlaida acis pār Cūkkārpu. Skolas logi dega sarkani rietošās saules staros. Grifidors bija vadībā. Viņš to bija paveicis, viņš bija parādījis Strupam...

Un, runājot par Strupu...

Siluets, kura galvu sedza kapuce, žigli noskrēja pa pils kāpnēm. Bija skaidri manāms, ka nācējs nevēlas, lai kāds viņu pamanītu. Stāvs steidzās uz Aizliegtā meža pusi. Vērojot šo skatu, uzvara pagaisa Harijam no prāta. Viņš pazina gājēja zaglīgo gaitu. Strups lavījās uz Aizliegto mežu laikā, kad visi pārējie vakariņoja — ko tas nozīmēja?

Harijs uzlēca atpakaļ uz divtūkstošā nimba un pacēlās gaisā. Klusi slīdēdams pāri pilij, viņš redzēja, kā Strups skriešus nozūd mežā. Zēns sekoja.

Koki bija saauguši tik biezi, ka Harijs neredzēja, kur Strups palicis. Zēns sāka mest lokus, arvien zemāk un zemāk, līdz viņa drēbes jau vietumis skārās pie koku galotnēm. Tad viņš izdzirdēja balsis. Viņš sāka slīdēt uz runātāju pusi un nedzirdami nolaidās augsta dižskābarža zaros.

Viņš lēnām palīda uz priekšu pa zaru, cenzdamies starp lapām saskatīt, kas lejā notiek.

Zem viņa ēnainā klajumiņā stāvēja Strups, taču viņš nebija viens. Turpat līdzās atradās arī Drebelis. Harijs neredzēja otra pasniedzēja seju. Nabags stostījās vēl briesmīgāk nekā parasti. Harijs sasprindzināja dzirdi, pūloties saklausīt, par ko abi profesori runā.

— ...ne-nesaprotu, kāpēc tu, Severus, gri-gribēji satikties tieši te — it kā ci-citas vietas ne-nebūtu...

— Ak, man likās, ka labāk to izdarīt zem četrām acīm, — ledainā balsī atteica Strups. — Galu galā, audzēkņiem nevajadzētu uzzināt par filozofu akmeni.

Harijs paliecās uz priekšu. Drebelis kaut ko murmināja. Strups viņu pārtrauca.

— Vai tu jau esi uzzinājis, kā tikt garām Hagrida nezvēram?

— B-b-bet, Severus, es...

— Tu, Drebeli, nez vai gribi, lai es kļūtu par tavu ienaidnieku, — sacīja Strups un paspēra soli uz kolēģa pusi.

— E-es nesaprotu, ko t-tu...

— Tu ļoti labi saproti, ko es gribu teikt.

Kaut kur netālu skaļi iebrēcās pūce, un Harijs gandrīz novēlās no zara. Kad viņš atkal atguva līdzsvaru, viņš saklausīja Strupa vārdus: — ...tavu mazo triku. Es gaidu.

— B-bet es ne-ne...

— Ļoti labi, — Strups neļāva Drebelim pabeigt. — Mēs drīz tiksimies atkal, kad tu būsi visu vēlreiz pārdomājis un izlēmis, kurā pusē tu stāvi.

Strups uzvilka kapuci un izgāja no izcirtuma. Nu jau valdīja gandrīz pilnīga tumsa, un Harijs spēja saskatīt tikai to, ka Drebelis stāv nekustīgi, it kā būtu pārakmeņojies.

* * *

— Kur tu *biji*, Harij? — iesaucās Hermione.

— Mēs uzvarējām! Tu uzvarēji! — auroja Rons, abām plaukstām dauzīdams draugam pa muguru. — Un es uztaisīju Malfojam pamatīgu fingālu, bet Nevils viens pats ķērās pie rīkles Krabem un Goilam! Tiesa, nabags vēl nav atguvis samaņu, bet Pomfreja madāma teica, ka viss būšot kārtībā, — mēs šodien parādījām Slīdenim! Visi gaida tevi koptelpā — mēs svinam, Freds un Džordžs nočiepa virtuvē kūkas un vēl šādus tādus našķus.

— Atliekam svinēšanu uz mirkli, — atguvis elpu, sacīja Harijs. — Labāk sameklēsim tukšu telpu — man jums šis tas jāpastāsta.

Pirms aizvērt durvis, Harijs rūpīgi pārliecinājās, vai istabā nav Nīgra, un tad izstāstīja draugiem, ko tikko bija dzirdējis Aizliegtajā mežā.

— Tātad mūsu minējums ir pareizs — tas ir filozofu akmens. Strups mēģina piespiest Drebeli, lai tas palīdz akmeni iegūt. Strups jautāja, vai Drebelis zinot, kā tikt garām Pūkainītim, un vēl kaut ko par paša Drebeļa "mazo triku". Es pieņemu, ka akmeni sargā ne vien Pūkainītis, bet arī burvestības. Iespējams, Drebelis ir uzlicis kādas maģiskas lamatas pret tumšo spēku ielaušanos, un Strupam jātiek tām garām...

— Tātad tu domā, ka akmens ir drošībā tikai tik ilgi, kamēr Drebelis noturas pret Strupa spiedienu? — satraukti jautāja Hermione.

— Nākamotrdien akmens tur vairs nebūs, — novilka Rons.

ČETRPADSMITĀ NODAĻA

NORVĒĢIJAS KUPRAINIS NORBERTS

Cik varēja spriest, Drebelis tomēr izrādījās drosmīgāks, nekā bērni bija iedomājušies. Gāja nedēļas, profesors izskatījās arvien bālāks un tievāks, bet nekas neliecināja, ka viņš būtu padevies.

Katru reizi, iedami garām ceturtā stāva gaitenim, Harijs, Rons un Hermione piespieda ausi pie durvīm, lai pārliecinātos, vai vēl arvien dzirdami Pūkainīša rūcieni. Strups klīda pa skolu ierasti nelāgā omā, kas apstiprināja to, ka akmens vēl arvien ir drošībā. Satikdams Drebeli, Harijs vienmēr centās profesoram uzmundrinoši uzsmaidīt, bet Rons sāka aizrādīt cilvēkiem, lai nesmejas par Drebeļa stostīšanos.

Vienīgi Hermione domāja par vēl kaut ko citu, ne tikai par filozofu akmeni. Viņa bija sākusi izstrādāt apgūtās vielas atkārtojuma grafikus un ielīmēt krāsainas atzīmītes savos pierakstos, lai vieglāk varētu atrast svarīgākās vietas. Harijs un Rons labprāt neliktos par to ne zinis, tomēr Hermione nelikās mierā, kamēr arī zēni neķērās pie atkārtošanas.

— Hermione, līdz eksāmeniem vēl ir vesela mūžība.

— Desmit nedēļu, — Hermione bija precīza. — Tā nav nekāda mūžība, piemēram, Nikolasam Fleimelam tas būtu tikai viens acumirklis.

— Piedod, mēs neesam sešsimt gadu veci, — Rons atgādināja. — Labi, bet kāpēc gan tu atkārto — tu taču visu to jau zini?

— Kāpēc es atkārtoju? Vai tu esi traks? Vai tu maz saproti, ka mums šie eksāmeni jānoliek, lai tiktu nākamajā klasē? Tie ir ļoti svarīgi eksāmeni, man vajadzēja sākt mācīties jau pirms mēneša, es nezinu, par ko tobrīd domāju...

Diemžēl pasniedzēju uzskati neatšķīrās no Hermiones viedokļa. Mājasdarbu bija tik daudz, ka Lieldienu brīvdienas, atšķirībā no Ziemassvētkiem, neviens nemaz īsti nepamanīja. Bija grūti atslābināties, ja līdzās vienmēr bija Hermione, kura vai nu skaitīja no galvas pūķu asins divpadsmit lietojuma veidus, vai arī izmēģināja zižļa vēzienus. Vaidēdami un žāvādamies Harijs un Rons lielāko brīvā laika daļu pavadīja kopā ar draudzeni bibliotēkā, cenzdamies padarīt visus papildu darbus.

— Es nekad to visu neiegaumēšu, — kādu pēcpusdienu Rons neizturēja, nosvieda spalvu un ar alkainu skatienu palūkojās ārā pa bibliotēkas logu. Tā bija pirmā jaukā diena pēdējo mēnešu laikā. Debesīs nemanīja ne mākonīša, tās mirdzēja neaizmirstuļu zilumā. Likās, ka beidzot tuvojas vasara.

Harijs, kurš tajā brīdī izrakstīja visu par diktamni no "Tūkstoš burvju augiem un sēnēm", nepacēla galvu līdz brīdim, kad atskanēja Rona nākamais izsauciens: — Hagrid! Ko tad tu dari bibliotēkā?

Hagrids iešļūca telpā, bet rokas milzim bija aiz muguras — viņš kaut ko slēpa. Savā kurmjādas mētelī starp grāmatu plauktiem viņš izskatījās, it kā būtu ieradies no citas pasaules.

— Ienāc paskatīts, — viņš izvairīgi ierunājās, tā tūlīt pievērsdams bērnu uzmanību. — Un ko ta jūs te dart? — Pēkšņi viņa sejai pārskrēja aizdomu ēna. — Tač ne meklē Nikolasu Fleimelu?

— Nu, nezin, kā tas varēt kaitēt, ja es jums to pastāstīš... tā, pagaid... no manis viņš aizņēms Pūkainīti... tad vēl daži pasniedzēji šo to pabūr — profesore Asnīte... profesors Zibiņš... profesore Maksūra... — uzskaitīdams Dumidora palīgus, Hagrids citu pēc cita nolocīja pirkstus, — tad profesors Drebelis... pats Dumidors, protams. Pag, es kādu aizmirs. Ak, jā, profesors Strups.

— *Strups?*

— Jā — vai tad jūs vēl arvien tur viņu aizdomās? Re, Strups palīdzēj *aizsargāt* akmeni, kāpēc lai viņš to mēģināt nozagt?

Harijs apzinājās, ka Rons un Hermione domā to pašu, ko viņš. Ja reiz Strups tiešām ir iesaistīts akmens aizsargāšanā, viņam noteikti bijis vieglāk uzzināt pārējo pasniedzēju uzburtās lamatas. Iespējams, viņš zināja visu — izņemot, cik varēja spriest, kā apiet Drebeļa burvestību un kā savaldīt Pūkainīti.

— Vai tu, Hagrid, esi vienīgais, kurš zina, kā tikt garām Pūkainītim? — uztraukti vaicāja Harijs. — Un tu par to nevienam nestāstītu, vai ne? Pat ne pasniedzējam?

— Par to nezin neviens, izņemt mani un Dumidoru, — lepni apliecināja Hagrids.

— Tā, tas ir labi, — Harijs nomurmināja klasesbiedriem, — Hagrid, vai mēs nevarētu uz mirklīti pavērt logu? Mēs tūlīt izcepsimies.

— Piedod, Harij, nevarēt gan, — atteica Hagrids. Harijs ievēroja, ka milzis paskatās uz pavarda pusi. Arī Harijs pameta aci uz uguns pusi.

— Hagrid, kas *tas* ir?

Taču Harijs jau zināja, kas tas ir. Pašā pavarda vidū, tieši zem katla, liesmās stāvēja milzīga, melna ola.

— Ā, — nemierīgi plucinādams bārdu, sacīja Hagrids. — Tur... ir...

— Kur tu to ņēmi, Hagrid? — jautāja Rons, pieliekdamies

tuvāk pavardam, lai labāk apskatītu olu. — Tā droši vien maksā traku naudu.

— Es to vinnēj, — atzinās Hagrids. — Vakar vakarā. Bij nogājs līdz ciematam, lai iedzert kādu malku, sākm spēlt kārtis ar vienu svešinieku. Lieks, viņš bij tīri priecīgs, ka tiek no tās vaļā.

— Bet ko tu darīsi ar pūķi, kad tas izšķilsies? — prasīja Hermione.

— Nu, es esm šo to palasījs. — Hagrids no spilvena apakšas izvilka pamatīgu sējumu. — Dabūj to no bibliotēkas — "Pūķu audzēšana izklaidei un peļņai" — tā kā drusku novecojs, bet citādi viss skaidri un gaiši uzrakstīts. Turt olu ugunī, jo pūķu mātes sild tos, pa brīdim uzvemjot liesmas, lūk, tad, kad tas izšķiļs, tad ik pa stundai jādod ar vistu asinīm sajaukt šņabja spainis. Un, re, te — kā var atšķirt dažādas olas — man te ir Norvēģijas kuprainais. Liels retums.

Viņš izskatījās ļoti apmierināts ar savu rīcību, bet Hermionei bija cits viedoklis.

— Hagrid, tu dzīvo *koka mājā*, — viņa brīdināja.

Taču Hagrids neklausījās. Laimīgi dungodams, viņš piemeta ugunij malku.

* * *

Tagad trijotnei bija uzradusies vēl viena rūpe — kas notiks ar Hagridu, ja kāds uzzinās, ka viņš savā būdā slēpj nelikumīgu pūķi?

— Ko gan nozīmē šie dīvainie vārdi — "mierīga dzīve"? — kādu vakaru prātoja Rons. Jau kuro dienu viņi sēdēja līdz dziļai naktij, lai tiktu galā ar visiem papildu mājasdarbiem, ko uzdeva pasniedzēji. Hermione bija sastādījusi atkārtojuma grafikus arī Harijam un Ronam, tas zēnus darīja vai trakus.

Dažas dienas vēlāk, kad viņi brokastoja, Hedviga atnesa vēl vienu zīmīti no Hagrida. Uz tās bija tikai divi vārdi: *Tas šķiļas.*

— Viņš ir nojūdzies, — Rons iečukstēja Harijam ausī.

— Hagrid, — skaļi sacīja Harijs, — vēl pēc pāris nedēļām Norberts aizpildīs visu tavu māju. Un Malfojs jebkurā brīdī var visu izstāstīt Dumidoram.

Hagrids iekoda lūpā.

— Es... es saprot, ka nevarēš viņu paturēt, bet es nespēj viņu vienkārši izmest, es nespēj.

Harijs pēkšņi pagriezās pret Ronu.

— Čārlijs, — viņš teica.

— Arī tu jūc, — atbildēja Rons. — Es esmu Rons, vai atceries?

— Nē, Čārlijs, tavs brālis Čārlijs. Rumānijā. Pēta pūķus. Mēs varētu pārsūtīt Norbertu pie viņa. Čārlijs pūķi aprūpētu un tad raudzītu, lai tas iedzīvojas savvaļā!

— Lieliska doma! — iesaucās Rons. — Ko tu, Hagrid, par to saki?

Galu galā arī Hagrids piekrita, un viņi nolēma sūtīt pūci Čārlijam.

* * *

Nākamā nedēļa vilkās bezgalīgi lēni. Bija trešdienas vakars. Visi jau bija devušies pie miera, bet Hermione un Harijs sēdēja koptelpā divi vien. Īsu brīdi pēc tam, kad pulkstenis nosita pusnakti, pavērās portreta caurums. Ne no kurienes parādījās Rons — viņš noņēma no pleciem Harija Paslēpni. Visu vakaru Rons bija pavadījis Hagrida būdā, palīdzot barot Norbertu, kurš tagad pārtika no beigtām žurkām — un tās pūķim vajadzēja kastēm.

— Tas man iekoda! — Rons saviebās un parādīja draugiem asiņainā kabatlakatā ievīstīto roku. — Es veselu nedēļu nevarēšu turēt rokā spalvu! Ka es jums saku — pūķis ir briesmīgākais radījums, kādu jebkad esmu redzējis. Bet Hagrids izturas tā, it kā tas būtu mazs, pūkains trusītis. Kad tas lops man iekoda, Hagrids nostrostēja mani, ka esot šo sabaidījis. Kad es gāju projām, mūsu draugs dziedāja pūķim šūpuļdziesmu.

Pie tumšā loga kāds pieklauvēja.

— Tā ir Hedviga! — iesaucās Harijs un metās ielaist pūci.

— Viņa atgriezusies ar Čārlija atbildi!

Visi trīs salika galvas kopā, lai izlasītu Rona vecākā brāļa vēstuli.

Mīļo Ron,

kā Tev klājas? Paldies par vēstuli — es labprāt pieņemtu savā ap-
rūpē Norvēģijas kupraini, tomēr nebūs viegli viņu nogādāt šurp. La-
bākais variants būtu, ja to pārvestu daži mani draugi, kuri ieradīsies
pie manis nākamajā nedēļā. Nelaime tā, ka viņus nedrīkst pieķert ar
nelikumīgu pūķi.

Vai jūs varētu aizgādāt pūķi līdz skolas augstākajam tornim sest-
dien pusnaktī? Jūs tur sagaidītu mani draugus, un viņi aizvestu
pūķi, kamēr ir tumšs.

Nosūti man atbildi, cik ātri iespējams.

Tavs Čārlijs

Draugi saskatījās.

— Mums ir Paslēpnis, — prātoja Harijs. — Tam nevajadzētu būt pārāk grūti — domāju, ka apmetnis ir gana liels, lai nosegtu divus no mums un Norbertu.

Tas, ka abi pārējie tūlīt piekrita, liecināja tikai par vienu — pēdējā nedēļa bija izrādījusies drausmīga. Viņi bija gatavi uz visu, lai tikai tiktu vaļā no Norberta — un Malfoja.

* * *

Vēl viena problēma atklājās nākamajā rītā — Rona roka bija uzpampusi vismaz divas reizes. Viņš īsti nesaprata, vai ir droši doties pie Pomfreja madāmas — ja nu viņa pazīst pūķa kodienu?

Pēcpusdienā tomēr nekas cits neatlika — brūce kļuva netīkami zaļa. Izskatījās, ka Norberta ilkņi ir indīgi.

Kad mācības beidzās, Harijs un Hermione steidzās uz slimnīcas spārnu. Rons visai briesmīgā paskatā gulēja gultā.

— Vainīga ir ne tikai roka, — viņš čukstēja, — kaut arī sajūta ir tāda, ka tā tūlīt nokritīs pavisam. Malfojs bija sastāstījis Pomfreja madāmai, ka vēlas aizņemties no manis grāmatu. Viņš ieradās šeit un no sirds izņirgājās par mani. Visu laiku draudēja, ka pastāstīšot Pomfreja madāmai, kas īsti mani sakodis. Es viņai pateicu, ka suns, lai gan nelikās, ka viņa man noticēja. Man nevajadzēja piekaut viņu kalambola spēles laikā — no tā arī viss sākās.

Harijs un Hermione centās draugu nomierināt.

— Tas viss būs galā sestdien pusnaktī, — teica Hermione, bet arī tas Ronam nepalīdzēja. Gluži otrādi, viņš pierāvās sēdus un pārklājās ar aukstiem sviedriem.

— Sestdien pusnaktī! — viņš aizsmakušā balsī ievaidējās. — Nē, nē — es tikko atcerējos — Čārlija vēstule palika grāmatā, kuru paņēma Malfojs, tagad viņš zinās, kad mēs taisāmies tikt vaļā no Norberta.

* * *

— Tagad ir par vēlu kaut ko mainīt, — Harijs sacīja Hermionei. — Mums nav laika, lai sūtītu Čārlijam vēl vienu pūci, un šī varbūt ir mūsu vienīgā iespēja atbrīvoties no Norberta. Mums nāksies riskēt. Turklāt mums *ir* Paslēpnis, par kuru Malfojs neko nezina.

Kad Harijs un Hermione pienāca pie Hagrida būdas, pirmais, ko viņi ieraudzīja, bija Ilknis, kas nelaimīgs sēdēja aiz durvīm ar pārsietu asti. Hagrids pavēra logu, lai izrunātu visu.

— Nevar jūs laist iekšā, — viņš elsoja. — Norbertam augšanas grūtībs — bet gan jau es tikš galā.

Kad bērni izstāstīja par Čārlija vēstuli, milzim acīs sariesās asaras — lai gan nebija īsti skaidrs, no kā, jo tajā pašā brīdī Norberts iekoda Hagridam kājā.

— Au! Viss ir labi, viņš tikai aizķēr manu zābaku — spēlējs — viņš tač tikai bēbītis.

Bēbītis iegāza ar asti pa sienu tā, ka nograbēja logu rūtis. Harijs un Hermione atgriezās pilī, klusībā gaidīdami, kaut sestdiena pienāktu ātrāk.

* * *

Ja Harijs un Hermione nebūtu tā uztraukušies par veicamo darbiņu, viņiem droši vien apskrietos dūša, vērojot, kā Hagrids atvadās no Norberta. Bija ļoti tumša, mākoņaina nakts. Hagrida būdā viņi ieradās ar nelielu nokavēšanos, jo Ieejas zālē viņiem nācās gaidīt, kamēr Nīgris beidz spēlēt tenisu pats ar sevi.

Hagrids bija iedabūjis Norbertu kārtīgā kastē.

— Es tur ielik lērumu žurk un maķenīt šņabja, lai viņš ceļā necieš badu, — aizsmakušā balsī sacīja Hagrids. — Un vēl es iedev viņam spēļu lācīti — ja nu paliek bēdīgi.

Trokšņi kastē Harijam lika domāt, ka lācītis pašlaik tiek plosīts gabalu gabalos.

— Atā, Norbert! — šņukstēja Hagrids, kad Harijs un Hermione pārklāja kasti ar Paslēpni un arī paši palīda zem gaisīgā auduma. — Mammīte tevi nekad neaizmirsīs!

Viņi pēcāk tā arī nesaprata, kā viņiem izdevās aizdabūt kasti līdz pilij. Pusnakts nāca ar katru mirkli tuvāk, bet Harijs un Hermione elsdami un pūzdami stūma Norbertu augšā pa Ieejas zāles marmora kāpnēm, tad vilka kasti cauri gaiteņu gaiteņiem. Tad vēl vienas kāpnes, un vēl vienas. Pat viena otra Harijam zināmā slepenā eja daudz neko nelīdzēja.

— Tūlīt būsim klāt! — pūlēdamies atgūt elpu, teica Harijs, kad viņi nonāca visaugstākā torņa pakājē.

Pēkšņa kustība kādu gabaliņu uz priekšu — un viņi gandrīz izmeta kasti no rokām. Aizmirsuši to, ka ir neredzami, viņi ierāvās dziļāk ēnās, vērodami divus cilvēkus, kas stīvējās kādas desmit pēdas tālāk. Iedegās lampa.

Profesore Maksūra, tērpusies tartāna rītasvārkos un ar matu tīkliņu galvā, turēja aiz auss Malfoju.

— Pēcstundas! — viņa kliedza. — Un Slīdenis zaudē divdesmit punktu! Klīst pa pili nakts vidū — kā tu *uzdrošinies...*

— Profesor, jūs nesaprotat, tūlīt nāks Harijs Poters — viņam ir pūķis!

— Kas par stulbām blēņām?! Kā tu uzdrošinies tā melot?! Ejam — man par tevi, Malfoj, būs jārunā ar profesoru Strupu!

Pēc redzētā spirālveida kāpnes uz torņa virsotni likās kā viegla pastaiga. Tikai iznākuši aukstajā nakts gaisā, viņi iedrošinājās nosviest Paslēpni, lai beidzot atkal ieelpotu ar pilnu krūti. Hermione no priekiem pat uzdejoja.

— Malfojs dabūja pēcstundas! Es gribu dziedāt!

— Labāk nedziedi, — šoreiz padomu deva Harijs.

Smiedamies par Malfoju, viņi gaidīja, bet Norberts tikmēr plosījās pa kasti. Minūtes desmit vēlāk līdzās viņiem švīkstēdami nolaidās četri slotaskāti.

Čārlija draugi izrādījās jautri ļaudis. Viņi parādīja Harijam un Hermionei iejūgu, ko bija sagatavojuši, lai varētu pacelt gaisā Norbertu. Visi ķērās pie darba un rūpīgi iesprādzēja pūķi iejūgā. Tad viņi paspieda cits citam roku un pateica lielu paldies.

Visbeidzot Norberts pacēlās gaisā... un *projām bija.*

Harijs un Hermione skriešus metās lejā pa torņa kāpnēm, un sirdis viņiem bija tikpat vieglas kā rokas — Norberts bija projām. Pūķa problēma atrisināta, Malfojam piespriestas pēcstundas — kas gan varēja sabojāt viņu līksmību?

Atbilde uz šo jautājumu gaidīja viņus kāpņu galā. Tikko Harijs un Hermione ienāca gaitenī, no tumsas pēkšņi iznira Filča seja.

— Tā, tā, tā, — viņš nočukstēja, — mēs laikam esam iekūlušies *nepatikšanās.*

Paslēpnis bija palicis torņa virsotnē.

PIECPADSMITĀ NODAĻA

AIZLIEGTAIS MEŽS

Ļaunāk vairs nevarēja būt.

Filčs aizveda abus pārkāpējus uz profesores Maksūras kabinetu otrajā stāvā, kur viņi sēdēja un, nepārmijot ne vārda, gaidīja. Hermione drebēja pie visām miesām. Harija galvā jaucās attaisnojumi, alibi un neprātīgas leģendas, bet viņš apzinājās, ka neviena no tām nekur neder. Harijs nesaprata, kā viņi šoreiz izkulsies no nepatikšanām. Viņi bija iedzīti stūrī. Kā gan varēja rīkoties tik muļķīgi un aizmirst Paslēpni? Nebija vēl izdomāts iemesls, kura dēļ profesore Maksūra varētu piedot visus šos pārkāpumus — pirmkārt, viņi nakts vidū atradās ārpus gultām, otrkārt, viņi ložņāja apkārt pa skolu, treškārt, viņi bija uzkāpuši augstākajā astronomijas tornī, kurā vispār bija aizliegts atrasties, ja tur nenotika nodarbības. Ja vēl piemestu Norbertu un Paslēpni, viņi varētu sākt kravāt somas.

Vai Harijam likās, ka ļaunāk vairs nevarēja būt? Arī šajā ziņā viņam nebija taisnība. Kad parādījās profesore Maksūra, viņai pie rokas bija Nevils.

— Harij! — Nevils iesaucās brīdī, kad ieraudzīja klasesbiedrus. — Es centos atrast jūs un brīdināt, es dzirdēju Malfoju sakām, ka viņš tevi noķeršot, ka tev esot pū...

Harijs mežonīgi papurināja galvu, lūgdams Nevilam apklust, taču šo kustību redzēja arī profesore Maksūra. Nupat izskatījās, ka viņa sāks spļaut liesmas ātrāk par Norbertu.

— Es nekad neticētu, ja man teiktu, ka jūs esat uz to spējīgi. Filča kungs apgalvo, ka jūs esot bijuši astronomijas tornī. Ir pulksten viens naktī. *Paskaidrojiet, ko jūs tur darījāt?*

Šī bija pirmā reize, kad Hermione neatbildēja uz pasniedzēja jautājumu. Viņa blenza uz savām čībām, nekustīga kā statuja.

— Šķiet, es nojaušu, kas te noticis, — sacīja profesore Maksūra. — Nav jābūt ģēnijam, lai to saprastu. Jūs iestāstījāt Drako Malfojam šīs muļķības par pūķi, cenzdamies izmānīt viņu no gultas, lai puika iekultos nepatikšanās. Viņu jau es noķēru. Jums, šķiet, liekas smieklīgi, ka arī Lēniņš dzirdēja šo stāstiņu un noticēja tam?

Harijs ieskatījās Nevilam acīs un mēģināja bez vārdiem pateikt, ka profesorei Maksūrai nav taisnība, jo Nevils izskatījās apstulbis un aizvainots. Nabaga nelaimes putns Nevils — Harijs varēja iedomāties, ko tas bija maksājis viņam — doties vienam tumsā, lai atrastu un brīdinātu viņus.

— Vienkārši pretīgi, — sacīja profesore Maksūra. — Četri studenti ārpus guļamtelpām vienā vienīgā naktī! Man likās, ka jums, Grendžeras jaunkundz, ir vairāk veselā saprāta. Kas attiecas uz jums, Potera kungs, man likās, ka Grifidors jums nozīmē ko vairāk. Visi no jums tiks sodīti ar pēcstundu norīkojumu darbos — jā, arī jūs, Lēniņa kungs, *nekas* nedod jums tiesības naktīs klīst pa skolu, īpaši šajās dienās, tas ir ļoti bīstami — turklāt Grifidors zaudē piecdesmit punktu.

— *Piecdesmit?* — Harijam aizrāvās elpa — tornis zaudēs vadību, ko viņš bija izcīnījis beidzamajā kalambola spēlē.

— Piecdesmit punktu *par katru* no jums, — precizēja profesore Maksūra, smagi elpodama caur garo, smailo degunu.

— Profesore, lūdzu...

— Jūs *nevarat*...

— Lūdzu, nemāciet man, ko es varu un ko es nevaru, Poter. Tagad visi pazūdiet gultās. Nekad dzīvē man nav bijis lielāks kauns par Grifidora audzēkņu uzvedību.

Simt piecdesmit punktu pagalam. Grifidors atkrita pēdējā vietā. Vienā naktī viņi bija sagrāvuši torņa cerības iegūt kausu. Harijs jutās tā, it kā viņa vēderam būtu izkritis dibens. Kā gan viņi jelkad spēs to vērst par labu?

Harijs visu nakti negulēja. Likās, ka Nevils šņukst vairākas stundas bez mitas. Harijs nespēja iedomāties, kā lai nomierina draugu. Viņš saprata, ka Nevils, tāpat kā viņš pats, ar šausmām gaida pienākam rītu. Kas gan notiks, kad pārējie grifidori uzzinās par viņu pārkāpumu?

Vispirms grifidori, iedami garām milzu smilšu pulksteņiem, kas rādīja torņu iegūtos punktus, domāja, ka notikusi kļūme. Kā gan varēja būt, ka šodien viņiem ir par simt piecdesmit punktiem mazāk nekā vakar vakarā? Un tad sāka izplatīties valodas: Harijs Poters, slavenais Harijs Poters, divu kalambola spēļu varonis, bija zaudējis visus šos punktus, viņš un divi citi stulbi pirmziemnieki...

Harijs, kurš vēl vakar bija viens no visvairāk mīlētajiem un apbrīnotākajiem audzēkņiem skolā, vienā mirklī pārvērtās par visvairāk nīsto. Pat kraukļanagi un elšpūši novērsās no viņa, jo ikviens sapņoja, ka šogad Slīdenis zaudēs Skolas kausa izcīņā. Lai kur Harijs ietu, visur uz viņu rādīja ar pirkstiem un, sunījot viņu, pat nepieklusināja balsis. Slīdeņi turpretī sveica viņu kā savējo, sita uz pleca un sauca: — Paldies, Poter, no mums pienākas!

Tikai Rons nepameta draugu nelaimē.

— Pēc pāris nedēļām visi to būs aizmirsuši. Arī Freds un Džordžs ir zaudējuši milzumu punktu, bet pārējiem viņi tik un tā patīk.

— Viņi nekad nav zaudējuši simt piecdesmit punktu vienā piegājienā, vai ne? — Harijs izmisis jautāja.

— Tas gan tiesa, — Rons atzina.

Nu bija par vēlu kaut ko labot, tomēr Harijs cieši nozvērējās kopš šī brīža vairs nejaukties lietās, gar kurām viņam nebija nekādas daļas. Lavīšanās un spiegošana bija galā. Viņš jutās tā nokaunējies, ka aizgāja pie Žagara un lūdza, lai viņu izslēdz no kalambola komandas.

— *Izslēgt?* — Žagars sodījās. — Kāds gan labums no tā? Kā gan mēs atgūsim punktus, ja pat kalambolā nespēsim uzvarēt?

Taču arī kalambols bija zaudējis agrāko pievilcību. Treniņu laikā pārējie komandas biedri ar viņu nerunāja, un, ja nācās pieminēt Hariju savstarpējā sarunā, lietoja vārdu "meklētājs".

Arī Hermione un Nevils dabūja ciest. Viņiem neklājās tik smagi kā Harijam, jo viņus tik labi nepazina, tomēr arī ar viņiem neviens nerunāja. Hermione pūlējās stundās nepievērst sev uzmanību, necēla roku un strādāja klusējot.

Harijs gandrīz priecājās, ka eksāmeni ir tik tuvu. Atkārtošana palīdzēja nelauzīt galvu par nelaimēm. Viņš, Rons un Hermione turējās savrup no pārējiem, strādāja vēlu naktīs, cenzdamies atcerēties sarežģītu mikstūru sastāvdaļas, iemācīties no galvas burvestības un dažādus burvju vārdus, iegaumēt maģijas atklājumu un goblinu sacelšanos datumus...

Apmēram nedēļu pirms eksāmeniem Harija apņemšanās neiejaukties lietās, kas neattiecas uz viņu pašu, piedzīvoja negaidītu pārbaudījumu. Kādu pēcpusdienu, vienatnē atgriezdamies no bibliotēkas, viņš dzirdēja, ka tuvākajā klasē kāds šņukst. Piegājis tuvāk, viņš saklausīja Drebeļa balsi.

— Nē, nē, tikai ne to, lūdzu...

Likās, ka Drebelim kāds draud. Harijs pievirzījās tuvāk.

— Labi, labi, — Drebelis šņukstēdams piekrita.

Nākamajā brīdī Drebelis, kārtodams savu turbānu, izmetās no klases. Viņa seja bija krīta bālumā un likās, profesors tūlīt sāks raudāt. Pasniedzējs aizsteidzās pa gaiteni un pazuda aiz stūra.

Harijam nelikās, ka Drebelis viņu ievēroja. Nogaidījis, līdz profesora soļi noklusa pavisam, Harijs ieskatījās klasē. Tā bija tukša, tikai durvis telpas otrā galā bija vaļā. Harijs jau devās uz pavērto durvju pusi, kad atcerējās savu apņemšanos neiejaukties.

Lai nu kā, viņš bija gatavs saderēt uz divpadsmit filozofu akmeņiem, ka pa šīm durvīm tikko izgājis Strups, un, spriežot pēc tikko dzirdētā, Strupa omai vajadzēja būt krietni labākai nekā iepriekš — likās, Drebelis beidzot padevies.

Harijs atgriezās bibliotēkā, kur Hermione pārbaudīja Rona astronomijas zināšanas. Harijs izstāstīja, ko bija dzirdējis.

— Ar to nu Strups būtu ticis galā! — noteica Rons. — Ja Drebelis viņam izstāstīja, kā atburt viņa lāstu...

— Paliek vēl Pūkainītis, — piebilda Hermione.

— Iespējams, Strups dabūjis zināt, kā tikt garām sunim, netincinot Hagridu, — sacīja Rons, aplaizdams skatienu ap telpu, kurā gar sienām stāvēja grāmatu tūkstoši. — Varu saderēt, ka šeit ir sējums, kurā pateikts, kā tikt garām milzīgam trīsgalvu sunim. Ko mēs darīsim, Harij?

Piedzīvojumu liesmiņa atkal zibēja Rona acīs, taču Hermione atbildēja pirms Harija.

— Ejam pie Dumidora. Tieši to mums vajadzēja darīt jau sākumā. Ja mēs mēģināsim kaut ko darīt paši, mūs tiešām izmetīs no skolas.

— Bet mums taču nav nekādu *pierādījumu*! — teica Harijs. — Drebelis ir pārāk nobijies, lai apstiprinātu mūsu stāstu. Strupam tikai jāpasaka, ka viņš nezina, kā Visu Svēto vakarā trollis iekļuva skolā, un ka tobrīd viņš nebija ne tuvumā ceturtā stāva gaitenim — kā jūs domājat, kam noticēs — viņam vai mums? Tas, ka mēs viņu neieredzam, nav nekāds noslēpums. Dumidors nodomātu, ka mēs visu esam izdomājuši, lai panāktu Strupa atlaišanu. Filčs mums nepalīdzēs, pat ja no tā būtu atkarīga viņa dzīvība, viņš ir pārāk labās attiecībās ar Strupu un uzskata — jo vairāk audzēkņu izslēdz no skolas, jo labāk. Un, neaizmirstiet, mums nemaz nav jāzina ne par akmeni, ne par Pūkainīti. Mums nāksies krietni ilgi skaidrot, kā mēs to uzzinājām.

Hermioni tas pārliecināja, bet Ronu — ne.

— Ja mēs vēl mazliet paurķētos...

— Nē, — Harijs kategoriski noteica, — mēs jau esam gana urķējušies.

Viņš pavilka uz savu pusi Jupitera karti un sāka atkārtot planētas pavadoņu vārdus.

* * *

Nākamajā rītā Harijs, Hermione un Nevils pie brokastu galda saņēma zīmītes. Tās visas bija vienādas:

Jūsu pēcstundu norīkojums notiks šovakar vienpadsmitos vakarā. Jums jāsatiek Filča kungs Ieejas zālē.

Prof. M. Maksūra

Trakumā, kas izcēlās pēc punktu zaudēšanas, Harijs bija pilnīgi piemirsis par pēcstundu norīkojumu. Viņš iedomājās, ka Hermione varētu iebilst, ka tā viņi zaudē veselu mācību nakti, tomēr viņa neteica ne vārda. Tāpat kā Harijs, viņa uzskatīja, ka saņem to, ko pelnījusi.

Tovakar pirms vienpadsmitiem viņi koptelpā atvadījās no Rona un kopā ar Nevilu devās uz Ieejas zāli. Tur jau gaidīja Filčs — un Malfojs. Harijs bija aizmirsis arī Drako piešķirto norīkojumu.

— Sekojiet man, — sacīja Filčs, aizdegdams lampu un izvezdams pārkāpējus no pils. — Nākamreiz jūs padomāsiet, pirms pārkāpt skolas noteikumus, ko? — viņš ņirgdams turpināja. — O, jā... smags darbs un sāpes, pēc manām domām, ir labākie skolotāji... Žēl gan, ka atmesti veco laiku sodi... piekārtu jūs aiz plaukstām pie griestiem uz pāris dienām, man vēl kabinetā ķēdes ir saglabājušās, es tās vienādiņ kārtīgi ieeļļoju, ja nu noder... Tā, ejam, un nemēģiniet aizbēgt, citādi būs vēl ļaunāk.

Viņi devās šķērsām pāri tumšajam pagalmam. Nevils nemitīgi šņaukājās. Harijs prātoja, kāds gan sods viņus sagaida. Tam bija jābūt kaut kam visai briesmīgam, ja reiz Filčs jutās tik pacilāti.

Spīdēja spožs mēness, taču mākoņi, kuri skrēja pāri debesīm, brīdi pa brīdim atstāja gājējus tumsā. Priekšā Harijs redzēja Hagrida būdas apgaismotos logus. Tad viņi izdzirda saucienu.

— Vai tas es tu, Filč? Pasteidzs, es grib sākt.

Harija sirds atdzīvojās — ja viņi darbosies kopā ar Hagridu, gan jau viss būs labi. Šis atvieglojums laikam nozibēja zēna sejā, jo Filčs tūlīt piebilda: — Liekas, tu iedomājies, ka kopā ar to stulbeni labi pavadīsiet laiku? Tavā vietā es nebūtu par to tik pārliecināts — jums būs jādodas Aizliegtajā mežā, un es esmu galīgs nejēga, ja jūs visi no turienes iznāksiet sveiki un veseli.

Pēc šiem vārdiem Nevils ievaidējās un Malfojs apstājās kā zemē iemiets.

— Mežā? — Drako pārjautāja, un viņa balss neskanēja tik pašpārliecināti kā parasti. — Mēs nevaram tur iet iekšā naktī... tur ir visādi radījumi... vilkači, esmu dzirdējis.

Nevils sagrāba Harija drānu piedurkni un norīstījās.

— Paši esat vainīgi, ko? — likās, Filčs tūlīt sāks smieties. — Vai tad nevajadzēja domāt par vilkačiem, kad pārkāpāt noteikumus?

No tumsas pretī viņiem platiem soļiem iznāca Hagrids, milzim pa pēdām sekoja Ilknis. Rokā viņš nesa pamatīgu stopu, bet plecā Hagridam karājās bultu maks.

— Tā kā būt laiks, — Hagrids sacīja. — Es gaid jau veselu pusstundu. Harij, Hermion, vai viss kārtībā?

— Es tavā vietā neizturētos pret viņiem tik laipni, — Filčs iejaucās. — Galu galā, viņi ir sodīti.

— Tad tāpēc tu nokavēj? — Hagrids jautāja, sarauktu pieri

paskatīdamies uz Filču. — Lekcijas lasīj, ko? Tas nav tavs darbs. Tu savu es padarījs, tagad pie darba ķers es.

— Es atgriezīšos rītausmā, — noteica Filčs, un tad indīgi piebilda, — pēc tā, kas būs palicis pāri no viņiem.

Tad sargs pagriezās un, lampai šūpojoties tumsā, devās atpakaļ uz pili.

Malfojs vērsās pie Hagrida.

— Es neiešu mežā, — viņš paziņoja, un Harijs ar prieku saklausīja panikas noti Drako balsī.

— Ies, ja grib palikt Cūkkārpā, — Hagrids dusmīgi noskaldīja. — Tu es pārkāps noteikumus, un tev tagad jāmaks par to.

— Bet tas ir jādara kalpiem, nevis audzēkņiem. Es domāju, ka mums būs jāpārraksta noteikumi vai kas tamlīdzīgs. Ja mans tēvs uzzinātu, ar ko es te nodarbojos, viņš...

— ...pateikt tev, ka tāda ir Cūkkārpas kārtība, — Hagrids noņurdēja. — Pārrakstīt noteikumus! Kāds no tā labums? Tu darīs ko noderīgu, vai tevi izslēgs no skols. Ja tu dom, ka tēvs drīzāk grib, lai tevi izslēdz, var iet atpakaļ uz pili un krāmt mantas. Ej!

Malfojs nepakustējās. Brīdi nikni skatījies uz Hagridu, viņš novērsās.

— Labi, — sacīja Hagrids, — tagad klausiets uzmanīgi, ko teikš, jo tas, ko mēs šonakt darīs, ir bīstami, un es negrib, lai kāds risk, kur nevajag. Panāk šurp uz brīdi.

Viņš aizveda pārkāpējus līdz pašai meža malai. Augstu pacēlis lampu, viņš norādīja uz šauru, līkumotu taciņu, kas pagaisa starp tumšajiem, resnajiem kokiem. No meža puses vilka viegla vēsma un sabužināja viņu matus.

— Rau, tur, — turpināja Hagrids, — vai redzt, kā tur uz zemes spīd? Tos sudrabainos lāsumus? Tās ir vienradža asinis. Kaut kur ir vienradzis, ko kāds smagi savainojs. Jau otrreiz pa šo nedēļu. Es atrad vienu pagalam pagājušajā trešdienā. Mēs mēģinās atrast nabaga radījumu. Varbūt mums vajadzs pārtraukt viņa ciešanas.

— Un ko tad, ja tas, kas savainoja vienradzi, atrod mūs pirmais? — jautāja Malfojs, nespēdams balsī apslāpēt bailes.

— Neviena dzīva radība, kas mīt mežā, neaiztiks tevi, ja būs kopā ar mani vai Ilkni, — teica Hagrids. — Un turs pie tās takas. Tagad mēs sadalīsims divās grupās un ies uz dažādām pusēm. Asinis ir visapkārt, dzīvnieks laikam daudz streipuļojs, vismaz no pagāšās nakts.

— Es iešu ar Ilkni, — aši pieteicās Malfojs, novērtēdams suņa garos zobus.

— Labi, es tik tevi brīdin, viņš ir gļēvulis, — sacīja Hagrids. — Tā, es, Harijs un Hermione ies pa vienu atzaru, bet jūs — Drako, Nevils un Ilknis — pa otru. Ja kāds uziet vienradzi, tas sūt gaisā zaļas dzirksteles, labi? Ņemit savus zižļus tagad, izmēģināsm — tā, un, ja kāds tiek nelaimē, tas sūt sarkanas, mēs visi steigsims to meklēt. Tā, est uzmanīgi — aiziet.

Mežs bija tumšs un kluss. Drīz vien viņi nonāca līdz vietai, kur taka sadalījās. Harijs, Hermione un Hagrids nogriezās pa kreisi, bet Malfojs, Nevils un Ilknis — pa labi.

Viņi gāja klusējot, acis pievērsuši zemei. Brīdi pa brīdim kāds mēnesstars izlauzās cauri lapotnei, un uz kritušajām lapām iezaigojās sudraboti zilo asiņu lāsums.

Harijs redzēja, ka Hagrids ir ne pa jokam noraizējies.

— Vai vilkatis *spētu* nonāvēt vienradzi? — Harijs vaicāja.

— Par lēnu, — atbildēja Hagrids. — Vienradzi noķert nemaz nav viegli, tās ir varenas maģiskas būtnes. Nekad iepriekš nebij redzējs, ka tos ievaino.

Viņi pagāja garām sūnām apaugušam koka stumbenim. Harijs varēja saklausīt tekoša ūdens troksni. Tepat kaut kur tuvumā vajadzēja būt upītei. Līkloču takas malās šur un tur varēja redzēt vienradža asins lāmas.

— Vai viss kārtībā, Hermion? — Hagrids čukstus jautāja. — Neuztraucs, tas nevar būt aizgājs tālu, ja tik stipri ievainots, un tad mēs varēs — SLĒPS AIZ KOKA!

Hagrids sagrāba Hariju un Hermioni un, norāvis no takas, paslēpa aiz varena ozola. Milzis izvilka bultu un ielika to stopā, tad pacēla ieroci, gatavs šaut. Visi trīs ieklausījās. Kaut kas slīdēja pāri pērnajām lapām tepat netālu, likās, tas varēja būt apmetnis, kas vilkās pa zemi. Hagrids urbās ar acīm tumsā, bet vēl pēc pāris mirkļiem skaņa pagaisa.

— Es to zināj, — Hagrids nomurmināja. — Te ir kauč kas, kam te nevajdzēt būt.

— Vilkatis? — Harijs ieminējās.

— Tas nebij vilkatis, un tas nebija arī vienradzis, — drūmi novilka milzis. — Tā, sekojt man, bet tagad uzmanīgi.

Viņi virzījās uz priekšu lēnāk, pūlēdamies uztvert sīkāko troksnīti. Pēkšņi klajumā kādu gabaliņu tālāk kaut kas sakustējās.

— Kas tur ir? — uzsauca Hagrids. — Parādis — esm bruņots.

Kas tur iznāca klajumā — cilvēks vai zirgs? Līdz viduklim — cilvēks ar rudiem matiem un bārdu, bet zemāk varēja redzēt zirga kastaņbrūno ķermeni ar garu, sarkanīgu asti. Harijam un Hermionei no pārsteiguma mute palika vaļā.

— Ak, tas es tu, Ronan, — atviegloti uzelpoja Hagrids. — Kā klājs?

Milzis pagājās uz priekšu un paspieda kentaura roku.

— Labvakar, Hagrid, — sveicienu atņēma Ronans. Viņam bija dobja, skumja balss. — Vai tu taisījies šaut uz mani?

— Mums jāuzmans, Ronan, — sacīja Hagrids, paplikšķinot pa stopu. — Mežā klīst kas nelāgs. Šis ir Harijs Poters un šī — Hermione Grendžera, starp citu. Audzēkņi no skolas. Un šis ir Ronans. Viņš ir kentaurs.

— Mēs to pamanījām, — vārgi noteica Hermione.

— Labvakar, — sacīja Ronans. — Tad jūs būtu audzēkņi? Un vai jūs tur, skolā, daudz ko apgūstat?

— Ēē...

— Šo to, — pieticīgi atbildēja Hermione.

— Šo to. Labi, tas jau ir kaut kas. — Ronans nopūtās. Viņš atmeta galvu un paskatījās debesīs. — Šonakt Marss ir ļoti spožs.

— Jā, — piekrita Hagrids, arī paskatīdamies uz augšu. — Klau, es priecājs, ka mēs satik tevi, Ronan, jo te vienradzis ir ievainots — vai es ko redzējs?

Ronans neatbildēja tūlīt. Viņš, acis nemirkšķinot, vērās aug-šup, tad atkal nopūtās.

— Vienmēr nevainīgie cieš pirmie, — viņš sacīja. — Tā tas ir bijis senatnē, tā tas ir tagad.

— Jā, — Hagrids teica, — bet vai tu, Ronan, es kauč ko redzējs? Kauč ko neparastu?

— Šonakt Marss ir ļoti spožs, — Ronans vēlreiz atkārtoja, kamēr Hagrids nepacietīgi vēroja kentauru. — Neparasti spožs.

— Jā, bet es tev vaicāj par neparasto tuvāk zemei, — Hagrids uzstāja. — Tad tu nees redzējs neko dīvainu?

Pirms atbildēt, Ronans atkal brīdi klusēja. Beidzot kentaurs ierunājās: — Mežs glabā daudzus noslēpumus.

Kustība starp kokiem Ronanam aiz muguras lika Hagridam vēlreiz pacelt stopu, bet arī tas bija kentaurs, melniem matiem un ķermeni. Viņš izskatījās mežonīgāks nekā Ronans.

— Sveiks, Bein, — sveicināja Hagrids. — Viss kārtībā?

— Labvakar, Hagrid, es ceru, ka tev klājas labi.

— Gana labi. Klau, es te tieši vaicāj Ronanam, vai nees manījuš ko neparastu pēdējā laikā te, mežā? Redz, vienradzis ievainots — vai tu par to neko nezin?

Beins pagājās uz priekšu un nostājās līdzās Ronanam. Arī jaunpienācējs palūkojās debesīs.

— Šonakt Marss ir ļoti spožs, — viņš vienkārši noteica.

— To mēs jau dzirdējm, — drūvīgi noteica Hagrids. — Labi, ja kāds no jums ko man, dodit man ziņu, labi? Mēs nu ies.

Harijs un Hermione, ejot cieši nopakaļ Hagridam, izgāja no klajuma. Viņi pa brīdim pameta skatu atpakaļ uz Ronanu un Beinu, līdz kentaurus aizsedza koki.

— Nekad, — aizkaitināts sacīja Hagrids, — nemēģin dabūt tiešu atbildi no kentaura. Nolāpītie zvaigznēs blenzēji. Šos neinteres nekas, kas atrods tuvāk par Mēnesi.

— Vai *viņu* mežā ir daudz? — jautāja Hermione.

— Krietns pulciņš... Turs savrup, bet parasti parāds, ja man ko vajag teikt. Viņi ir gudri, kentauri, to atceris... viņi daudz ko zin... tik nesak.

— Vai tu domā, ka tas, ko mēs dzirdējām iepriekš, bija kentaurs? — vaicāja Harijs.

— Vai tev tas izklausījs pēc pakaviem? Nē, ja tu man jaut, es teikt, ka tas bij tas, kas bend vienradžus — nekad iepriekš neko tādu nebij dzirdējs.

Viņi gāja tālāk starp cieši saaugušajiem, melnajiem kokiem. Harijs ik pa brīdim nervozi atskatījās pāri plecam. Viņu nepameta nelāga sajūta, ka viņus kāds vēro. Zēns nopriecājās, ka tepat ir Hagrids ar savu stopu. Taka vēlreiz pagriezās, bet tad pēkšņi Hermione satvēra Hagrida roku.

— Hagrid, skaties! Sarkanās dzirksteles, mūsējie ir briesmās!

— Gaidit abi šeit! — Hagrids uzsauca. — Paliecit uz takas, es tūlīt būš atpakaļ!

Harijs un Hermione dzirdēja, kā Hagrids laužas cauri brikšņiem, bērni pārbijušies saskatījās, bet drīz vien visi trokšņi, izņemot lapu čabēšanu, noklusa.

— Kā tu domā, vai kāds no viņiem ir ievainots? — čukstus jautāja Hermione.

— Par Malfoju man maza bēda, bet ja kas noticis ar Nevilu... Tā, galu galā, ir mūsu vaina, ka viņš atrodas šeit.

Minūtes vilkās bezgalīgi lēni. Ausis, likās, uztvēra vismazāko troksnīti. Harijam šķita, ka viņš saklausa katru vēja nopūtu, katru čīkstošo zariņu. Kas bija noticis? Kur kavējās pārējie?

Beidzot smagi soļi pavēstīja, ka atgriežas Hagrids. Kopā ar viņu nāca arī Malfojs, Nevils un Ilknis. Hagrids bija pārskaities. Cik varēja noprast, Malfojs bija piezadzies Nevilam no muguras un, gribēdams pajokot, nabagu sagrābis. Nevils savukārt kritis panikā un raidījis debesīs dzirksteļu šalti.

— Pēc jūsu sacelt jandāliņa nez vai mums izdosis kauč ko atrast. Tā, mēs pamainīsims — Nevil, tu paliks ar mani un Hermioni, bet tu, Harij, ej kopā ar Ilkni un to idiotu. Piedod, — Hagrids pačukstēja Harijam, — bet tevi viņam būs grūtāk sabaidīt, un mums šī lieta jānodar līdz galam.

Tā nu Harijs devās meža biezoknī kopā ar Malfoju un Ilkni. Gandrīz veselu stundu viņi gāja dziļāk un dziļāk mežā, līdz taka gandrīz pilnīgi izzuda starp kokiem. Harijam likās, ka šeit asiņu ir vairāk. Paliela lāma klāja koka saknes, it kā te nabaga radījums būtu mētājies sāpēs. Mazliet tālāk, cauri mūžveca ozola mezglainajiem zariem, Harijs pamanīja klajumu.

— Skaties... — viņš nomurmināja, paceldams roku, lai apturētu Malfoju.

Zemē gulēja kaut kas spoži balts. Viņi sāka virzīties uz to pusi.

Tas tiešām bija vienradzis, taču jau miris. Harijs nekad iepriekš nebija redzējis neko tik skaistu un tik skumju. Dzīvnieka garās, slaidās kājas, tam krītot, bija sastingušas dīvainos leņķos, un tā krēpju pērļainais baltums klājās pāri tumšajām lapām.

Harijs paspēra vēl vienu soli uz priekšu, bet tajā brīdī atskanēja švīkstoņa, kas lika viņam sastingt uz vietas. Krūms klajuma malā sašūpojās... Un tad no biezokņa ēnas kā laupījumam uzglūnošs plēsoņa zaglīgi izslīdēja siluets, kura seju sedza kapuce. Harijs, Malfojs un Ilknis nespēja pakustēties. Piegājis pie vienradža, apmetnī tērptais stāvs pieliecās pie dzīvnieka brūcēm un sāka dzert tā asinis.

— ĀĀĀĀĀĀ!

No Malfoja lūpām izlauzās drausmīgs kliedziens. Viņš metās projām — kopā ar Ilkni. Kapuces slēptā galva pacēlās un paskatījās tiešu uz Hariju — zēns redzēja, kā vienradža asinis vēl pil no neredzamajām lūpām. Neradījums piecēlās stāvus un strauji devās uz Harija pusi — taču bailes neļāva zēnam pat pakustēties.

Tad viņa galvu pāršķēla nekad agrāk neizjustas sāpes, likās, ka rēta būtu aizdegusies — pa pusei zaudējis redzi, viņš pastreipuļoja pāris soļu atpakaļ. Tad aiz muguras atskanēja auļojošu pakavu dipoņa, kaut kas pārlēca zēnam pāri un metās virsū baismajam stāvam.

Sāpes pierē bija tik briesmīgas, ka Harijs saļima ceļos. Pagāja minūte vai pat divas, līdz tās kaut cik pierima. Kad viņš pacēla galvu, stāvu vairs nekur nemanīja. Blakus zēnam stāvēja kentaurs. Tas nebija ne Ronans, ne Beins; šis kentaurs izskatījās jaunāks, viņam bija gaiši mati un zeltains ķermenis.

— Vai ar jums viss kārtībā? — vaicāja kentaurs, palīdzēdams Harijam piecelties.

— Jā, paldies — kas tas *bija*?

Kentaurs neatbildēja. Viņam bija satriecoši zilas acis, kas atgādināja blāvus safīrus. Viņš uzmanīgi paskatījās uz Hariju, gaišais skatiens brīdi pakavējās pie piesarkušās rētas zēna pierē.

— Jūs esat jaunais Poters, — kentaurs sacīja. — Jums labāk doties atpakaļ pie Hagrida. Šobrīd mežā nav droši — jo īpaši jums. Vai spēsiet noturēties man mugurā? Tā būs ātrāk.

— Mani sauc Firencī, — viņš piebilda, saliekdams priekškājas ceļos, lai Harijs varētu uzrāpties viņam mugurā.

Pēkšņi arī klajuma otrā malā varēja saklausīt pakavu dunoņu. Cauri kokiem klajumā ieauļoja Ronans un Beins, abu vecāko kentauru sāni smagi cilājās un spīdēja no sviedriem.

— Firencī! — nodimdēja Beina balss. — Ko tu dari? Tev mugurā ir cilvēks! Vai tev nemaz nav kauna? Vai tu esi parasts mūlis?

— Vai jūs maz saprotat, kas viņš ir? — jautāja Firencī. — Tas ir jaunais Poters. Jo ātrāk viņš tiks ārā no meža, jo labāk.

— Ko tu viņam izstāstīji? — ierūcās Beins. — Atceries, Firencī, mēs esam zvērējuši nesacelties pret debesīm. Vai tad tu nelasīji planētu stāvoklī, kam ir jānāk?

Ronans nemierīgi kārpīja zemi.

— Esmu pārliecināts, ka Firencī rīkojās, labāko nodomu vadīts, — viņš drūmi noteica.

Beins dusmās uzspēra gaisā zemes.

— Labākie nodomi! Kāda gan mums gar to daļa? Kentauriem svarīgs ir tikai pareģotais! Mūsu uzdevums nav kā ēzelīšiem skraidīt apkārt, lai ganītu cilvēkus, kas nomaldījušies mūsu mežā!

Pēkšņi arī Firencī neizturēja un dusmās saslējās pakaļkājās, tā ka Harijam nācās pieķerties kentauram pie pleciem, lai nenokristu.

— Vai tu redzēji vienradzi? — Firencī uzkliedza Beinam. — Vai tad tu nesaproti, kāpēc to nogalināja? Vai varbūt šo noslēpumu planētas tev neatklāja? Es stāšos pretī tam, kas ložņā pa mežu, Bein, un, jā, ja būs nepieciešams, cīnīšos kopā ar cilvēkiem.

Firencī apcirtās un aizaulekšoja mežā. Harijs turējās pie kentaura, kā nu prata. Ronans un Beins palika aiz muguras.

Harijam nebija ne mazākās nojausmas, kas te notiek.

— Kāpēc Beins tā dusmojās? — zēns vaicāja. — Un no kā jūs mani izglābāt?

Firencī pārgāja uz soļiem, brīdināja Hariju, lai turot galvu pieliektu, sak, viegli atsisties pret zemu nolīkušiem zariem, bet uz jautājumu neatbildēja. Viņi virzījās uz priekšu, nepārmijot ne vārda, ka Harijs jau nosprieda — kentaurs nevēlas sarunāties.

Kad viņi lauzās cauri īpaši cieši saaugušu koku pudurim, Firencī pēkšņi apstājās.

— Harij Poter, vai jūs zināt, kam izmanto vienradža asinis?

— Nē, — atbildēja Harijs, neparastā jautājuma pārsteigts. — Mikstūru stundās mēs mācāmies izmantot tikai ragu un astrus.

— Jūs to nezināt tāpēc, ka nogalināt vienradzi var tikai briesmonis, — turpināja Firencī. — Tikai tāds, kam nav vairs ko zaudēt un kurš visu var iegūt, ir spējīgs uz šādu noziegumu. Vienradža asinis uztur pie dzīvības, pat to, kurš ir tikai mata tiesu no nāves. Tiesa, cena ir briesmīga. Ja tu nogalini ko tīru un neaizsargātu, lai glābtu pats sevi, tu dzīvo pusdzīvi, nolādētu dzīvi kopš tā brīža, kad upura asinis pieskaras tavām lūpām.

Harijs klusēja, piekalis acis Firencī pakausim, kas sudrabaini zaigoja mēnessgaismā.

— Bet kurš gan ir tik neprātīgs? — zēns skaļi prātoja. — Ja tu sev uz mūžu mūžiem uzkrauj lāsta nastu, vai tad nāve nav labāka?

— Protams, ir, — Firencī piekrita, — ja vien viss, kas šim radījumam nepieciešams, nav izvilkt līdz brīdim, kad tas varēs iedzert ko citu, citu, kas tam atgrieztu spēkus un varu, ko citu, kas ļautu tam nekad nemirt. Potera kungs, vai jūs zināt, kas pašlaik ir paslēpts skolā?

— Filozofu akmens! Protams... Dzīvības eliksīrs! Taču es nesaprotu, kurš gan?...

— Vai jūs nespējat iedomāties nevienu, kurš gaidījis vairākus gadus, lai atgūtu savu iepriekšējo varenību, kurš izmisīgi turējies pie dzīvības, gaidot savu iespēju?

Harijam likās, ka viņa sirdi sažņaudz dzelzs roka. Pāri koku čaboņai viņš vēlreiz izdzirda vārdus, ko pirmajā naktī tika bildis Hagrids: "Daži apgalvo, ka viņš nomira. Ja tu jautā man doms — pīlītes. Nezin, vai viņā bij atlics tik daudz cilvēka, lai viņš nomirtu."

— Vai jūs domājat, — Harijam izkalta mute, — ka tas bija *Vol...*

— Harij! Harij, vai ar tevi viss kārtībā?

Pa taciņu viņiem pretī skrēja Hermione, bet Hagrids elsa meitenei turpat aiz muguras.

— Kārtībā, — atteica Harijs, īsti vēl neapjēgdams, ko runā. — Hagrid, vienradzis ir pagalam, mēs to atradām klajumā tur, dziļāk mežā.

— Te es jūs atstāju, — Firencī nomurmināja, kamēr Hagrids aizsteidzās apskatīt vienradzi. — Tagad jūs esat drošībā.

Harijs noslīdēja no kentaura muguras.

— Lai jums veicas, Harij Poter, — novēlēja Firencī. — Planētu kustības arī agrāk skaidrotas kļūdaini, un pat kentauriem nav bijusi taisnība. Ceru, ka šī ir viena no tādām reizēm.

Viņš pagriezās un aizrikšoja atpakaļ meža dzīlēs, atstādams trīcošo Hariju kopā ar viņa draugiem.

* * *

Gaidīdams draugu atgriešanos, Rons bija aizmidzis tumšajā koptelpā. Kad Harijs nepacietīgi sapurināja viņa plecu, Rons sāka kliegt kaut ko par kalambola sodiem, bet pirmie Harija pateiktie vārdi kā ledaina ūdens šalts viņu tūlīt pamodināja. Harijs izstāstīja Ronam un Hermionei, ko bija piedzīvojis mežā.

Harijs nespēja nosēdēt. Viņš soļoja turpu šurpu gar pavardu. Viņš vēl arvien drebēja.

— Strups grib iegūt akmeni, lai nodotu no Voldemortam... un Voldemorts gaida mežā... un visu šo laiku mēs uzskatījām, ka Strups tikai vēlas kļūt bagāts...

— Beidz daudzināt to vārdu! — nočukstēja šausmu pārņemtais Rons, it kā baidītos, ka Voldemorts viņus izdzirdēs.

Harijs neklausījās.

— Firencī mani izglāba, tomēr viņam neesot vajadzējis to darīt... Beins ārdījās kā negudrs... viņš runāja par iejaukšanos planētu vēstītajā... Tās acīmredzot norāda uz Voldemorta atgriešanos... Beins uzskatīja, ka Firencī vajadzēja ļaut, lai Voldemorts mani nogalina... Jādomā, ka arī tas ir ierakstīts zvaigznēs.

— *Vai tu pārstāsi saukt viņu vārdā?* — nošņācās Rons.

— Tagad mums atliek vien gaidīt, līdz Strups nozags akmeni, — Harijs kā drudzī turpināja, — tad Voldemorts spēs atgriezties un piebeigt mani... Šķiet, tad gan Beins būtu laimīgs.

Hermione izskatījās nobijusies, bet viņai vismaz atradās kāds uzmundrinošs vārds.

— Harij, visi vienā balsī apgalvo, ka Dumidors ir vienīgais, no kā Paši-Zināt-Kas jelkad baidījies. Kamēr Dumidors atrodas šeit, Paši-Zināt-Kas tev nepiedurs ne pirkstiņa. Un kurš gan teica, ka kentauriem ir taisnība? Man tas izklausās pēc pareģošanas, un profesore Maksūra apgalvo, ka tā esot ļoti neprecīza maģijas joma.

Viņi vēl nebija beiguši runāt, kad debesīs sāka aust jauna diena. Viņi devās pie miera pārguruši, sūrstošiem kakliem. Tomēr nakts pārsteigumi vēl nebija galā.

Kad Harijs atsedza gultu, viņš ieraudzīja savu Paslēpni — glīti salocīts, tas gulēja starp palagiem. Pie apmetņa bija piesprausta zīmīte ar vārdiem:

Ja nu kas.

SEŠPADSMITĀ NODAĻA

CAURI LŪKAI

Vēlākajos gados Harijs īsti nesaprata, kā viņam tovasar izdevās tikt galā ar eksāmeniem, kaut gan viņš visu laiku gaidīja, ka kuru katru brīdi viņam var uzbrukt Voldemorts. Tomēr dienas ritēja, un viņi katru rītu pārliecinājās, ka Pūkainītis vēl ir sveiks un vesels aiz cieši noslēgtajām durvīm.

Bija cepinoši karsts, to īpaši juta lielajā klasē, kur viņi lika rakstiskos eksāmenus. Uz eksāmeniem visiem audzēkņiem izsniedza jaunas, īpašas spalvas, kas bija apvārdotas pret špikošanu.

Bez rakstiskajiem bija arī praktiskie eksāmeni. Profesors Zibiņš sauca audzēkņus citu pēc cita klasē, lai redzētu, vai viņi spēj panākt, ka ananass dejo stepu. Profesore Maksūra vēroja, kā viņi pārvērš peli par tabakdozi, — papildpunktus saņēma audzēkņi, kuru tabakdozēm bija glīti rotājumi, bet, ja tabakdozei bija ūsas, atzīme bija zemāka. Strups galīgi sabeidza visiem nervus, lūrēdams pāri plecam, kamēr viņi centās atcerēties, kā pagatavot aizmiršanas mikstūru.

Harijs centās, cik spēja, pūlēdamies neievērot dzelošās sāpes pierē. Tās viņu mocīja kopš gājiena uz Aizliegto mežu. Harijs naktīs nespēja aizmigt, tāpēc Nevils uzskatīja, ka draugs nervozē

eksāmenu dēļ. Īstenībā Hariju mocīja vecie lietuvēni — tikai šo-
reiz tie bija negantāki, jo murgos asinis tecināja apmetnī tērptais
stāvs.

Ronu un Hermioni akmens liktenis tik ļoti nesatrauca — var-
būt tāpēc, ka viņi neredzēja to, ko mežā redzēja Harijs, varbūt tā-
pēc, ka viņiem pierē nedega rēta. Doma par Voldemortu abus
noteikti šausmināja, tomēr sapņos pie viņiem briesmonis nenāca,
un tāpēc viņu prātus vairāk nodarbināja atkārtošana, nevis bažas
par to, ko bija iecerējis Strups vai vēl kāds cits.

Beidzamais eksāmens bija paredzēts maģijas vēsturē. Vēl tikai
viena stunda, kuras laikā viņiem vajadzēs atbildēt uz jautājumiem
par mazliet jukušiem veco laiku burvjiem, kuri izgudroja pašmai-
sošus katlus — un viņi būs brīvi, brīvi uz veselu brīnišķīgu nedēļu,
kuras beigās paziņos eksāmenu rezultātus. Kad profesora Bija rēgs
norādīja visiem nolikt spalvas un saritināt pergamentus, Harijs
nespēja savaldīties, neuzgavilējis kopā ar pārējiem.

— Jautājumi bija daudz vieglāki, nekā es gaidīju, — klāstīja
Hermione, kad draugi pievienojās pūlīšiem, kuri devās saules
pielietajā pagalmā, lai izbaudītu vasaras jaukumus. — Man nemaz
nevajadzēja mācīties par 1637. gada Vilkaču uzvedības kodeksu
vai Elfrika Aizrautīgā sacelšanos.

Hermionei, kā vienmēr, kārojās pēc eksāmena apspriest uz-
dotos jautājumus un pareizos atbilžu variantus, bet Rons pazi-
ņoja, ka viņam no tā metoties slikta dūša, tāpēc viņi aizklīda līdz
ezeram un nometās koka pavēnī. Dvīņubrāļi Vīzliji un Lī Džor-
dans bikstīja pamatīgu kalmāru, kas bija iepeldējis seklumā pa-
sildīties.

— Nekas vairs nav jāatkārto, — laimīgi nopūtās Rons, iz-
stiepdamies zālē. — Tu, Harij, varētu izskatīties arī mazliet
priecīgāks — mums ir vesela nedēļa laika, pirms uzzināsim, cik
draņķīgi mums ir gājis, vēl ir par agru bēdāties.

Harijs berzēja pieri.

— Kaut es zinātu, ko tas *nozīmē*! — viņš nikni izsaucās.

— Rēta sāp un sāp — arī agrāk tā ir bijis, tomēr ne tik bieži kā tagad.

— Aizej pie Pomfreja madāmas, — ieteica Hermione.

— Es neesmu slims, — Harijs papurināja galvu. — Es domāju, ka tas ir brīdinājums... tas nozīmē, ka tuvojas briesmas...

Rons nespēja aizdegties, jau tā bija pārāk karsts.

— Harij, rimsties, Hermionei taisnība — akmens ir drošībā, kamēr tuvumā ir Dumidors. Galu galā, mums taču nav nekādu liecību, ka Strups būtu uzzinājis, kā tikt garām Pūkainītim. Viņam jau vienreiz gandrīz nokoda kāju, viņš pa galvu, pa kaklu vēlreiz tur nebāzīsies. Un Nevils spēlēs Anglijas kalambola izlasē, pirms Hagrids pievils Dumidoru.

Harijs piekrītoši pamāja, tomēr nespēja tikt vaļā no sajūtas, ka ir aizmirsis izdarīt kaut ko svarīgu. Kad viņš mēģināja šo sajūtu izskaidrot, Hermione sacīja: — Droši vien vainīgi eksāmeni. Vēl vakar naktī es pamodos un sāku pārlasīt pārvēršanas piezīmes, bet tikai pēc krietna laiciņa aptvēru, ka šo eksāmenu mēs jau esam nokārtojuši.

Tomēr Harijs bija cieši pārliecināts, ka nemieram nav nekādas saistības ar mācībām. Viņš vēroja, kā uz skolas pusi lidoja pūce ar zīmīti knābī. Hagrids bija vienīgais, kurš viņam sūtīja vēstules. Hagrids nekad nenodotu Dumidoru. Hagrids nekad nevienam nestāstītu, kā tikt garām Pūkainītim... nekad... taču...

Harijs pēkšņi pielēca kājās.

— Kur tu skriesi? — Rons miegaini vaicāja.

— Man kaut kas iešāvās prātā, — teica Harijs. Viņš bija nobālējis. — Mums tūlīt jāiet pie Hagrida.

— Kāpēc? — elsoja Hermione, cenzdamās neatpalikt.

— Vai tā jums nešķiet dīvaina sakritība, — Harijs vaicāja draugiem, rāpdamies augšup pa zāles klāto nogāzi, — ka Hagrids vairāk par visu vēlas tikt pie pūķa — un pēkšņi uzrodas svešinieks, kuram, starp citu, kabatā gadās pūķa ola? Cik gan ir tādu cilvēku, kuri klīst pa pasauli ar pūķa olu kabatā, ja reiz tas ir pret burvju likumiem? Labi, ka viņam ceļā gadījās Hagrids, kā jums šķiet? Kāpēc gan man tas neienāca prātā agrāk?

— Par ko tu runā? — nesaprata Rons, bet Harijs neatbildēja, viņš steidzās uz būdiņu meža malā.

Hagrids sēdēja krēslā pie mājas. Uzrotījis bikšu staras un krekla piedurknes, viņš lielā bļodā lobīja zirņus.

— Sveiki, — viņš smaidīdams uzsauca. — Eksāmeni galā? Vai ir mirklītis laika iedzert tēju?

— Ir gan, — atbildēja Rons, bet Harijs viņu pārtrauca.

— Nē, mēs steidzamies. Hagrid, es gribēju pajautāt tev vienu lietu. Vai atceries nakti, kad tu vinnēji Norbertu? Kā izskatījās svešinieks, ar kuru tu spēlēji kārtis?

— Nezin, — nevērīgi attrauca Hagrids, — viņš nenovilk savu apmetni.

Ieraudzījis trijotnes izbrīnītos skatienus, milzis samulsa.

— Tas nav nekas neparasts, "Vepra galvā" — tā sauc ciematiņa krog — ieklīst daudz dīvainu ļaužu. Varbūt bij pūķu tirgotājs, kas to zin? Es neredzēj viņa seju, viņš nenoņēm savu kapuci.

Harijs apsēdās līdzās zirņu bļodai.

— Par ko jūs ar viņu runājāt, Hagrid? Vai tu pieminēji Cūk-kārpu?

— Varbūt pieminēj, — noteica Hagrids, raukdams pieri un pūlēdamies atcerēties tāsnakts sarunu. — Jā... viņš jautāj, ko es dar, un es pasacīj, ka pārzin te šo un to... viņš vaicāj, kādus dzīvniekus es kopj... nu, es ar pastāstīj... un vēl teic, ka vienmēr esm gribējs pūķīti... un tad... es īsti neatcers, jo viņš visu laiku man uzsauc... Pagaid... jā, tad viņš sacīj, ka šim est pūķa ola, uz kuru viņš varēt uzspēlēt kārtis, ja es gribēt... taču viņš gribēj zināt, vai es spēš ar šo tikt galā, viņš negribēj, lai ola nokļūst nejaušās rokās... Tad es pa-teic viņam, ka pēc Pūkainīša man ar pūķi nebūs nekādu raižu...

— Un, kā tev liekas, vai viņu Pūkainītis interesēja? — Harijs jautāja, cenzdamies, lai uztraukums neiezagtos balsī.

— Nu — jā, cik bieži tad gads uzzināt par trīsgalvainu suni, pat Cūkkārpā? Tā nu es viņam izstāstīj, ka Pūkainītis top par tīro jēriņu, ja zin, kā šo nomierināt, tik jāuzspēl šim kāda meldija, un šis tūlīt aizmieg...

Pēkšņi Hagridu pārņēma šausmas.

— Es nedrīkstēj jums to stāstīt! — viņš izsaucās. — Aizmirst, ka es to teic! Ej, kurp jūs skrien?

Harijs, Rons un Hermione nepārmija ne vārda, līdz nonāca Ieejas zālē, kur pēc saules pielietā pagalma likās ļoti auksti un nemīlīgi.

— Mums jādodas pie Dumidora, — teica Harijs. — Hagrids izstāstīja svešiniekam, kā tikt garām Pūkainītim, un zem apmetņa slēpās vai nu Strups, vai arī pats Voldemorts. Ja reiz viņam izdevās piedzirdīt Hagridu, tad īpaši grūti tam vairs nevajadzēja būt. Es tikai ceru, ka Dumidors mums noticēs. Firencī varētu apstiprināt mūsu stāstu, ja vien Beins viņam to neliegs. Kur ir Dumidora kabinets?

Viņi palūkojās visapkārt, it kā cerēdami ieraudzīt zīmi, kas norādītu pareizo virzienu. Neviens nekad nebija pieminējis, kur dzīvo Dumidors, un viņi nezināja nevienu, kas kādreiz būtu sūtīts pie profesora.

— Mums nāksies... — sāka Harijs, bet tad pāri zālei noskanēja spalga balss.

— Ko jūs trīs darāt te iekšā?

Tā bija profesore Maksūra, kas nesa pamatīgu grāmatu kaudzi.

— Mēs gribējām satikt profesoru Dumidoru, — diezgan drosmīgi, Rona un Harija prāt, atbildēja Hermione.

— Satikt profesoru Dumidoru? — profesore Maksūra pārvaicāja, it kā tas būtu kaut kas aizdomīgs. — Kāpēc?

Harijs apmulsa — kā tagad rīkoties?

— Tas ir neliels noslēpums, — viņš sacīja, bet uzreiz saprata, ka nevajadzēja tā teikt, jo profesores Maksūras nāsis dusmīgi noraustījās.

— Pirms desmit minūtēm profesors Dumidors devās uz Londonu, — pasniedzēja ledainā balsī paziņoja. — Viņš saņēma steidzamu pūci no Burvestību ministrijas un nekavējoties aizlidoja.

— Viņš ir *projām?* — Harijs izmisis pārvaicāja. — *Tagad?*

— Profesors Dumidors, Poter, ir ļoti izcils burvis, un viņa padomu meklē daudzi...

— Šis bija svarīgs jautājums.

— Tas, ko tu, Poter, vēlies paziņot, ir svarīgāks par Burvestību ministriju?

— Redziet, — teica Harijs, mezdams piesardzību pie malas. — Profesore, runa ir par filozofu akmeni...

Lai nu ko, bet šos vārdus profesore Maksūra nebija gaidījusi. Pasniedzējas nestās grāmatas nokrita uz grīdas, bet viņa pat nepakustējās, lai tās paceltu.

— Kā jūs zināt? — viņa izstostīja.

— Profesore, es domāju... es *zinu*... ka Sn... ka filozofu akmeni kāds mēģinās nolaupīt. Man ir jārunā ar profesoru Dumidoru.

Pasniedzējas skatienā jaucās šoks un aizdomas.

— Profesors Dumidors atgriezīsies rīt, — viņa beidzot sacīja. — Es nezinu, kā jūs uzzinājāt par akmeni, bet par pārējo es esmu droša, to nav iespējams nolaupīt, tas ir pārāk labi aizsargāts.

— Bet profesore...

— Poter, es zinu, par ko runāju, — viņa noskaldīja. Pasniedzēja pieliecās, lai paceltu nokritušās grāmatas. — Es jums ieteiktu doties ārā un baudīt sauli.

Tomēr draugi nepaklausīja profesores padomam.

— Tas notiks šonakt, — sacīja Harijs, kad viņi bija pārliecinājušies, ka profesore Maksūra viņus vairs nedzird. — Šonakt Strups dosies cauri lūkai. Viņš ir atklājis visu, kas nepieciešams, turklāt tagad viņš dabūjis arī Dumidoru nost no ceļa. Viņš ir sūtījis vēstuli, varu derēt, ka Burvestību ministrijā visi būs pārsteigti par Dumidora ierašanos.

— Bet ko gan mēs varam...

Hermionei aizrāvās elpa. Harijs un Rons apmetās riņķī.

Tur stāvēja Strups.

— Labdien, — viņš mierīgi sacīja.

Bērni blenza uz profesoru.

— Jums nevajadzētu uzturēties telpās tādā dienā kā šī, — pasniedzējs turpināja, un viņa mute sašķiebās dīvainā smaidā.

— Mēs gribējām... — Harijs sāka, bet nespēja iedomāties, kā lai pabeidz teikumu.

— Esiet piesardzīgāki, — brīdināja Strups. — Ja jūs tā slēpsieties pa kaktiem, kāds vēl nodomās, ka jums atkal kādi nedarbi prātā. Un Grifidors laikam gan vairs nevar atļauties zaudēt punktus?

Harijs nosarka. Viņi pagriezās, lai atkal izietu pagalmā, bet Strups atsauca viņus atpakaļ.

— Es tevi brīdinu, Poter, — vēl viena reize, kad tevi naktī pieķers klīstam apkārt, un es personīgi parūpēšos, lai tevi izslēdz no skolas. Lai jums laba diena.

Profesors devās uz skolotāju istabas pusi.

Kad viņi izgāja uz pils akmens pakāpieniem, Harijs vērsās pie pārējiem.

— Labi, rīkosimies šādi, — viņš steidzīgi čukstēja. — Vienam no mums jādodas novērot Strupu — vajadzētu pagaidīt pie skolotāju istabas un sekot, ja viņš kaut kur iziet. Hermione, to varētu uzņemties tu.

— Kāpēc es?

— Tas nu gan ir skaidrs, — sacīja Rons. — Tu vari izlikties, ka gaidi profesoru Zibiņu. — Viņš pārgāja uz māksloti smalku balstiņu. — Vai, profesor Zibiņ, man šķiet, es pārpratu četrpadsmito "b" jautājumu...

— Aizveries, — nošņāca Hermione, tomēr piekrita novērot Strupu.

— Bet mēs tikmēr varētu pagrozīties ap ceturtā stāva gaiteni, — Harijs vērsās pie Rona. — Iesim.

Tomēr šī plāna daļa neizdevās. Tikko viņi nonāca līdz durvīm, kas nodalīja Pūkainīti no pārējās skolas, pie apvāršņa atkal parādījās profesore Maksūra un šoreiz zaudēja savaldīšanos.

— Jūs laikam domājat, ka jums tikt garām ir grūtāk nekā vairākām sarežģītām burvestībām! — viņa rājās. — Gana šo muļķību! Ja es kaut dzirdēšu, ka jūs kāds manījis šo durvju tuvumā, es noņemšu Grifidoram vēl piecdesmit punktu! Jā, Vīzlij, pati savam tornim!

Harijs un Rons devās atpakaļ uz koptelpu. Tikko Harijs pateica vārdus: — Vismaz Hermione novēro Strupu, — tā pavērās portrets un istabā ienāca Hermione.

— Piedod, Harij, — viņa sūdzējās. — Strups iznāca no skolotāju istabas un vaicāja, ko es tur darot, tā nu es pateicu, ka gaidu profesoru Zibiņu. Strups aizgāja un pasauca Zibiņu, bet es tikai tagad tiku no Zibiņa vaļā. Strups tikmēr nezin kur nozuda.

— Tad nu nekas cits neatliek, ko? — sacīja Harijs.

Abi draugi paskatījās uz viņu. Harijs bija bāls, un viņa acis mirdzēja.

— Es šonakt izlavīšos no šejienes un mēģināšu tikt līdz akmenim pirmais.

— Tu esi traks! — iesaucās Rons.

— Tu nedrīksti to darīt! — Hermione piebalsoja. — Pēc tā, ko teica Maksūra un Strups? Tevi tiešām izslēgs!

— NU, UN TAD? — Harijs iekliedzās. — Vai tad jūs nesaprotat? Ja Strups dabūs akmeni, atgriezīsies Voldemorts! Vai jūs neesat dzirdējuši, kas notika tad, kad viņš pūlējās gūt virsroku? Nebūs nekādas Cūkkārpas, no kuras mūs varētu izslēgt! Viņš to nolīdzinās līdz ar zemi vai, vēl ļaunāk, pārvērtīs par tumšo mākslu skolu! Punktu zaudēšana vairs neko nenozīmē, tas taču ir skaidrs pat bērnam! Vai tad jūs domājat, ka viņš liks jūs un jūsu ģimenes mierā, ja Grifidors iegūs Skolas kausu? Ja mani noķers, pirms es tikšu līdz akmenim — nu, ko, es atgriezīšos pie Dērslijiem un gaidīšu, kad Voldemorts sameklēs mani tur. Vienīgā atšķirība būs tā, ka es miršu mazliet vēlāk, jo es nekad nepāriešu tumšajā pusē! Es šonakt došos cauri lūkai, un, lai ko jūs teiktu, es nemainīšu savu lēmumu! Vai atceraties, Voldemorts nonāvēja manus vecākus!

Viņš skatījās uz draugiem un gaidīja.

— Tev, Harij, ir taisnība, — klusi atzina Hermione.

— Es izmantošu Paslēpni, — sacīja Harijs, — par laimi, tas atkal ir atradies.

— Bet vai zem tā varēsim paslēpties mēs visi trīs? — jautāja Rons.

— Visi — visi trīs?

— Beidz muļķoties, vai tad tu domāji, ka mēs ļausim iet tev vienam?!

— Protams, ne, — mundri piebilda Hermione. — Kā tu domā nokļūt līdz akmenim bez mums? Es labāk iešu pāršķirstīt savas grāmatas, ja nu gadās kas noderīgs...

— Ja mūs noķers, izslēgs arī jūs abus.

— Nez vai, — drūmi noteica Hermione. — Profesors Zibiņš teica, ka viņa eksāmenā es esot dabūjusi simt divpadsmit procentu. Ar tādām sekmēm neizslēdz.

* * *

Pēc vakariņām visi trīs, nemierīgi trīdamies, sēdēja savrup koptelpā. Neviens viņus netraucēja. Kopš punktu zaudējuma neviens no grifidoriem Harijam neko teikt vairs nevēlējās. Šovakar bija pirmā reize, kad tas viņu neapbēdināja. Hermione šķirstīja savas piezīmju grāmatas, cerēdama, ka viņai trāpīsies burvestība, kuru vēlāk naktī viņiem nāksies atburt. Harijs un Rons runāja maz. Abi prātoja par to, ko gatavojās darīt.

Pamazām cilvēki sāka doties pie miera, koptelpa kļuva tukšāka.

— Labāk aizej pēc Paslēpņa, — nomurmināja Rons, kad beidzot žāvādamies un staipīdamies aizgāja Lī Džordans. Harijs uzskrēja pa kāpnēm uz tumšo guļamtelpu. Viņš paņēma apmetni, bet tad viņš pamanīja flautu, ko Ziemassvētkos bija saņēmis no Hagrida. Viņš paņēma arī to — varēs likt lietā, lai tiktu garām mūzikas mīļotājam Pūkainītim. Katrā ziņā, par lielu dziedātāju Harijs sevi neuzskatīja.

Viņš atgriezās koptelpā.

— Labāk apņemam Paslēpni jau šeit un pārliecināmies, ka tas nosedz mūs visus — ja Filčs pamanīs, ka pa pili klīst kāda atsevišķa pēda...

— Ko jūs darāt? — no istabas stūra atskanēja balss.

No krēsla aizmugures parādījās Nevils, turēdams rokā krupīti Trevoru, kurš, liekas, vēlreiz bija mēģinājis izlauzties brīvībā.

— Neko, Nevil, neko, — sacīja Harijs, žigli paslēpdams apmetni aiz muguras.

Nevils ar aizdomām nopētīja viņu sejas.

— Jūs atkal kaut kur iesiet, — viņš secināja.

— Nē, nē, nē, — Hermione liedzās. — Nē, mēs nekur. Kāpēc tu, Nevil, nedodies pie miera?

Harijs uzmeta aci pulkstenim virs durvīm. Kavēties vairs nedrīkstēja, iespējams, Strups jau spēlēja miega dziesmiņu Pūkainītim.

— Jūs nedrīkstat nekur iet, — sacīja Nevils, — jūs atkal noķers. Grifidors būs vēl dziļākos mīnusos.

— Tu nesaproti, — Harijs teica, — šoreiz tas ir ļoti svarīgi. Taču Nevilā acīmredzot brieda apņemšanās spert izmisuma soli.

— Es jums neļaušu tā rīkoties, — viņš teica un nostājās priekšā portreta caurumam. — Es... es kaušos ar jums!

— *Nevil!* — Rons neizturēja, — paej nost no cauruma, neesi taču tāds idiots...

— Neuzdrīksties saukt mani par idiotu! — uzkliedza Nevils. — Es domāju, ka jums vairs nevajadzētu pārkāpt noteikumus. Un tieši tu man mācīji nepadoties!

— Nevil, bet šī nav *īstā* reize, — Rons izmisis atbildēja. — Nevil, tu nesaproti, ko tu dari.

Rons paspēra soli uz priekšu. Nevils nometa krupīti Trevoru, un tas aizlumpačoja pa grīdu.

— Nu, nāc, iesit man! — uzsauca Nevils, paceldams dūres. — Es esmu gatavs!

Harijs vērsās pie Hermiones.

— *Izdari kaut ko,* — viņš izmisis lūdza.

Hermione paspēra soli uz priekšu.

— Nevil, — viņa sacīja, — lūdzu, piedod man, ja vari.

Viņa pacēla zizli. — *Petrificus totalus!* — izteikusi šos vārdus, viņa pavērsa zizli pret Nevilu.

Rokas pielipa zēnam pie sāniem. Kājas savilkās kopā kā sasietas. Viņa ķermenis sastinga. Brīdi šūpojies, kā dēlis stīvais Nevils nogāzās uz sejas.

Hermione pieskrēja pie zēna un apgrieza viņu uz muguras. Arī Nevila žokļi bija savilkti, tā ka viņš nevarēja parunāt. Tikai acis kustējās, šausmās nolūkodamās uz trijotni.

— Ko tu viņam izdarīji? — čukstus vaicāja Harijs.

— Tā ir pilnā miessaiste, — Hermiones balsī bija dzirdama nožēla. — Piedod, Nevil, piedod.

— Mēs bijām spiesti tā rīkoties, Nevil, mums nav laika tev visu paskaidrot, — piebilda Harijs.

— Vēlāk tu visu sapratīsi, — noteica Rons.

Trijotne pārkāpa pāri Nevilam un uzmeta sev pāri Paslēpni.

Tomēr tas, ka nācās atstāt Nevilu guļam sastingušu uz grīdas, nevienam nelikās īpaši laba zīme. Visi bija tik nervozi, ka pat statujas ēna atgādināja Filču, ka katra vēja pūsmiņa izklausījās pēc Nīgra, kas metas viņiem virsū.

Nonākuši pirmo kāpņu pakājē, viņi ieraudzīja Norisa kundzi, kas ložņāja laidiena augšgalā.

— Paklau, iesperam tai reizi par visām reizēm, — Rons čukstus ierosināja, bet Harijs papurināja galvu. Viņi uzmanīgi apgāja apkārt kaķenei, tā pagrieza uz viņu pusi savas spuldzēm līdzīgās acis, bet laikam neko neieraudzīja un palika turpat tupam.

Nevienu citu nesastapuši, viņi tika līdz kāpnēm, kas veda uz ceturto stāvu. Pusceļā līkņāja Nīgris — viņš mēģināja savilkt krunku paklājā, lai gājēji aizķertos un kluptu.

— Kas tur ir? — viņš pēkšņi ievaicājās, kad trijotne sāka kāpt uz viņa pusi. Viņš piemiedza melnās, nešpetnās ačteles. — Es zinu, ka tu te esi, pat ja neredzu tevi. Kas tu esi — spoks, rēgs vai kāds negantnieks skolasbērns?

Viņš pacēlās gaisā un sāka skatīties uz viņu pusi.

— Jāsauc laikam Filčs, jāsauc gan, ja reiz apkārt ložņā kāds neredzamais.

Pēkšņi Harijam iešāvās galvā gaiša doma.

— Nīgri, — viņš iečukstējās aizsmakušā balsī, — Asiņainajam Baronam ir savi iemesli palikt neredzamam.

Nīgris gandrīz nogāzās zemē no pārsteiguma. Viņš paguva nobremzēt knapi pēdu virs pakāpieniem.

— Piedodiet, jūsu asiņainība, Barona kungs, lūdzu, — viņš pieglaimīgi ierunājās. — Es kļūdījos, es kļūdījos, neredzēju jūs, protams, neredzēju, jūs esat neredzams — piedodiet vecajam Nīgrucim viņa mazo jociņu.

— Man te ir darīšanas, Nīgri, — nočerkstēja Harijs. — Šonakt nerādies te tuvumā.

— Protams, kungs, nerādīšos, — apsolīja Nīgris, atkal paceldamies gaisā. — Ceru, ka jums, baron, viss iecerētais izdosies, es jūs netraucēšu.

Un poltergeists aizlidoja.

— *Spoži*, Harij! — pačukstēja Rons.

Pēc pāris sekundēm viņi nonāca pie ceturtā stāva gaiteņa durvīm — un tās jau bija vaļā.

— Tā, te nu mēs esam, — Harijs klusi noteica. — Strups jau ir ticis garām Pūkainītim.

Likās, ka atvērtās durvis pēkšņi liek visiem trijiem vēlreiz pārdomāt, kas īsti viņus gaida priekšā. Zem apmetņa Harijs pagriezās pret abiem draugiem.

— Ja vēlaties doties atpakaļ, es nepārmetīšu, — viņš teica. — Varat ņemt Paslēpni, man tas vairs nebūs vajadzīgs.

— Nemuļķojies, — sacīja Rons.

— Mēs iesim tev līdzi, — apstiprināja Hermione.

Harijs pagrūda plašāk durvis.

Durvīm iečīkstoties, atskanēja dobji rūcieni. Visi trīs suņa deguni neprātīgi ostījās uz viņu pusi, kaut arī nezvērs bērnus neredzēja.

— Kas tam pie kājām? — nočukstēja Hermione.

— Izskatās pēc arfas, — atbildēja Rons. — To šeit būs pametis Strups.

— Suns laikam pamostas brīdī, kad beidz spēlēt, — sprieda Harijs. — Labi, sāksim...

Viņš pielika Hagrida flautu pie lūpām un iepūta tajā. Nekāda dižā melodija Harijam neiznāca, tomēr līdz ar pirmajām skaņām suņa acis sāka vērties ciet. Harijs centās pat neievilkt elpu. Pamazām nezvēra rūcieni noklusa — tas sazvārojās, saļima uz ceļgaliem, tad, cieši aizmidzis, novēlās uz sāniem.

— Turpini spēlēt, — Rons piekodināja Harijam, kad viņi noņēma apmetni un sāka lavīties uz lūkas pusi. Pienākuši tuvāk pie milzīgajām galvām, viņi varēja just suņa karsto, smirdīgo elpu.

— Domāju, ka mēs spēsim atvērt vāku, — sacīja Rons, skatīdamies pāri suņa mugurai. — Hermion, vai gribi iet pirmā?

— Nē, negribu!

— Labi, — Rons sakoda zobus un uzmanīgi pārkāpa pāri suņa kājām. Viņš pieliecās un parāva lūkas gredzenu. Vāks pacēlās — ceļš bija brīvs.

— Ko tu redzi? — Hermione bažīgi vaicāja.

— Neko, tikai tumsu, norāpties lejā laikam nav iespējams, nāksies lēkt.

Harijs, vēl arvien spēlēdams flautu, pamāja Ronam, lai pievērstu uzmanību un norādīja pats uz sevi.

— Tu gribi lēkt pirmais? Vai esi pārliecināts? — jautāja Rons.

— Es nezinu, cik tur ir dziļš. Iedod stabuli Hermionei, lai viņa turpina spēlēt un lops nepamostas.

Harijs padeva flautu Hermionei. Klusums ilga tikai pāris sekunžu, tomēr suns jau ierūcās un sagrozījās. Taču tas atkal aizmiga ciešā miegā, tikko Hermione sāka spēlēt.

Harijs pārkāpa pāri sunim un ieskatījās lūkas caurumā. Apakšā neko neredzēja.

Viņš nolaidās caurumā, līdz palika karājoties rokās, palūkojās uz Ronu un teica: — Ja ar mani kas notiek, neleciet man pakaļ. Ejiet taisnā ceļā uz pūču māju un sūtiet Hedvigu pie Dumidora, labi?

— Labi, — sacīja Rons.

— Uz drīzu redzēšanos, cerams...

Un Harijs atlaida rokas. Auksts, mikls gaiss traucās garām viņa sejai, kamēr viņš krita lejup, lejup, lejup un...

PLĀKŠ. Ar dīvainu, slāpētu skaņu viņš piezemējās uz kaut kā mīksta. Viņš piecēlās sēdus un aptaustīja to, uz kā sēdēja, jo acis vēl nebija pieradušas pie tumsas. Likās, ka viņš sēž uz kaut kāda auga.

— Viss kārtībā! — viņš uzsauca, pavērsies augšup uz pastmarkas lieluma gaismas taisnstūrīti. — Piezemēšanās ir mīksta, jūs varat lēkt!

Rons sekoja pirmais. Viņš nogāzās garšļaukus līdzās Harijam.

— Kas tas ir? — bija Rona pirmie vārdi.

— Nezinu, kaut kāds augs. Jādomā, tas atrodas šeit, lai mīkstinātu triecienu. Hermione, lec!

Tālumā skanošā mūzika apklusa. Skaļi ierējās suns, bet Hermione jau lidoja lejup. Viņa nokrita otrā pusē Harijam.

— Mēs esam vairāku jūdžu dziļumā zem skolas, — viņa sacīja.

— Labi, ka te ir šis augs, — piebilda Rons.

— *Labi?!* — iekliedzās Hermione. — Paskatieties uz sevi!

Viņa pielēca kājās un rāvās uz miklās sienas pusi. Viegli tas nenācās, jo jau piezemēšanās mirklī augs bija sācis vīt taustekļiem līdzīgas stīgas ap meitenes potītēm. Harija un Rona kājas, viņiem pašiem nemanot, bija cieši sasaistītas garajos vijumos.

Hermionei izdevās atbrīvoties, pirms augs paguva viņu noturēt. Tagad viņa ar šausmām sejā vēroja, kā abi zēni cenšas atbrīvoties no auga skavām, taču, jo vairāk viņi pūlējās, jo ātrāk un ciešāk augs viņus sasaistīja.

— Nekustieties! — Hermione pavēlēja. — Es zinu, kas tā ir — tā ir velna cilpa!

— Ak, kāds prieks, tagad mēs zinām, kā to sauc, ļoti noderīgi, — norūca Rons, liekdamies atpakaļ un cenzdamies pasargāt kaklu no auga stīgām.

— Aizveries, es pūlos atcerēties, kā to nonāvēt! — uzkliedza Hermione.

— Pasteidzies, es vairs nevaru paelpot, — elsodams izgrūda Harijs, cīnīdamies ar staipekņiem, kas žņaudza viņa krūtis.

— Velna cilpa, velna cilpa... Ko teica profesore Asnīte? Tai patīk tumsa un mitrums...

— Tad aizdedzini uguni! — Harijam aizcirtās elpa.

— Jā... protams... bet te nav malkas! — meitene iešņukstējās, lauzīdama rokas.

— VAI TU ESI PRĀTU ZAUDĒJUSI? — Rons ierēcās. — TU ESI RAGANA VAI NEESI?!

— Jā, protams! — attapa Hermione un izrāva savu zizli, novicināja to, kaut ko nočukstēja un raidīja savu iemīļoto spoži zilo liesmu zalvi, no kuras reiz jau bija cietis Strups, uz auga pusi. Jau dažus mirkļus vēlāk zēni juta, ka cilpas kļūst vaļīgākas un ka augs atkāpjas no gaismas un siltuma. Locīdamies un vairīdamies no uguns, staipekņi noslīdēja no viņu ķermeņiem, līdz puikas izrāvās brīvībā.

— Labi, ka tu, Hermion, tik rūpīgi klausies herboloğijas stundās, — atzinīgi sacīja Harijs un, slaucīdams no sejas sviedrus, pienāca pie sienas, kur vēl arvien stāvēja meitene.

— Jā, — piemetināja Rons, — un labi, ka Harijs nezaudē galvu, kad ūdens smeļas mutē — "te nav malkas", *tiešām*.

— Ejam uz turieni, — Harijs norādīja uz akmens eju. Uz priekšu cita ceļa nebija.

Viņi dzirdēja vienīgi savus soļus un ūdens kluso čalošanu uz sienām. Eja veda lejup, un Harijs atcerējās Gringotus. Sirdij nejauki sažņaudzoties, viņš atminējās vārdus par to, ka burvju bankā kambarus sargājot pūķi. Ja viņi satiktu pūķi, pieaugušu pūķi... Jau Norberts bija gana briesmīgs...

— Vai tu kaut ko saklausi? — čukstus vaicāja Rons.

Harijs ieklausījās. Likās, tālu no augšas nāca klusa šalkoņa un vēl kaut kādi trokšņi — it kā metāls sistos pret metālu.

— Domā, tas ir rēgs?

— Nezinu... izklausās pēc spārniem.

— Tur augšā ir gaisma — es redzu kaut ko kustamies.

Viņi nonāca līdz ejas beigām. Trijotnes priekšā pavērās spoži apgaismota telpa ar augstiem arkveida griestiem. Zem kupola šaudījās mazi putniņi, kas likās spoži kā dārgakmeņi. Kambara otrā pusē bija smagas koka durvis.

— Vai domā, ka tie mums uzbruks, ja mēģināsim šķērsot istabu? — jautāja Rons.

— Iespējams, — noteica Harijs. — Īpaši neganti tie neizskatās, bet, iespējams, ja mestos virsū visi kopā... Labi, ko nu tur... es skriešu.

Viņš dziļi ievilka elpu, aizsedza seju ar rokām un metās pāri istabai. Viņš gaidīja asu knābju un nagu cirtienus, taču nekas nenotika. Viņš tika līdz durvīm sveiks un vesels. Harijs nospieda durvju rokturi, tomēr tās izrādījās slēgtas.

Hermione un Rons sekoja viņam. Viņi raustīja un grūstīja durvis, tomēr tās nepadevās pat tad, kad Hermione izmēģināja savu *Alohomora* burvestību.

— Ko nu? — Rons bija neizpratnē.

— Putni... tā nevarētu būt plika dekorācija, — ieminējās Hermione.

Viņi sāka pētīt putnus virs galvas, tie lidoja, tie spīdēja — *spīdēja?*

— Tie nav putni! — pēkšņi iesaucās Harijs. — Tās ir atslēgas! Spārnotas atslēgas — ieskaties rūpīgāk! Tas nozīmē... — viņš vēlreiz paskatījās visapkārt, kamēr pārējie turpināja vērot atslēgu lidināšanos. — Jā — skatieties! Slotaskāti! Mums jānoķer atslēga, kas derētu šīm durvīm!

— Bet tur to ir *simtiem*!

Rons nopētīja durvju slēdzeni.

— Mums jāmeklē liela, veclaicīga atslēga, iespējams, no sudraba, tāpat kā slēdzene.

Viņi katrs paķēra pa slotaskātam un pacēlās gaisā tieši atslēgu bara vidū. Viņi ķēra un grāba tās, taču apburtās atslēgas izrādījās tik izmanīgas, ka noķert kādu bija gandrīz neiespējami.

Tomēr ne jau velti Harijs bija jaunākais meklētājs pēdējā gadsimta laikā. Viņš pamanīja to, ko citi neredzēja. Kādu minūti lidinājies visu varavīksnes krāsu virpulī, viņš ievēroja lielu sudraba atslēgu ar mazliet saliektu spārnu — likās, to kāds šodien jau bija ķēris.

— Mums jānoķer tā! — viņš uzsauca draugiem. — Tā, lielā, tur — nē, tuvāk, tā ar spilgti zilajiem spārniem — vai redzat, spalvas vienā pusē ir saburnītas.

Rons aiztraucās Harija norādītajā virzienā, ieskrēja griestos un gandrīz novēlās no slotas.

— Mums tā jāielenc! — nenolaizdams acis no atslēgas ar bojāto spārnu, teica Harijs. — Ron, tu nesies tai virsū no augšas, Hermion, paliec zemāk un neļauj tai laisties uz leju, bet es mēģināšu to noķert. Tā, AIZIET!

Rons šāvās lejup, Hermione traucās augšup, atslēga izvairījās no abiem — bet nu jau tai uz pēdām bija Harijs. Atslēga mēģināja izsprukt gar sienu, bet Harijs paliecās un, atskanot nejaukam, lūstošam troksnim, ar vienu roku piespieda to pie akmens. Rona un Hermiones urravas pieskandināja augsto kupolu.

Viņi aši nolaidās zemē, un Harijs pieskrēja pie durvīm. Atslēga viņam rokās turpināja pretoties. Viņš iegrūda to slēdzenē un — atslēga pagriezās. Tajā brīdī, kad slēdzene padevās, atslēga atkal pacēlās spārnos, bet tagad, jau divreiz ķerta, tā izskatījās pavisam bēdīgi.

— Gatavi? — Harijs vaicāja pārējiem, turēdams roku uz durvju roktura. Viņi pamāja. Harijs atrāva durvis.

Nākamajā telpā valdīja piķa melna tumsa. Bet, tikko viņi spēra soli pāri slieksnim, istabu piepildīja gaisma un atklāja trijotnes acīm satriecošu skatu.

Viņi stāvēja milzu šaha dēļa malā aiz melnajiem kauliņiem. Visi kauliņi slējās augstāk par bērniem un likās pagatavoti no melna akmens. Tiem pretī, telpas otrā malā, stāvēja baltās figūras.

Harijs, Rons un Hermione viegli nodrebinājās — milzīgajām baltajām figūrām nebija seju.

— Ko tagad darīt? — čukstus vaicāja Harijs.

— Tas taču skaidri redzams, ne? — atbildēja Rons. — Lai nokļūtu otrā pusē, mums jāizspēlē partija.

Aiz baltajiem kauliņiem vīdēja vēl vienas durvis.

— Kā tas būs? — nedroši vaicāja Hermione.

— Domāju, — ieteica Rons, — ka mums pašiem jākļūst par figūrām.

Viņš piegāja pie melnā zirdziņa un, pacēlis roku, pieskārās tā purnam. Akmens uzreiz atdzīvojās. Zirgs sāka kārpīt zemi, bet priekšā stāvošais bandinieks atskatījās uz Ronu.

— Vai mums, ē, jāstājas jūsu rindās, lai tiktu pāri dēlim?

Melnais bandinieks pamāja. Rons vērsās pie abiem draugiem.

— Te man mazliet jāpadomā... — viņš teica. — Cik noprotu, mums jāaizstāj trīs melnie kauliņi...

Harijs un Hermione stāvēja klusēdami un vērodami, kā Rons domā. Beidzot viņš sacīja: — Neapvainojieties, bet neviens no jums nespēlē šahu labāk par mani...

— Mēs neapvainojamies, — ātri atbildēja Harijs. — Tikai saki, ko mums darīt.

— Tā, Harij, tu stājies laidņa vietā, bet tu, Hermion, nāc te, nomaini šo torni.

— Ko darīsi tu?

— Es būšu zirdziņš, — atbildēja Rons.

Šķita, ka šaha figūras visu dzird, jo pēc šiem vārdiem zirdziņš, laidnis un tornis uzgrieza muguras baltajām figūrām un aizgāja no dēļa, atstājot trīs tukšas vietas, kuras ieņēma Harijs, Rons un Hermione.

— Baltie vienmēr pirmie uzsāk spēli, — teica Rons, vērdamies uz pretējo pusi. — Jā... skatieties...

Baltais bandinieks pavirzījās divus lauciņus uz priekšu.

Rons sāka komandēt melnās figūras. Tās klusēdamas pārvietojās turp, kur Rons tās sūtīja. Harijam trīcēja ceļgali. Kas notiks, ja viņi zaudēs?

— Harij, pavirzies pa diagonāli četrus lauciņus pa labi.

Pirmais nelāgais pārsteigums notika brīdī, kad nokāva otru zirdziņu. Baltā dāma notrieca nabagu uz grīdas, aizvilka līdz dēļa malai un tur atstāja nekustīgi guļam ar seju uz leju.

— Man nekas cits neatlika, — izskatīdamies satriekts, sacīja Rons. — Hermion, tu tagad vari nokaut to laidni, ej.

Katru reizi, kad tika nokauta kāda no melno figūrām, baltie neizrādīja ne mazākās žēlastības. Drīz vien gar sienu gulēja saļimušu melno kauliņu rinda. Divas reizes Rons tikai pēdējā brīdī pamanīja, ka Harijs un Hermione ir briesmās. Tad viņš pats traucās palīgā draugiem, nokaudams tikpat daudz balto figūru, cik viņi bija zaudējuši melno.

— Tā, mēs tūlīt būsim galā, — viņš pēkšņi nomurmināja. — Ļaujiet man padomāt... ļaujiet man padomāt...

Baltā karaliene pavērsa savu gludo vaigu pret Ronu.

— Jā... — zēns klusiņām teica, — tā ir vienīgā iespēja... Jāļauj, lai mani nokauj.

— NĒ! — Harijs un Hermione vienā balsī iekliedzās.

— Tāds ir šahs! — noskaldīja Rons. — Tajā vienmēr nākas upurēt! Es pasperšu soli uz priekšu, un viņa mani nokaus — bet tev, Harij, pavērsies iespēja pieteikt matu karalim.

— Bet...

— Vai tu vēlies apturēt Strupu?

— Ron...

— Klausies, ja tu nepasteigsies, viņš tiešām iegūs akmeni! Nekas vairs nebija piebilstams.

— Vai gatavi? — uzsauca Rons bālu, bet ciešas apņēmības pilnu seju. — Es eju — tikai nekavējieties, kad būsiet uzvarējuši!

Rons paspēra soli, un viņam pretī metās baltā dāma. Tā no visa spēka iesita zēnam pa galvu ar savu akmens roku — un Rons saļima uz grīdas. Hermione iekliedzās, bet palika uz sava lauciņa. Baltā karaliene aizvilka Ronu pie pārējām nokautajām figūrām. Izskatījās, ka viņš ir zaudējis samaņu.

Trīcēdams Harijs pavirzījās trīs lauciņus pa kreisi.

Baltais karalis noņēma savu kroni un nometa to pie Harija kājām. Viņi bija uzvarējuši. Figūras pašķīrās un paklanījās. Ceļš uz durvīm bija brīvs. Pametuši vēl vienu satrauktu skatienu uz Ronu, Harijs un Hermione izskrēja pa durvīm. Šoreiz eja veda uz augšu.

— Ja nu viņš?...

— Ar viņu viss būs kārtībā, — atbildēja Harijs, cenzdamies pārliecināt par to arī pats sevi. — Kas vēl mums atlicis?

— Asnītes darbs bija velna cilpa, Zibiņš droši vien bija no-būris atslēgas, Maksūra — pārvērtusi šaha figūras. Tātad paliek vēl Drebeļa — un Strupa burvestības.

Viņi nonāca pie vēl vienām durvīm.

— Viss kārtībā? — Harijs čukstus pavaicāja.

— Ejam.

Harijs atgrūda durvis.

Viņu nāsīs iesitās pretīga smaka, kas lika abiem aizgrūst degu-nam priekšā piedurkni. Acīm asarojot, viņi sev priekšā uz grīdas saskatīja milzīgu trolli — tas bija vēl lielāks par viņu pieveikto. Bet šis neradījums vairs nebija bīstams, jo gulēja bezsamaņā ar lielu asiņainu punu pierē.

— Labi gan, ka ar šo mums nebija jācīnās, — Harijs nočuk-stēja, kāpdams pāri vienai no resnajām kājām. — Ejam tālāk, te nav iespējams elpot.

Zēns atrāva nākamās durvis. Abi nodrebēja, gaidīdami, kas viņus sagaida nākamajā telpā. Tomēr nekā briesmīga šeit ne-bija — tikai galds ar rindā noliktām septiņām dažādas formas pudelēm.

— Strups, — sacīja Harijs. — Kas mums jādara?

Viņi pārkāpa pāri slieksnim. Tajā pašā mirklī viņiem aiz muguras uzšāvās liesmas, turklāt tās nebija parastas liesmas — tās bija violetas. Vienlaikus durvis istabas pretējā pusē aizsedza melnas liesmas. Viņi bija lamatās.

— Skaties! — Hermione pacēla papīra vīstokli, kas stāvēja līdzās pudelēm. Harijs pār viņas plecu lasīja:

Tavā priekšā briesmas gaida, aizmugurē drošība.
Ja vien atrast īstos spēsi, traukos slēpjas izeja.
Viena no mums septiņām palīdzēs uz priekšu tikt.
Otra, ja no tās tu dzersi, pavērs ceļu atpakaļ.
Divās pudelītēs rodams nātru vīns vistīrākais.
Trijās inde apslēpta gaida savu upuri.
Ja vien nevēlies še palikt, izvēlies un nobaudi.
Bet pirms tam par mācību četras lietas atmini.
Pirmkārt, indei patīk slēpties vīna trauka kreisā malā.
Otrkārt, no abiem galiem rindu iesāk cita dzira,
Tomēr arī nākamā nebūs draugs, bet ienaidnieks.
Treškārt, kā jau labi redzams, katram traukam cits ir lielums.
Un nedz pundurī, nedz milzī nesnauž ļaunu nesošs saturs.
Un, visbeidzot, otrais trauks no katra gala neliksies viens otram rada,
Tomēr iemalko un mani, garšo līdzīgi bezgala.

Hermione atviegloti nopūtās, un Harijs pārsteigts ieraudzīja, ka meitene smaida. Viņam gan uz smiekliem prāts nenesās.

— *Lieliski*, — sacīja Hermione. — Šī nav vis maģija, bet gan loģika, loģikas uzdevums. Daudziem jo daudziem dižiem burvjiem galvās nav ne naga melnuma loģikas, un viņi paliktu šeit iesprostoti uz laiku laikiem.

— Bet mēs jau arī nekur tālāk netiekam, ne?

— Protams, ka tiekam, — atbildēja Hermione. — Viss, kas mums nepieciešams, ir šī papīra lapa. Septiņas pudeles — trijās ir inde, divās vīns, viena palīdzēs mums tikt cauri melnajai ugunij, bet otra — atpakaļ cauri violetajai.

— Bet kā tu uzzināsi, kura mums jādzer?

— Pagaidi mirklīti.

Hermione vairākas reizes izlasīja rindas. Tad viņa nostaigāja gar galdu, kaut ko murminādama pie sevis un rādīdama uz pudelēm. Visbeidzot viņa sasita plaukstas.

— Viss skaidrs, — viņa sacīja. — Mazākā pudelīte ļaus mums iziet cauri melnajām liesmām un nokļūt pie akmens.

Harijs palūkojās uz sīko pudelīti.

— Te pietiks tikai vienam no mums, — viņš novērtēja. — Te ir knapi viens malks.

Viņi saskatījās.

— Un ar kuras palīdzību tiek cauri violetajām liesmām?

Hermione norādīja uz apaļu pudeli rindas labajā malā.

— Tu dzer no apaļās, — teica Harijs. — Nē, klausi mani — ej atpakaļ, palīdzi Ronam, paķeriet slotas no lidojošo atslēgu istabas — tās jums palīdzēs izkļūt cauri lūkai un izvairīties no Pūkainīša. Tad lidojiet taisnā ceļā uz pūču māju un sūtiet Hedvigu pēc Dumidora, bez viņa mums neiztikt. Man varbūt izdosies Strupu uz kādu laiciņu aizkavēt, kaut gan bezgalīgi pretoties viņam es, protams, nespēšu.

— Harij, bet ko tad, ja ar viņu kopā ir Paši-Zināt-Kas?

— Nu, ko — vienreiz man palaimējās, vai ne? — sacīja Harijs, norādīdams uz rētu. — Varbūt palaimēsies vēlreiz.

Hermiones lūpas nodrebēja, un viņa pēkšņi pieskrēja pie Harija un apskāva zēnu.

— *Hermion!*

— Harij, zini — tu esi dižens burvis.

— Bet ne tik labs kā tu, — atteica apmulsušais Harijs, kad Hermione atlaida rokas.

— Es?! — Hermione iesaucās. — Grāmatas! Iekaltas

gudrības! Ir daudz svarīgākas lietas — draudzība un drošsirdība, un — ak, Harij, — esi *piesardzīgs*!

— Dzer tu pirmā, — sacīja Harijs. — Vai tu esi pārliecināta, ka šīs pudeles ir īstās?

— Absolūti, — atbildēja Hermione. Viņa iedzēra pamatīgu malku no apaļās pudeles un nodrebinājās.

— Tā taču nav inde? — nemierīgi pavaicāja Harijs.

— Nē — tikai palika ļoti auksti.

— Ātrāk, ej, pirms dzēriena iedarbība nav beigusies!

— Veiksmi tev. Uzmanies...

— EJ!

Hermione pagriezās un izgāja cauri violetajai uguns sienai.

Harijs dziļi ievilka elpu un paņēma vismazāko pudelīti. Viņš pagriezās pret melnajām liesmām.

— Es nāku, — viņš teica un vienā malkā iztukšoja trauciņu.

Tiešām, likās, ka viņa dzīslās ieplūstu ledus. Viņš nolika pudelīti atpakaļ un spēra soli uz priekšu. Zēns saņēma dūšu, redzēja, kā melnās liesmas noglāsta viņa ķermeni, bet nekas nebija jūtams — īsu mirkli viņš neredzēja neko, tikai tumšo uguni — un tad Harijs attapās otrā pusē, pēdējā istabā.

Tur jau kāds bija — tikai tas nebija Strups. Tas nebija pat Voldemorts.

SEPTIŅPADSMITĀ NODAĻA

VĪRS AR DIVĀM SEJĀM

T as bija Drebelis.

— *Jūs!* — Harijam aizrāvās elpa.

Drebelis pasmaidīja. Viņa seja ne mazdrusciņ neraustījās.

— Es, — viņš mierīgi atbildēja. — Jau sāku šaubīties, vai satikšu tevi, Poter, šeit.

— Bet es domāju... Strups...

— Severuss? — Drebelis iesmējās, turklāt tas nebija ierastais drebelīgais trellis, bet auksti un asi smiekli. — Tiesa, Severuss labāk atbilst šai lomai, vai ne? Reizēm ir tik noderīgi, ka viņš laidelējas apkārt kā pāraudzis sikspārnis. Ja viņš ir līdzās, kurš gan turēs aizdomās n-n-nabaga st-stostīgo p-profesoru Drebeli?

Harijs nespēja to aptvert. Tā nevarēja būt, vienkārši nevarēja.

— Bet Strups taču mēģināja nonāvēt mani!

— Nē, nē, nē. *Es* mēģināju nonāvēt tevi. Tava draudzene, Grendžeras jaunkundze, nejauši notrieca mani, kad kalambola spēles laikā steidzās dedzināt Strupu. Es pazaudēju acu kontaktu. Vēl dažas sekundes — un es būtu dabūjis tevi nost no slotas. Tur-

klāt es to būtu izdarījis jau agrāk, ja vien Strups tobrīd, cenzda-
mies izglābt tevi, nemurminātu pretlāstu.

— Strups centās *izglābt* mani?!

— Protams, — nesatricināmi atteica Drebelis. — Kādēļ gan,
tavuprāt, viņš vēlējās tiesāt nākamo spēli? *Viņš gribēja būt drošs,*
ka es vēlreiz neķeršos tev klāt. Jocīgi, tiešām... turklāt viņa pūliņi
izrādījās velti. Dumidoram skatoties, es neko nevarēju iesākt. Visi
pārējie skolotāji domāja, ka Strups mēģina atņemt Grifidoram uz-
varu, kas, protams, *padarīja* viņu vēl mazāk mīlētu... un kas par
veltu spēku izšķiešanu, jo pēc tā visa es tevi šonakt nogalināšu.

Drebelis uzsita knipi. Nez no kurienes izvijās virves un cieši
sasaistīja Hariju.

— Tu, Poter, esi pārāk liels okšķeris, lai dzīvotu. Skraidi šurpu
turpu pa skolu Visu Svēto vakarā — tā tu varēji pamanīt, kā es
nāku apraudzīt, kas īsti sargā akmeni.

— *Jūs* ielaidāt skolā trolli?

— Protams. Man ir īpašs talants uz troļļiem — tu taču redzēji,
ko es izdarīju ar radījumu vienā no iepriekšējiem kambariem?
Diemžēl, kamēr visi pārējie meklēja trolli, Strups, kurš jau tobrīd
turēja mani aizdomās, uzreiz devās uz ceturto stāvu, lai aizšķērso-
tu man ceļu — un tā, ne vien manam trollim neizdevās jūs nosist,
tas trīsgalvu suns arī nespēja kārtīgi nokost Strupam kāju.

— Un tagad paklusē, Poter, — Drebelis nobeidza. — Man
jāpapēta šis interesantais spogulis.

Tikai tad Harijs aptvēra, kas stāv Drebelim aiz muguras —
tas bija Sagli spogulis.

— Šis spogulis ir atslēga, kas ļauj atrast akmeni, — Drebelis
murmināja, izklaudzinādams spoguļa rāmi. — Kaut ko tādu varē-
ja izdomāt tikai Dumidors... bet viņš ir Londonā... kad viņš
atgriezīsies, es jau būšu gabalā...

Harijs saprata, ka vienīgais, ko viņš var darīt, ir piespiest Dre-
beli runāt un neļaut viņam pievērst pienācīgo uzmanību spogulim.

— Es redzēju jūs un Strupu Aizliegtajā mežā... — zēns izšāva pirmo, kas ienāca prātā.

— Jā, — nevērīgi noteica Drebelis, apiedams apkārt spogulim, lai izpētītu tā aizmuguri. — Viņš tobrīd jau elpoja man pakausī, gribēja uzzināt, cik tālu esmu ticis. Viņš turēja mani aizdomās jau no paša sākuma. Mēģināja nobiedēt mani — it kā tas būtu iespējams, ja manā pusē bija lords Voldemorts...

Drebelis atgriezās spoguļa priekšā un alkatīgi ieskatījās stikla virsmā.

— Es redzu akmeni... es pasniedzu to savam pavēlniekam... bet kur tas atrodas?

Harijs mēģināja atbrīvoties no virvēm, kas viņu saistīja, tomēr tās bija pārāk ciešas. Viņam *bija* jānovērš Drebeļa domas, lai profesors nespētu pievērst visu uzmanību spogulim.

— Bet vienmēr likās, ka Strups ienīst mani.

— Tas gan tiesa, — it kā starp citu bilda Drebelis, — žēlīgā debess, protams. Viņš mācījās Cūkkārpā vienā laikā ar tavu tēvu, vai tad tu nezināji? Viņi neieredzēja viens otru. Bet viņš nekad nav vēlējies tavu *nāvi*.

— Pirms pāris dienām es dzirdēju, kā jūs šņukstat... es domāju, ka Strups jums draud...

Pirmo reizi pāri Drebeļa sejai pārskrēja šausmu trīsas.

— Reizēm, — viņš sacīja, — man ir grūti pildīt sava pavēlnieka norādījumus — viņš ir varens burvis, bet es esmu vājš...

— Jūs gribat teikt, ka toreiz viņš bija klasē kopā ar tevi? — Harijam aizrāvās elpa.

— Viņš ir kopā ar mani, lai kur es ietu, — klusi sacīja Drebelis. — Es viņu satiku, kad apceļoju pasauli. Tobrīd es biju dumjš jauns vīrietis, piebāzts ar smieklīgām idejām par labo un ļauno. Lords Voldemorts parādīja, cik ļoti es maldos. Nav ne labā, ne ļaunā, ir tikai varenība — un tie, kas ir pārāk vāji, lai pēc tās tiektos... Kopš tā laika es viņam uzticīgi kalpoju, kaut vairākkārt man nav izdevies attaisnot viņa uzticību. Viņam jābūt ļoti stingram pret mani. — Drebelis pēkšņi nodrebēja. — Kļūdas viņš tik viegli nepiedod. Kad man neizdevās izzagt akmeni no Gringotiem, viņš bija ļoti neapmierināts. Viņš mani sodīja... nolēma, ka būs mani jāpieskata stingrāk...

Drebeļa balss pārvērtās nedzirdamā čukstā. Harijs atcerējās iepirkšanos Diagonalejā — kāpēc gan viņš bija tāds muļķis? Viņš taču tajā dienā *satika* Drebeli, pat spieda roku "Caurajā katlā".

Drebelis tikko dzirdami nolamājās.

— Es nesaprotu... vai akmens atrodas *spogulī*? Vai man tas jāsadauza?

Harijam galvā šaudījās tūkstoš dažādu domu.

Vairāk par visu pasaulē, viņš nodomāja, es vēlos atrast akmeni, pirms tas izdodas Drebelim. Tātad, ja ieskatīšos spogulī, es redzēšu, kā to atrodu — tātad es ieraudzīšu, kur tas paslēpts! Bet kā lai es ieskatos spogulī, lai Drebelis nesaprastu, ko esmu iecerējis?

Viņš mēģināja pavirzīties pa kreisi, lai, Drebelim nemanot, nokļūtu spoguļa priekšā, tomēr virves ap potītēm bija savilktas pārāk cieši — viņš paklupa un nokrita. Drebelis nelikās par viņu ne zinis. Profesors vēl arvien sarunājās pats ar sevi.

— Ko dara spogulis? Kā tas darbojas? Palīdzi man, pavēlniek!

Un Harijam par bezgalīgām šausmām, Drebelim atbildēja balss, kas šķita nākam no paša Drebeļa.

— Izmanto zēnu... Izmanto zēnu...

Drebelis pienāca pie Harija.

— Poter, nāc nu šurp.

Profesors vienreiz sasita plaukstas, un virves, kas bija saistījušas Hariju, nokrita. Harijs lēnām pieslējās kājās.

— Nāc šurp, — Drebelis atkārtoja. — Ieskaties spogulī un pasaki man, ko tu tur redzi?

Harijs sāka iet uz Drebeļa pusi.

— Man jāmelo, — viņš izmisīgi domāja. — Man jāpaskatās spogulī un jāmelo, par to, ko redzu, tas arī viss.

Drebelis nostājās zēnam cieši aiz muguras. Harijs ieelpoja savādo smaku, kas, likās, nāca no Drebeļa turbāna. Zēns aizvēra acis, nostājās spoguļa priekšā un atkal tās atvēra.

Vispirms viņš ieraudzīja savu atspulgu — bāls un nobijies puika. Bet mirkli vēlāk atspulgs uzsmaidīja viņam. Tas ielika roku kabatā un izņēma no tās asinssarkanu akmeni. Tad atspulgs piemiedza aci un ielika akmeni atpakaļ savā kabatā — un tajā mirklī Harijs juta, ka arī viņa paša kabatā ieslīd kaut kas smags. Pats nesaprazdams, kā, bet — neticami — *Harijs bija ticis pie akmens.*

— Nu? — nepacietīgi vaicāja Drebelis. — Ko tu redzi?

Harijs saņēma dūšu.

— Es redzu, kā spiežu roku Dumidoram, — viņš pūta. — Es... es esmu palīdzējis Grifidoram izcīnīt Skolas kausu.

Drebelis atkal nolamājās.

— Paej nost, — viņš teica. Paiedams sāņus, Harijs juta, kā filozofu akmens atsitas pret kāju. Varbūt mēģināt bēgt?

Bet viņš nebija atkāpies ne piecus soļus, kad ierunājās spalga balss, kaut arī Drebeļa lūpas nekustējās.

— Viņš melo... Viņš melo...

— Poter, nāc atpakaļ! — Drebelis uzkliedza. — Saki man taisnību! Ko tu tikko redzēji?

Atkal atskanēja spalgā balss.

— Ļauj man pašam ar viņu runāt... aci pret aci...

— Pavēlniek, jūs vēl neesat pietiekami spēcīgs!

— Šim... man spēka pietiks...

Harijs jutās tā, it kā velna cilpa viņu būtu piesaistījusi zemei. Viņš nespēja pakustināt ne muskuli. Pārakmeņojies zēns vēroja, kā Drebelis paceļ rokas un sāk raisīt vaļā savu turbānu. Kas te notika? Turbāns nokrita uz grīdas. Bez tā Drebeļa galva likās dīvaini maza. Tad profesors lēnām pagriezās.

Harija dvēsele iekliedzās, kaut arī viņš nespēja pāri lūpām dabūt ne skaņu. Tur, kur vajadzēja atrasties Drebeļa pakausim, rēgojās vēl viena seja, visbriesmīgākā seja, kādu Harijs jebkad bija redzējis. Krīta baltajos vaibstos zalgoja spoži sarkanas acis, bet deguna vietā bija spraudziņas, kas atgādināja čūskas nāsis.

— Harij Poter... — neradījums čukstēja.

Harijs mēģināja spert soli atpakaļ, taču kājas viņam neklausīja.

— Raugi, par ko esmu pārvērties! — seja turpināja. — Tikai ēna un tvaiki... Man ir forma vien tad, kad varu aizņemties kāda cita ķermeni... vienmēr gan ir bijuši tādi, kas gatavi ielaist mani savās sirdīs un prātos... Pēdējās nedēļās mani spēcinājusi vienradža asins... tu redzēji, kā uzticamais Drebelis Aizliegtajā mežā dzer tās, lai man būtu vieglāk... un, kad es iegūšu dzīvības eliksīru, es spēšu radīt pats savu ķermeni... Varbūt atdod to akmeni, kas ir tavā kabatā!

Tātad neradījums zināja. Pēkšņi Harija kājās atgriezās dzīvība. Viņš sāka kāpties atpakaļ.

— Neesi muļķis, — nogārdza seja. — Labāk glāb savu dzīvību un pievienojies man... vai arī tu iesi bojā tāpat, kā mira tavi vecāki... Viņi izlaida garu, lūdzot manu žēlastību...

— MELIS! — Harijs pēkšņi iekliedzās.

Iedams atmuguriski, tā, lai Voldemorts var paturēt zēnu acīs, Drebelis tuvojās Harijam. Tagad sātaniskā seja smaidīja.

— Cik aizkustinoši... — tā šņāca. — Es vienmēr esmu cienījis drosmi... Jā, zēn, tavi vecāki bija drosmīgi... Pirmo es nogalināju tavu tēvu, un viņš cīnījās līdz pēdējam... taču tavai mātei nevajadzēja mirt... viņa mēģināja aizsargāt tevi... Tagad atdod man akmeni, ja vien tu nevēlies, lai viņas nāve būtu bijusi veltīga.

— NEKAD!

Harijs metās uz liesmu durvīm, taču Voldemorts iespiedzās:

— ĶER VIŅU!

Nākamajā mirklī Harijs juta, kā ap viņa delnu sakļaujas Drebeļa roka. Pār rētu pierē pārskrēja griezīga sāpe, likās, galva tūlīt pārsprāgs uz pusēm. Zēns iekliedzās, cīnīdamies, cik spēka... un pēkšņi, kā par brīnumu, Drebelis viņu atlaida. Sāpes galvā kļuva ciešamākas — viņš strauji paskatījās visapkārt, lai redzētu, kur palicis Drebelis. Zēns ieraudzīja sāpju saliekto profesoru skatāmies uz pirkstiem — tos Drebeļa acu priekšā pārklāja čūlas.

— Ķer viņu! ĶER VIŅU! — atkal iespiedzās Voldemorts, un Drebelis metās uz priekšu, notriekdams Hariju no kājām un uzkrizdams zēnam virsū. Drebeļa plaukstas sakļāvās ap Harija kaklu — sāpes darīja zēnu gandrīz pilnīgi aklu, tomēr viņš saskatīja, ka arī Drebelis kauc agonijā.

— Pavēlniek, es nespēju noturēt viņu! Manas rokas... manas rokas...

Un, lai gan Drebelis vēl arvien ar ceļiem turēja Hariju piespiestu pie zemes, viņš atlaida zēna kaklu un apstulbis skatījās uz savām rokām — Harijs redzēja, ka tās izskatās apdegušas, jēlas, sarkanas un miklas.

— Tad nogalini viņu, stulbeni, un beigas! — auroja Voldemorts.

Drebelis jau pacēla roku nāvējošam lāstam, bet Harijs instinktīvi pašāva rokas uz augšu un satvēra profesora seju...

— ĀĀĀĀĀ!

Drebelis novēlās no zēna. Tagad čūlas pārklāja arī nelieša seju. Harijs saprata — Drebelis nespēj pieskarties viņa ādai, neciezdams šausmīgas sāpes. Harija vienīgā iespēja bija neatlaisties no Drebeļa, lai, sāpju plosīts, tas nespētu nolādēt zēnu.

Harijs pielēca kājās, saķēra Drebeļa roku un no visa spēka iekrampējās tajā. Drebelis iekliedzās un mēģināja atgrūst Hariju — sāpes zēna pierē kļuva arvien spēcīgākas — viņš vairs neko neredzēja, tikai dzirdēja Drebeļa šausmīgo gaudošanu un Voldemorta bļāvienus: — NOGALINI VIŅU! NOGALINI VIŅU! —

un vēl, un vēl citas balsis, kuras, iespējams, skanēja viņa paša galvā un sauca: — Harij! Harij!

Zēns juta, kā Drebelis izrauj roku no viņa tvēriena, zēns saprata, ka viss ir pagalam, un krita tumsā, arvien dziļāk, dziļāk, dziļāk.

* * *

Tieši virs viņa uzmirdzēja kaut kas zeltīts. Zibsnis! Viņš mēģināja to noķert, taču rokas izrādījās pārāk smagas.

Viņš samiedza un atkal atvēra acis. Tas nebūt nebija zibsnis. Tas bija aceņu pāris. Cik dīvaini.

Viņš vēlreiz samiedza un atvēra acis. Izplūdušais, briļļainais mākonis lēnām pārvērtās Baltusa Dumidora smaidošajā sejā.

— Labdien, Harij, — teica Dumidors.

Harijs blenza uz profesoru. Tad viņš atcerējās: — Profesor! Akmens! Tas bija Drebelis! Viņš dabūja akmeni! Profesor, ātrāk...

— Nomierinieties, mīļo puisēn, jūs esat mazliet atpalicis no notikumu gaitas, — pavēstīja Dumidors. — Drebelim akmens nav.

— Tad kam tas ir? Profesor, es...

— Harij, lūdzu, pierimstiet, citādi Pomfreja madāma mani izmetīs no šejienes.

Harijs norija siekalas un paskatījās visapkārt. Viņš aptvēra, ka acīmredzot atrodas slimnīcas spārnā. Viņš gulēja gultā starp baltiem palagiem, bet līdzās uz naktsskapīša, likās, bija sakrauta puse saldumu veikala.

— Laba vēlējumi no draugiem un apbrīnotājiem, — starodams paskaidroja Dumidors. — Tas, kas pazemē notika starp jums un profesoru Drebeli, tiek turēts stingrā noslēpumā, tāpēc par to, protams, runā visa skola. Šķiet, jūsu draugi Freds un Džordžs Vīzliji mēģināja atsūtīt tualetes poda vāku. Viņiem likās, tas varētu jūs uzjautrināt. Diemžēl Pomfreja madāma bija citos ieskatos un, šaubīdamās par minētā priekšmeta higiēniskumu, to konfiscēja.

— Cik ilgi es te guļu?

— Trīs dienas. Ronalds Vīzlija kungs un Hermione Grendžeras jaunkundze būs patiesi iepriecināti, ka esat atguvis samaņu, viņi bija pagalam satraukušies.

— Bet, profesor, akmens...

— Redzu, man neizdosies novērst sarunu uz citu tēmu. Lai būtu, par akmeni. Profesors Drebelis nespēja jums to atņemt. Es ierados laikā, lai to novērstu, lai gan jāatzīst, ka arī jūs pats turējāties godam.

— Jūs ieradāties pazemē? Jūs saņēmāt Hermiones pūci?

— Mēs laikam samijāmies kaut kur pa ceļam. Tikko es nokļuvu Londonā, man kļuva skaidrs, ka man vajag atrasties vietā, kuru nupat esmu atstājis. Es ierados laikā, lai atrautu Drebeli no jums...

— Tas bijāt *jūs*.

— Es baidījos, ka būšu ieradies par vēlu.

— Tā arī gandrīz bija, ilgi es akmeni vairs nebūtu nosargājis...

— Nē, runa nav pa akmeni, puisīt, bet par jums... Piepūle jūs gandrīz nonāvēja. Pirmajā, šausminošajā mirklī man likās, ka nelabojamais jau noticis. Bet akmens ir iznīcināts.

— Iznīcināts? — neizpratnē vaicāja Harijs. — Bet jūsu draugs, Nikolass Fleimels...

— O, jūs zināt par Nikolasu? — iepriecināts iesaucās Dumidors. — Jūs *visu* izdarāt līdz galam, ko? Redzat, mēs ar Nikolasu mazliet aprunājāmies un nospriedām, ka tas viss ir uz labu.

— Bet tas taču nozīmē, ka viņš un viņa sieva mirs, vai ne?

— Viņi ir sagatavojuši gana eliksīra, lai pagūtu nokārtot savas lietas, un tad — jā, tad viņi mirs.

Dumidors pasmaidīja, redzēdams Harija pārsteigumu.

— Tik jaunam cilvēkam kā jūs, esmu pārliecināts, tas liekas neticami, bet Nikolasam un Perenellei tas būs kā došanās pie miera pēc ļoti, ļoti garas dienas. Galu galā, cilvēkam, kura galvā valda kārtība, nāve ir vien nākamais lielais piedzīvojums. Zināt, akmens jau nemaz nav tik jauka lietiņa. Tik daudz naudas un gadu, cik kārojas! Divas lietas, ko vairums cilvēku izvēlētos pāri visam citam. Tikai nelaime tā, ka cilvēkiem piemīt talants izvēlēties tieši to, kas viņiem pašiem nes lielāko ļaunumu.

Harijs gulēja, nezinādams, ko teikt. Dumidors mazliet padungoja un tad uzsmaidīja griestiem.

— Profesor? — ierunājās Harijs. — Es prātoju... Profesor, pat ja akmens ir pagalam, vai Vol... es gribēju teikt, Paši-Zināt-Kas...

— Dēvējiet viņu par Voldemortu, Harij. Vienmēr sauc lietas īstajos vārdos. Bailes no vārda dara lielākas bailes no tā nēsātāja.

— Labi, profesor. Vai Voldemorts meklēs citus ceļus, kā atgriezties? Proti, viņš taču neaizgāja bojā, vai ne?

— Nē, Harij, neaizgāja. Viņš vēl arvien kaut kur slēpjas, iespējams, meklēdams citu ķermeni, kurā iemiesoties... Tā kā viņš nav dzīvs, arī nonāvēt viņu nevar. Viņš pameta Drebeli mirstam. Viņš izrāda vienlīdz maz žēlsirdības kā saviem ienaidniekiem, tā saviem līdzgaitniekiem. Jūs, Harij, tikai aizkavējāt viņa atgriešanos bijušajā varenībā, tomēr, ja vēl kāds pēc laika būs gatavs mesties šķietami zaudētā cīņā, tas aizkavēs Voldemortu uz vēl kādu brīdi, un tad — uz vēl kādu, un tā, iespējams, viņš nekad neatgūs bijušo varu.

Harijs mēģināja pamāt, bet tūlīt pārdomāja — galva vēl ļoti sāpēja. Tad zēns turpināja: — Profesor, ir vēl daži jautājumi, uz kuriem es vēlētos uzzināt atbildes — ja jūs varētu man to pastāstīt... Es gribētu uzzināt, kas īstenībā notika...

— Īstenība, — Dumidors nopūtās. — Tas ir kas vienlaikus skaists un drausmīgs, tāpēc pret to vienmēr jāizturas ar lielu piesardzību. Taču es atbildēšu uz jūsu jautājumiem, ja vien man nebūs īpaši pārliecinoša iemesla no tā atturēties — un par to es lūgšu jūs piedot. Es, protams, nemelošu.

— Jā... Voldemorts teica, ka viņš esot nogalinājis māti tikai tāpēc, ka viņa neļāva nonāvēt mani. Bet kāpēc gan viņš vispirms gribēja nogalināt mani?

Šoreiz Dumidors nopūtās īpaši dziļi.

— Diemžēl es nevaru atbildēt jau uz jūsu pirmo jautājumu. Ne šodien. Ne tagad. Kādu dienu jūs to uzzināsiet... šobrīd, Harij, centieties nedomāt par to. Kad jūs būsiet vecāks... Es saprotu, jums nav patīkami to dzirdēt... kad jūs būsiet tam gatavs, jūs to uzzināsiet.

Harijs nojauta, ka strīdēties nav vērts.

— Bet kāpēc Drebelis nespēja man pieskarties?

— Jūsu māte mira, lai izglābtu jūs. Ja ir kas tāds, ko Voldemorts nespēj saprast, tā ir mīlestība. Viņš nesaprata, ka tik spēcīga mīlestība, ar kādu jūsu māte mīlēja jūs, nepazūd bez pēdām. Ne rētu, ne kādu pamanāmu zīmi... tik bezgalīga mīlestība sargās mūs visu mūžu, pat tad, kad mūs mīlējušais cilvēks jau būs miris. Un mīlestība turpina dzīvot — jūsu ādā. Naida, alkatības un godkāres pārņemtais Drebelis, kurš ielaidis savā dvēselē Voldemortu, šī iemesla dēļ nespēj jums pieskarties. Viņam pat pieskaršanās cilvēkam, ko sargā kas neizmērojami labs, sagādā neizturamas ciešanas.

Tagad Dumidora uzmanību piesaistīja putniņš ārā uz palodzes, un šajā laikā Harijs paguva nosusināt acis palaga stūrī. Atguvis balsi, Harijs uzdeva nākamo jautājumu: — Par Paslēpni — vai jūs zināt, kas man to atsūtīja?

— Ak, par to — tā nu reiz sagadījās, ka jūsu tēvs atstāja to manā glabāšanā, un es iedomājos, ka jums tas varētu tīri labi patikt. — Dumidora acis iedzirkstījās. — Noderīgas lietiņas... kamēr jūsu tēvs šeit apgrozījās, viņš to galvenokārt izmantoja, lai ielavītos virtuvē un paņemtu ko ēdamu.

— Un vēl kas...

— Plāj tik vaļā.

— Drebelis sacīja, ka Strups...

— *Profesors* Strups, Harij.

— Jā, viņš — Drebelis teica, ka Strups neieredzot mani, jo neesot ieredzējis manu tēvu. Vai tas ir tiesa?

— Jā, viņi viens otram likās visai netīkami. Nu, arī jums šīs izjūtas nav svešas — ja pieminam Malfoja kungu. Turklāt jūsu tēvs izdarīja ko tādu, ko Strups tā arī nespēja viņam piedot.

— Ko?

— Jūsu tēvs izglāba Strupam dzīvību.

— *Ko?*

— Tiešām... — sapņaini turpināja Dumidors. — Dīvaini, kā reizēm darbojas cilvēka prāts, vai ne? Profesors Strups nespēj samierināties ar domu, ka ir jūsu tēva parādnieks... Pieļauju, ka šogad viņš tā pūlējās jūs pasargāt tieši tāpēc, ka viņam likās — tas atsvērtu viņa parādu. Tad viņš varētu rimties un mierīgi nīst jūsu tēva piemiņu...

Harijs mēģināja to visu aptvert, tomēr galva sāka nepatīkami dunēt, tāpēc viņš atlika šīs sarežģītās atbildes izprašanu uz vēlāku laiku.

— Un vēl viens jautājums...

— Tikai viens?

— Kā es dabūju akmeni ārā no spoguļa?

— O, priecājos, ka jūs man to pavaicājāt. Tā ir viena no manām spožākajām idejām, un, ja apsolāties to nevienam citam nestāstīt, tas kaut ko nozīmē. Redzat, tikai cilvēks, kurš vēlējās *atrast* akmeni — atrast, bet ne izmantot to — spēja akmeni iegūt. Pārējie redzētu, kā viņi taisa zeltu vai dzer dzīvības eliksīru. Mans prāts reizēm pārsteidz mani pašu... Tā, tagad gana jautājumu. Es ieteiktu jums pievērsties saldumiem. Ak! Bertija Bota "Visgaršu zirnīši"! Reiz man jaunības dienās nelaimīgi trāpījās zirnītis ar vēmekļu garšu, un kopš tā laika es, baidos atzīties, izturos pret šo izstrādājumu ar zināmām aizdomām — bet šis krējuma īriss izskatās pietiekami droši, vai ne?

Profesors pasmaidīja un iemeta zeltaini brūno zirnīti mutē. Tad viņš gandrīz aizrijās un noteica: — Man tomēr neveicas! Ausu sērs!

* * *

Slimnīcas vadītāja Pomfreja madāma bija jauka, tomēr stingra sieviete.

— Tikai piecas minūtītes, — Harijs lūdzās.

— Izslēgts.

— Jūs ielaidāt profesoru Dumidoru...

— Protams, viņš ir direktors, tā ir gluži cita lieta. Jums nepieciešama *atpūta*.

— Es atpūšos, redzat, es guļu, es daru visu, ko jūs vēlaties. Nu, lūdzu, Pomfreja madām...

— Ļoti labi, — viņa beidzot padevās. — Bet *tikai* piecas minūtes.

Un viņa ielaida Ronu un Hermioni.

— *Harij!*

Likās, ka Hermione ir gatava vēlreiz apskaut Hariju, tomēr zēnam par prieku jaunkundze šoreiz savaldījās — galva vēl likās pārāk jutīga šādām emociju izpausmēm.

— Ak Harij, mēs bijām pārliecināti, ka tu... Dumidors bija tā uztraucies...

— Par to runā visa skola, — sacīja Rons. — Kas tur *īsti* notika?

Šī bija viena no retajām reizēm, kad stāsts par to, kas *īsti* notika, izrādījās dīvaināks un satriecošāks par visneprātīgākajām baumām. Harijs izstāstīja draugiem visu: par Drebeli, par spoguli, par akmeni un par Voldemortu. Rons un Hermione izrādījās labi klausītāji, *īstajās* vietās viņiem aizrāvās elpa, un, kad Harijs pavēstīja, kas atklājās zem Drebeļa turbāna, Hermione pat skaļi iekliedzās.

— Tātad akmens vairs nav? — pašās beigās pavaicāja Rons.

— Fleimels vienkārši *nomirs?*

— Arī es par to brīnījos, taču Dumidors domā, ka... kā nu tur bija? — "cilvēkam, kura galvā valda kārtība, nāve ir vien nākamais lielais piedzīvojums".

— Vienmēr esmu teicis, ka viņam nav visi pieci mājās, — noteica Rons, kuru, likās, ļoti iespaidoja tas, cik ļoti traks bija viņa elks.

— Un kā viss beidzās jums abiem? — jautāja Harijs.

— Es atgriezos bez kādiem sarežģījumiem, — sāka stāstīt Hermione. — Vispirms es atžilbināju Ronu — tas gan prasīja kādu laiciņu — un tad mēs drāzāmies uz pūču māju, lai sūtītu ziņu Dumidoram. Bet pa ceļam... satikām profesoru Ieejas zālē. Viņš jau saprata, kas noticis, tikai pavaicāja: "Harijs devās viņam pakaļ, ja?" — un aizmetās uz ceturto stāvu.

— Vai domā, viņš vēlējās, lai tu to paveiktu? — jautāja Rons. — Viņš tev atsūtīja tēva apmetni, un tā tālāk?

— *Paklausieties*, — Hermione iesaucās, — ja viņš tiešām tā rīkojās — es gribēju teikt — tas taču ir drausmīgi, tevi varēja nogalināt.

— Nē, tas nav drausmīgi, — domīgi sacīja Harijs. — Dumidors ir savdabīgs vīrs. Vai zināt, man šķiet, viņš gribēja dot man iespēju. Manuprāt, viņš vairāk vai mazāk zina visu, kas skolā notiek. Cik noprotu, viņam bija puslīdz skaidrs, ka mēs mēģināsim darīt to, ko mēs izdarījām, un viņš gādāja, lai mēs zinātu to, kas mums nepieciešams. Domāju, tā nebija nejaušība, ka viņš man ļāva saprast, kā darbojas spogulis. Dumidors, šķiet, uzskatīja, ka man ir tiesības stāties pretī Voldemortam — ja vien es to spēju...

— Jā, Dumidora rokraksts, neko neteiksi, — lepni piekrita Rons. — Klausies, tev jātiek uz pekām līdz rītdienas mielastam par godu mācību gada beigām. Visi punkti ir apkopoti, un, protams, Slīdenis vinnēja — tu netiki uz pēdējo kalambola spēli, kraukļanagi bez tevis mūs sasita lupatu lēveros — bet maltītei vajadzētu būt lepnai.

Šajā brīdī ieradās Pomfreja madāma.

— Jūs pļāpājat jau gandrīz piecpadsmit minūtes, tagad PROJĀM! — viņa stingri noskaldīja.

* * *

Kārtīgi izgulējies, Harijs jutās gandrīz kā parasti.

— Es gribētu iet uz svētku mielastu, — viņš uzrunāja Pomfreja madāmu, kas tobrīd kārtoja viņa daudzās saldumu kārbas. — Es drīkstēšu, ja?

— Profesors Dumidors teica, ka man jūs jāizraksta, — viņa ar nepatiku sacīja, it kā, viņasprāt, profesors Dumidors īsti neaptvertu, cik bīstami reizēm mēdz būt mielasti. — Un tev ir vēl viens apmeklētājs.

— Jauki, — sacīja Harijs. — Kas tur ir?

Līdz ar šiem vārdiem pa durvīm ieslīdēja Hagrids. Kā jau ierasts, telpās milzis izskatījās vienkārši par lielu. Viņš apsēdās līdzās Harijam, vienreiz paskatījās uz zēnu un tad sāka nevaldāmi raudāt.

— Tā... ir... mana... nolādētā... vaina! — viņš elsoja, paslēpis seju rokās. — Es izstāstīj tam nelabajam, kā tikt garām Pūkainītim! Es izstāstīj viņam! Tā bija vienīgā lieta, ko viņš nezināj, un es izstāstīj viņam! Tu varēj mirt! Un viss vienas pūķa olas dēļ! Es nekad vairs nedzerš! Mani vajadzēj patriekt no šejienes un likt dzīvot kā vientiesim!

— Hagrid! — ierunājās Harijs, satriekti vērodams milzi, kurš drebēja bēdās un nožēlā, lielām asarām līstot bārdā. — Hagrid,

viņš to būtu uzzinājis citādi, mums taču darīšana ir ar Volde-
mortu, viņš būtu atklājis, kā rīkoties, arī bez tevis.

— Tu varēj mirt! — šņukstēja Hagrids. — Un nesauc viņu
vārdā!

— VOLDEMORTS! — iekliedzās Harijs, un Hagrids bija tik
satriekts, ka pārstāja raudāt. — Es cīnījos ar viņu, un es saukšu
viņu vārdā. Rimsties, Hagrid, mēs izglābām akmeni, tas ir iz-
nīcināts, viņš to vairs nevarēs izmantot. Apēd kādu šokolādes
vardi, man to ir tonnām...

Hagrids ar piedurkni noslaucīja degunu un sacīja: — Es ko
atcerējs. Man priekš tevis ir dāvana.

— Ceru, ka tā nav sermuliņu sviestmaize? — nemierīgi iemi-
nējās Harijs — un beidzot Hagrids tikko dzirdami iesmējās.

— Nē. Dumidors man vakar piešķīr brīvdienu, lai pagūst to
uztaisīt. Protams, viņam vajadzēj mani atlaist — lai nu kā, tas
tev...

Tā izskatījās pēc pabiezas, ādā glīti iesietas grāmatas. Harijs
ziņkārīgi pavēra vāku. Tas izrādījās albums, pilns ar burvju foto-
grāfijām. No katras lappuses viņam, smaidīdami un mādami ar
roku, pretī vērās tēvs un māte.

— Aizsūtīj pūces visiem tavu vecāku vecajiem skolas laiku
draugiem, lūdzot bildītes... Zināj, ka tev nevienas nav... Vai tev
patīk?

Harijs nespēja bilst ne vārda, taču Hagrids visu saprata.

* * *

Tovakar uz mācību gada beigu mielastu Harijs gāja viens pats.
Viņu aizkavēja Pomfreja madāmas pēdējās pārbaudes, un, kad
beidzot viņš ieradās Lielajā zālē, tā jau bija pilna. Tā bija grezno-
ta Slīdeņa zaļi sudrabotajās krāsās, lai atzīmētu slīdeņu septīto
uzvaru pēc kārtas Skolas kausa izcīņā. Milzīgs karogs ar Slīdeņa
čūsku klāja sienu aiz Augstā galda.

Kad Harijs ienāca zālē, sarunas uz mirkli noklusa, bet tad uzbangoja ar jaunu spēku. Pie Grifidora galda viņš ieslīdēja vietā starp Ronu un Hermioni un centās nelikties zinis par to, ka cilvēki cēlās kājās, lai viņu redzētu.

Par laimi, dažus mirkļus vēlāk parādījās arī Dumidors. Čala norima.

— Vēl viens gads pagājis! — Dumidors līksmi uzrunāja zāli. — Un, pirms varēsiet iecirst zobus sarūpētajos gardumos, jums kādu brīdi būs jāpacieš veca vīra astmatiskā muldēšana. Šis ir bijis varens gads! Cerams, jūsu galvas tik tiešām ir mazliet pilnākas... tagad priekšā ir visa vasara, lai tās apsauļotu un patukšotu, pirms sākas nākamais gads...

— Tagad, cik noprotu, — Dumidors ķērās pie dienas kārtības pirmā punkta, — mums jānoskaidro, kas izcīnījis Skolas kausu. Pašlaik torņi ieņem šādas vietas: Grifidors ar trīssimt divpadsmit punktiem ieņem ceturto vietu, Elšpūtis ar trīssimt piecdesmit diviem — trešo vietu, Kraukļanagam ir četrsimt divdesmit seši, un Slīdenim — četrsimt septiņdesmit divi.

Pie Slīdeņa galda atskanēja urravu vētra un skaļa kāju rībināšana. Harijs redzēja, kā Drako Malfojs dauza pa galdu ar savu dzeramo kausu. No šī skata Harijam metās slikta dūša.

— Jā, jā, slīdeņi, teicami pastrādāts, — atzina Dumidors. — Tiesa, mums būtu jāņem vērā arī pēdējo dienu notikumi.

Zāle noklusa. Slīdeņu smaidi kļuva mazliet atturīgāki.

— Khm, — Dumidors nokrekšķinājās. — Tātad man vēl ir piešķirami šādi tādi punkti. Paskatīsimies. Lūk...

— Pirmkārt, par Ronalda Vīzlija kunga...

Rons nosarka līdz matu saknēm, viņš atgādināja redīsu, kas pārāk ilgi cepinājies saulē un pamatīgi apdedzis.

— ...izspēlēto šaha partiju, kas ir izcilākā, ko pēdējos gados pieredzējusi Cūkkārpa, es piešķiru Grifidora tornim piecdesmit punktu.

Grifidoru sajūsmas saucieni, likās, paceļ bezgalīgi augstos, noburtos griestus vēl par pāris pēdām augstāk. Varēja dzirdēt, kā Persijs klāsta pārējiem prefektiem: — Mans brālis, zināt! Mans jaunākais brālis! Tika galā ar Maksūras milzu šaha figūrām!

Pēc krietna brīža zāle atkal norima.

— Otrkārt, par Hermiones Grendžeras jaunkundzes spēju likt lietā aukstasinīgu loģiku versmojošu liesmu ielenkumā es piešķiru Grifidora tornim piecdesmit punktu.

Hermione paslēpa seju rokās, Harijaprāt, lai paslēptu acīs izsprāgušās asaras. Grifidori visapkārt galdam no prieka nezināja kur likties.

— Treškārt, par Harija Potera kunga... — turpināja Dumidors. Zālē iestājās nāves klusums. — ...pašaizliedzību un izcilo drosmi es piešķiru Grifidora tornim sešdesmit punktu.

Troksnis bija apdullinošs. Tie, kuri, līdz aizsmakumam kliegdami, tomēr spēja galvā skaitīt līdzi rezultātus, saprata, ka tagad Grifidoram bija četrsimt septiņdesmit divi punkti — tieši tikpat, cik Slīdenim. Tātad grifidori bija panākuši sāncenšus Skolas kausa sacīkstē. Ja Dumidors būtu piešķīris Harijam kaut par punktu vairāk...

Dumidors pacēla roku. Zāle pamazām pieklusa.

— Ir dažādas drosmes izpausmes, — teica Dumidors un pasmaidīja. — Ir krietni jāsaņemas, lai stātos pretī ienaidniekam, bet ne mazāka drosme ir nepieciešama, lai stātos pretī draugiem, ja šķiet, ka viņi rīkojas nepareizi. Tāpēc es piešķiru desmit punktu Nevilam Lēniņa kungam.

Ja kāds stāvētu ārpus Lielās zāles, viņš droši vien nodomātu, ka telpā noticis sprādziens — tāds troksnis sacēlās pie Grifidora galda. Harijs, Rons un Hermione kopā ar pārējiem, kājās pielēkuši, kliedza, cik jaudas, bet no pārsteiguma nobālušais Nevils vienā acumirklī nozuda zem cilvēkiem, kuri metās viņu apskaut. Iepriekš viņš Grifidoram nebija izcīnījis nevienu pašu punktiņu.

Vēl arvien kliegdams, Harijs iedunkāja Ronu ribās un norādīja uz Malfoju, kurš izskatījās tik apstulbis un satriekts, it kā viņu kāds būtu nolādējis ar miessaistes lāstu.

— Tas nozīmē, — Dumidors sauca pāri aplausu vētrai, jo pat kraukļanagi un elšpūši līksmoja par Slīdeņa krišanu, — mums vajadzētu mazliet pamainīt dekorācijas.

Viņš sasita plaukstas. Vienā acumirklī zaļās drapērijas kļuva sarkanas un sudrabs pārvērtās zeltā, no karoga pazuda Slīdeņa čūska un tās vietu ieņēma pakaļkājās saslējies Grifidora lauva. Strups ar mākslota smaida izķēmotu seju spieda roku profesorei Maksūrai. Viņš uzmeta skatu Harijam, un zēns saprata, ka Strupa attieksme pret viņu nav ne par matu uzlabojusies. Tas gan Hariju neuztrauca. Likās, ka nākamgad dzīve atgriezīsies ierastajā gultnē, cik nu Cūkkārpā gultne ierasta varēja būt.

Tas bija lieliskākais vakars Harija dzīvē, labāks par visām uzvarām kalambolā, labāks par Ziemassvētkiem, labāks par kalnu troļļa pieveikšanu... šo vakaru viņš nekad, nekad neaizmirsīs.

* * *

Harijs gandrīz aizmirsa, ka gaidāmi vēl arī eksāmenu rezultāti, tomēr pienāca laiks arī tiem. Pašiem par lielu pārsteigumu, Harijs un Rons tos bija nokārtojuši ar labām atzīmēm. Hermione, protams, bija ieguvusi labāko punktu summu starp pirmziemniekiem. Pat Nevils bija izkūlies sveikā, jo labās sekmes herboloģijā atsvēra izgāšanos mikstūrās. Draugi cerēja, ka Goils, kurš bija cik nešpetns, tik stulbs, būs izkritis, tomēr arī Malfoja draudziņš bija nolicis eksāmenus. Lai kā tas kremta, Rons noteica, ka visas vēlēšanās dzīvē nekad nepiepildās.

Un tad pienāca diena, kad drēbju skapji atdeva drēbes čemodāniem, kad Nevila krupītis tika sameklēts mazmājiņas kaktā un kad visi audzēkņi saņēma rakstiskus atgādinājumus nelietot burvestības brīvdienu laikā ("Es tā cerēju, ka šogad viņi par šīm lapiņām piemirsīs," bēdīgi novilka Freds Vīzlijs). Hagrids sapulcināja visus, lai aizvestu pie laivām, kas pārvedīs audzēkņus pāri ezeram uz Cūkkārpas ekspreša piestātni. Todien visi steidza pirms šķiršanās izpļāpāties un izsmieties, bet lauki tikmēr kļuva zaļāki un koptāki. Traukdamies cauri vientiešu pilsētām, bērni mielojās ar Bertija Bota "Visgaršu zirnīšiem" un pārģērbās no burvju drānām džinsos un jakās. Visbeidzot vilciens pienāca Kingskrosas stacijas piestātnē numur deviņi un trīs ceturtdaļas.

Pagāja krietns laiciņš, kamēr visi cūkkārpieši izkļuva no piestātnes pašā stacijā. Vecs, izkaltis uzraugs stāvēja pie dzelzs arkas un laida topošos burvjus cauri vārtiem mazos pulciņos pa diviem trim, lai vientieši nepievērstu uzmanību tam, ka no sienas pēkšņi iznāk vesels bars zēnu un meiteņu.

— Jums abiem vasarā noteikti jāatbrauc paciemoties pie manis, — sacīja Rons. — Es aizsūtīšu pūci.

— Paldies, — atteica Harijs. — Doma, ka tiksimies, palīdzēs pārciest šīs brīvdienas.

Bērni, cits citu stumdīdami, pamazām virzījās uz vārtiem, caur kuriem viņi atkal atgriezīsies vientiešu pasaulē. Daži vēl uzsauca:

— Paliec sveiks, Harij!

— Uz redzēšanos, Poter!

— Tava slava nevīst, — norūca Rons, uzsmaidīdams draugam.

— Tur, kurp es dodos, būs citādi, to es tev varu apzvērēt, — sacīja Harijs.

Viņš, Rons un Hermione izgāja no burvju piestātnes kopā.

— Tur viņš ir, mammu, skaties, tur viņš ir!

Tā bija Džinnija Vīzlija, Rona jaunākā māsiņa, tikai viņa nerādīja uz Ronu.

— Harijs Poters! — viņa smalkā balstiņā sauca. — Skaties, mammu! Es redzu...

— Rimsties, Džinnij, turklāt rādīt uz cilvēku ar pirkstu nav pieklājīgi.

Vīzlija kundze uzsmaidīja dēlam un viņa draugiem.

— Traks gadiņš? — Rona mamma vaicāja.

— Ļoti traks, — atzinās Harijs. — Paldies, Vīzlija kundz, par saldumiem un džemperi.

— Ko nu par to, mīļais.

— Vai esi gatavs, ko?

Tas bija tēvocis Vernons, vēl arvien sarkanu seju, vēl arvien ūsains, vēl arvien dusmīgs par Harija atļaušanos parādīties parastu cilvēku pilnā stacijā ar savu pūces būri rokās. Aiz muguras tēvocim slēpās Petūnijas tante un Dūdijs, kurus, šķiet, stindzināja Harija parādīšanās vien.

— Jūs laikam būsiet Harija radi? — apvaicājās Vīzlija kundze.

— Zināmā mērā, — norūca tēvocis Vernons. — Pasteidzies, puis, mēs nevaram te gaidīt visu dienu. — Dērslijs pagriezās un devās uz izeju.

Harijs vēl mirkli pakavējās, lai pārmītu pēdējos vārdus ar Ronu un Hermioni.

— Nu, tad jau uz redzēšanos kaut kad vasarā!

— Ceru, ka tev būs, mmm, jaukas brīvdienas, — nepārliecināti noteica Hermione, lūkodamās aizejošā tēvoča Vernona mugurā, pārsteigta, ka var būt arī tik nepatīkami cilvēki.

— Esmu pārliecināts, ka tā arī būs, — atbildēja Harijs, pārsteigdams draugus ar smaidu, kas iezagās viņa lūpu kaktiņos. — *Viņi* taču nezina, ka mums mājās aizliegts izmantot burvestības. Šogad mums ar Dūdiju būs jauka vasara...

SATURS

Izdevējs — SIA «J. L.V.», Dzirnavu ielā 73–10, Rīgā LV 1011.

Iespiests un iesiets a/s «Preses nams» poligrāfijas grupas
«Jāņa sēta» tipogrāfijā, Balasta dambī 3, Rīgā LV 1081.